A^{t}V

GILA LUSTIGER wurde 1963 in Frankfurt am Main geboren. Sie studierte von 1982 bis 1986 Germanistik und Komparatistik an der Hebräischen Universität in Jerusalem und war danach Lektorin in Tel Aviv. Sie lebt seit 1987 mit ihrem Mann, dem französischen Dichter Emmanuel Moses, und ihren zwei Kindern in Paris, wo sie als Journalistin, Verlagslektorin und Übersetzerin tätig ist.

»Die Bestandsaufnahme« (1995) ist ihr erster Roman.

»Die Bestandsaufnahme« von Gila Lustiger ist in meinen Augen eines der wichtigsten, lesenswertesten, ernstzunehmendsten Bücher der letzten Jahre. Gila Lustiger gibt den »unbekannten« Menschen des Dritten Reichs ihre Geschichte zurück: als eine Art poetische Bestandsaufnahme der Vorgänge im Dritten Reich, die zur Ermordung von über sechs Millionen Juden führten.

Barbara Krohn, Mittelbayerische Zeitung

Die Nüchternheit ist künstlerisches Prinzip, eine so unaufgeregte »Bestandsaufnahme« des Holocaust gab es wohl bisher nicht.

Gisela Hoyer, Leipziger Volkszeitung

Gila Lustiger hebt Täter und Opfer aus dem Nebel der Anonymität, der unsere Wahrnehmung trübt, ins grelle Licht des Konkreten. »Die Bestandsaufnahme« ist ein Buch von außerordentlicher suggestiver Kraft.

Vielleicht hätte niemand anders als eine Nachgeborene einen solchen Roman schreiben können. Diesem Buch sind viele Leser zu wünschen.

Cornelia Geißler, Berliner Zeitung

Gila Lustiger

Die Bestandsaufnahme

Roman

Aufbau Taschenbuch Verlag

ISBN 3-7466-1257-8

1. Auflage 1996
Aufbau Taschenbuch Verlag GmbH, Berlin
© Aufbau-Verlag GmbH, Berlin 1995
Einbandgestaltung Bert Hülpüsch unter Verwendung
des Gemäldes Barfüßerkirche 1 von Lyonel Feininger,
Staatsgalerie Stuttgart © VG Bild-Kunst, Bonn 1995
Satz LVD GmbH, Berlin
Druck Elsnerdruck Berlin, GmbH
Printed in Germany

Alle beschriebenen Ereignisse beruhen auf historisch belegten Tatsachen. Viele Personen sind frei erfunden, ihr Schicksal aber ähnelt dem tausend anderer. Biographische Angaben einiger Protagonisten stimmen mit der Realität überein, während einzelne Handlungsabläufe, Gedanken und Motivationen fiktiv sind.

G. L.

»Die Wahrheit wird in der gleichen Weise geschaffen wie die Lüge.«

Odysseas Elytis

Inhalt

Wo Liebe nicht ist,
sprich das Wort nicht aus.

Johannes Bobrowski

Ein romantischer Anfang
in acht Bildern
(Eine Brosche in Rosenform)

Dora Wellner war eine eigenwillige Frau, die trotz slawischer Einflüsse in ihrem Stammbaum kein bißchen von der berüchtigten galizischen Starrköpfigkeit eingebüßt hatte. Obwohl die Mutter flehte, holte sie eines Morgens den Koffer vom Dachboden, den der Vater vor ungefähr zwanzig Jahren gekauft hatte, als er von Krakau nach Amerika auswandern wollte, was er dann wegen zweier kastanienbrauner Zöpfe, die der Tochter eines entfernten Verwandten gehörten, nicht tat. Nahm also den aufwieglerischen Koffer, staubte ihn ab und füllte ihn mit den Kleidungsstücken, die sie frisch gewaschen und ordentlich zusammengefaltet auf dem Bett ausgebreitet hatte. Trug den Koffer – es war eher ein Zerren und Stoßen, dem sie ein leises Fluchen beifügte – die zwei Etagen hinunter und stellte sich zur Mittagszeit mit einer Bahnkarte zweiter Klasse in der Hand an den Straßenrand. Da stand sie nun, wartete auf die Droschke und schaute sich die Heimat an.

Obstgarten und Kirche lagen zur Rechten, einige Häuserreihen mit rotem Ziegeldach zur Linken, und weit dahinter, am Ende der Straße, der Friedhof, der Feldweg und der Wald.

Der Schmied hämmerte noch, er hatte sein Hemd ausgezogen und die Tür weit geöffnet. Drei Männer kamen vom Fischmarkt her und luden leere Kisten auf einen Wagen, der vor ihrer Haustüre stand. Eine Wolke zog am Kirchturm vorbei. Die Frau des Schmiedes rief den Mann. Die Zeiger der Kirchturmuhr rückten gnadenlos auf die Eins zu. Dora seufzte. Den Segen der Mutter hatte sie schon, wenn auch nicht den des Vaters. Während die Familie am Eßtisch saß, reiste Dora ihrem Glück entgegen, denn es zog sie, wohin es so viele junge Menschen zieht, nach Berlin.

Zweites Bild: Dora saß neben einer Frau, die an etwas Rotem strickte, und schaute aus dem Fenster. Den Einzelhof und die Ziegelei hatte sie seit gut einer Stunde hinter sich gelassen. Die Landschaft war die gleiche, nur die Ortsnamen klangen fremd. Der Schaffner kam und nickte der jungen Frau gutmütig zu. Gleich kam Stettin.

Dora packte ihr Brot aus. Was zu Hause versprochen worden war, konnte unmöglich eingehalten werden. Was sollte sie auch bei einer kinderlosen Witwe, einer Cousine der Mutter, wo sie doch gerade erst dem Elternhaus entronnen war. Sie legte das Brot beiseite und holte den Geldbeutel aus dem Koffer. Für ein Hotel reichte es nicht, vielleicht aber für die kleine Familienpension in der Nähe des Ku'damms mit den Geranien vor den Fenstern – sie hatte die Postkarte, die zu Werbezwecken angefertig worden war, bei der Klavierlehrerin auf dem Küchentisch gesehen. Dora nickte und aß zufrieden das Butterbrot auf, dann schlief sie, trotz der Aufregung, ein, sah also weder die Oder noch die Spree, und kam nach einer erschöpfenden Tagesreise endlich an.

Keiner wußte, wo sie war. Die Cousine der Mutter wußte es nicht, dachte sich aber ihren Teil, den sie wohlgemerkt verschwieg. Sie erinnerte sich an einen schnurrbärtigen Mann, mit dem sie vor über dreißig Jahren beinahe nach Leipzig geflüchtet wäre, weil sie nicht immer eine Frau von hoher Moralität gewesen war, und fragte sich, ob sie nun auf den Silberfuchskragen würde verzichten müssen, den sie sich von der ersten Monatsmiete kaufen wollte und der schon im Hinterzimmer des Kürschners auf sie wartete. Sie hatte den Pelzkragen, gleich nachdem Doras Mutter die Ankunft ihrer Tochter angekündigt hatte und der finanzielle Aspekt geregelt worden war, beiseite legen lassen.

Die Mutter wußte auch nicht, wo die Tochter steckte, hielt sich aber mit Schrecken die Diebe und Gauner vor

Augen, deren Missetaten sie jeden Freitag in der Zeitung mitverfolgte und die vor allen Dingen auf Bahnhöfen ihr böses Spiel trieben.

Der Vater wußte es nicht. Er formulierte das Arsenal an Vorwürfen, mit dem er seine Frau unter Beschuß nehmen wollte, und hatte daher keine Zeit, sich Gedanken um die Tochter zu machen.

Die Schwester wußte es ebenfalls nicht, träumte aber davon, es Dora in einigen Jahren gleichzutun, sah sich in einem hübschen Kleid in einem Café Kuchen mit Sahne essen und war damit der Realität am nächsten.

Währenddessen saß Dora auf der Kante ihres Bettes und schaute im Schein einer runden Deckenlampe auf den mit einer Feder geschmückten Hut und die Stola, die sie billig erstanden hatte. Eine Woche später schaute sie im Schein einer anderen Lampe auf ein schwarzes Kleid und eine gestärkte Schürze, denn sie hatte die erste Lektion ihres Lebens erhalten: daß nämlich dann eine Illusion vorliegt, wenn eine Person ohne Einkommen ihre Dispositionen nicht ändert, weil sie glaubt, die Einkünfte wüchsen mit dem Bedarf. Kurz, ihr war das Geld ausgegangen, und da auch sie einsah, daß man ohne Geld nicht viel darstellt, ließ sich Dora als mittellose, dafür aber hygienisch einwandfreie junge Frau von Helene Hirsch als Ganztagshaushaltshilfe einstellen und trat somit der breiten Masse der Arbeiterschaft bei.

Die Tage vergingen. Dora stützte die Arme auf das Sims des Küchenfensters, wir sind beim dritten Bild.

Dies war also Berlin, was sie sah. Die Elektrische Nr. 68 und die Reklame für die Original Luta-Puppen und Puppenwagen, garantiert unzerbrechlich und abwaschbar, auf der Häuserwand gegenüber und die Blumengardine vom dritten Stock gehörten dazu und auch die Tips in der Illustrierten auf dem Salontisch, die Dora darüber aufklärten, daß man zur Begrüßung und zum Abschied die unbehandschuhte Hand reiche und daß man den Handschuh als Dame von Welt selbst auf der Straße und vor dem Krankenbesuch abzustreifen habe. Dora las interessiert und registrierte für später – man konnte ja nicht wissen, was einem noch passieren würde.

Für das Hier und Jetzt waren solche Informationen jedoch wenig hilfreich. Für das Hier und Jetzt wäre es nützlicher gewesen zu erfahren, wie man Butter- oder Margarineflecken vom Sofa bekommt, und ob man das Gemälde im Wohnzimmer abwischen darf.

Dora hatte dem Staub den Krieg angesagt, und auch auf Wasserflecken auf dem Parkett, die im Heim der Frau Hirsch noch nie ein langes Leben gehabt hatten und eine der schweren Prüfungen waren, die so manche Putzfrau zu Fall brachten, war sie nicht gut zu sprechen.

Warum aber tat sie dies? Warum arbeitete sie so hart? Weil sie mußte? Weil sie nicht anders konnte?

Weil sie insgeheim schon bereute. Dora verrichtete in der Zeit, die zur Besinnung nötig gewesen wäre, allerlei hausfrauliche Pflichten, denn sie wollte sich nicht eingestehen, was sie beschämte: daß sie keine Menschenseele in Berlin kannte, daß ihr die Hauptstadt, von der sie so lange geträumt hatte, nicht im geringsten gefiel, daß sie noch immer keinen Freund hatte, auch gar nicht haben konnte, weil sie die Wohnung aus Kummer darüber, keinen Freund zu haben, nicht verließ.

Sie schlief nicht gut, aß nicht gut und war trüber Stimmung. Längst spürte sie den Stachel des Zweifels, den sie auch mit diesem kleinen, verzeihlichen Selbstbetrug nicht herausziehen konnte.

Sie sehnte sich, und nicht nur im stillen, nach dem Elternhaus, wo sie nie einen Fußboden gefegt, geschweige denn gescheuert hatte. Aber einfach zurückgehen, das konnte sie nicht.

Berlin, du schöne Stadt. Du schöne Stadt Berlin. Dora bemitleidete sich. Da hatte sie das Los, das sie gewählt hatte. Aber welch ein trauriges, welch ein trübes Los für ein vor Jugend strotzendes Mädchen mit wollüstigen Formen.

14

Gutgelaunt saß Reinhard zwischen zwei kobaltblauen Zierkissen, die per Schiff aus China in die oberste Etage des Warenhauses OB und von dort direkt in den Salon seiner Tante Helene gelangt waren, und blickte abwechselnd auf die Rennergebnisse und das Dienstmädchen, das Tee nachgoß.

Das sah er (viertes Bild): einen kräftigen Rücken, eine schön geformte Brust, etwas zu kurze Beine, hellbraunes Haar, zu einem Zopf geflochten, ein unterdrücktes Lachen und zierliche Hände, die ihm schelmisch über die glattrasierte Wange fuhren, als Frau Hirsch sich über die Zuckerdose beugte.

Gegen alle Erwartungen hatte sich Dora Reinhards Obhut anvertraut und war somit seinen Wünschen zuvorgekommen, ehe er sich ihrer bewußt geworden war. Zwar wunderte sich Reinhard manchmal über seinen großen Erfolg, aber er vergaß diese Bedenken sofort. Er gehörte nicht der grüblerischen Sorte Menschen an, die sich in allzu lange Betrachtungen verloren, und akzeptierte freudige Veränderungen dankbar und ohne nach den Gründen zu suchen.

Eine bequeme und entspannende Situation hatte sich für ihn eingestellt. Entspannend für beide Seiten, dachte Reinhard, denn er war der Ansicht, daß da, wo er allabendlich so viel Ruhe fand, auch Ruhe herrschen müßte.

Hätte er sich die Mühe gemacht nachzuforschen – aber das entsprach nicht seiner trägen Natur –, hätte er sicherlich bemerkt, daß Dora das Geschirr spülte, während er im Wohnzimmer mit Onkel Leo und Tante Helene süßen Mokka trank. Und daß sie, während er ab und zu in die Keksdose griff und darauf wartete, das leise, für ihn aber bedeutungsvolle Knarren der Wohnungstür zu hören – gemeinhin hatten die Dienstmädchen das Zimmer neben der Küche, Dora mußte aber, wegen ihrer üppigen Formen und wegen eines süffisanten Lächelns, das das Gesicht des Hausherrn erhellt hatte, als er die junge Hilfskraft sah, in der Mansarde schlafen –, daß also Dora, während er im Wohnzimmer Zeitung las, die Wäsche sortierte, den Frühstückstisch deckte und den Boden scheuerte. Und daß sie auch danach nicht müßig war, weil sie sich, einmal in ihrem Zimmer, waschen, kämmen und für ihn schönmachen mußte. Hätte er sich außerdem eingestanden, daß Dora mit dieser Liaison ihren Arbeitsplatz gefährdete und daß ihre Beziehung aus all diesen Gründen nicht entspannend auf sie wirken konnte, ihre Nerven aufrieb und sie in einen Zustand höchster Empfindlichkeit versetzte – er hätte sein Verhalten dennoch nicht geändert.

Erfahrung besaß er, denken konnte er auch, aber erkennen, das wollte Reinhard eben nicht. Seine träge Zufriedenheit erstickte alle Skrupel im Keim.

Fünftes Bild: Schon bei der dritten nächtlichen Zusammenkunft, als er neben der schlafenden Dora im Bett lag und die geschwungenen Linien ihres Rückens betrachtete, hatte Reinhard gegen seinen Willen an das Ende denken müssen. Es war kein Überdruß, der da in ihm aufkam, nur ein leiser Zweifel. Wie er es auch betrachtete, er konnte nicht umhin, sich einzugestehen: Nahm er sie mit, würde er auf anderes verzichten müssen. Auch ärgerte ihn, daß er nach Gutdünken über sie verfügen konnte. Verdiente er denn nichts Besseres? Ein Mädchen, um dessen Gunst er, nach Lust und Laune, buhlen durfte?

Der Nutzen, den Reinhard aus Dora zog, war zwar groß, aber je mehr er von ihr hatte, desto geringer schätzte er sie. Eine alte Geschichte.

Wäre bei gleichbleibendem oder leicht abnehmendem Angebot die momentane Nachfrage gewachsen, hätte sich zum Beispiel ein Rivale eingestellt, Reinhards Lust wäre sicherlich gestiegen. Aber Dora, die von der Interdependenz der Waren keine Ahnung und von der Produktionssteuerung noch nie etwas gehört hatte und auch nicht wissen konnte, daß einzelne Güter trotz hohem Gebrauchswert einen niedrigen Tauschwert besitzen, aber Dora, ja, Dora: es fehlte ihr die Zeit zum Spielen.

Wir wollen es nicht leugnen, Reinhard plagte sich. Genießer war er und nicht undankbar, und sich ins rechte Licht setzen, das wollte er auch, nur daß er dafür zum Beispiel den Schachabend mit dem Nachbarn würde opfern müssen, von anderen Dingen ganz zu schweigen, das tat ihm bitter weh.

Was nutzten da Gewissensbisse. Die Sache war beschlossen. Das Verhältnis mußte schnell und schmerzlos zu Ende gebracht werden. Reinhard ging in die Stadt und fand eine mit Granatsplittern besetzte, in Rosenform gearbeitete Brosche. Eine runde Sache, dachte er. Ein schönes Abschiedsgeschenk, das er Dora unauffällig in die weiße Schürze legen würde, und dazu gar nicht teuer.

Soll er verrecken, dachte Dora, während sie am Abend Reinhards Brief las. Er hatte der Brosche ein Zettelchen beigefügt, in dem er Dora die tiefere Symbolik der Brosche auseinandersetzte. In einfachen Worten – der Brief wendete sich ja an ein Dienstmädchen – stand da, daß diese Brosche nicht nur schön und kostbar, sondern auch ein Symbol der Verbundenheit war, hielt man mit ihr bekanntlich etwas fest, was hier nur die Erinnerung an die gemeinsam verbrachten Abende sein könne, an die er ein Leben lang zurückdenken werde.

Soll er verrecken, dachte Dora, als sie auch den Absatz mit den wehmütigen Küssen gelesen hatte, zog sich aus, wusch sich, zog sich wieder an und klingelte beim Nachbarn vom ersten Stock. Der öffnete, schaute schmunzelnd auf die wütende junge Frau und lud sie, obgleich er vorgehabt hatte auszugehen, zum Nachttrunk in die Junggesellenwohnung ein: sechstes, unerläutertes Bild.

Als nun Reinhard zu Hause die Reisetasche auspackte, entdeckte er die Brosche und drehte sie verwundert in der Hand – er hatte immer noch nichts begriffen. Aber was sollte man, offen gestanden, auch anderes von ihm erwarten? Nanu, dachte er. Dann legte er die Brosche als Andenken auf das Badezimmerregal.

So kam es also, daß Reinhard jeden Morgen, wenn er mit eingeseiftem Gesicht nach dem Messer griff, an das entgegenkommende Dienstmädchen erinnert wurde, so daß dann nach kurzer Zeit etwas entflammte, was man, wenn schon nicht Liebe, so doch Wehmut nennen könnte.

Im siebten Bild sehen wir Reinhard im Zug. Er steht auf dem Gang und raucht eine kleine Trösterin zu 10 Pfennig das Stück. Er ist auf dem Weg nach Berlin. Der Koffer liegt im Netz. Die Gedanken fliegen nur so davon. Kurz, er dachte wieder einmal nach: die Freiheit, Kegeln, Bier. Der Stammbaum, die Mitgift und die Kultur. Und Dienstmädchen war sie noch dazu. Die Liebe war doch kein Heiratsgrund.

Reinhard holte die Brosche hervor und hielt sie lächelnd in den Händen. Da stand er nun, ein lächelnder Tropf, während der Zug gemütlich durch die Altmark fuhr.

Trotz Reinhards schmeichelnden Reden ließ Dora den jungen Mann nicht in ihr Zimmer und wies auch die Brosche empört zurück, die er als Versöhnungsgeschenk mitgebracht hatte. Reinhard, der aus dem rüden Verhalten seiner ehemaligen Geliebten schloß, daß für ihn Ersatz geschaffen worden war – eine Ansicht, der Dora nicht widersprach –, forderte energisch ein Stelldichein, erhielt es nicht und mußte unverrichteter Dinge schlafen gehen.

War's der Nachbar vom ersten Stock oder ein anderer? Ein weiterer Tag verging. Die Liebe war kein Heiratsgrund, oder war Dora zur Sucht geworden? Er schüttelte den Kopf, er konnte sein Verlangen nach ihr bekämpfen. Er hatte sich ja auch das Rauchen abgewöhnt, außer ab und zu eine kleine Trösterin zu 10 Pfennig das Stück. Außer eben jetzt, weil er nicht wußte, war's der Nachbar vom ersten Stock oder ein anderer?

Achtes Bild: Zur endgültigen Klärung dieser Frage stieg er in den letzten Stock. Es dämmerte. Draußen gingen die Straßenlaternen an. Nebenan hörte einer Musik, auch eine Spülung rauschte. Ein Nachbar schlurfte durch den Gang.

Reinhard klopfte, klopfte erneut, strich sich über das Haar und machte, nachdem sie gefragt hatte, was er denn schon wieder wolle, verlegen den Antrag, auf den sie schon seit dem Morgen gewartet hatte.

Da steht sie nun, die arme Jugend, im dunklen Gang: sie weint, er lacht. Da stehen sie nun, nichts Böses ahnend – geküßt wird auch –, und wissen nicht, daß sie in die Falle gegangen sind, die ihnen das Leben mittels einer Rosenbrosche gestellt hat.

Schwarze Chronologie

Im Frühling 1924 wurde trotz heftiger Proteste der Lehrkräfte die Kunstgewerbeschule in der Prinz-Albrecht-Straße 8 mit der Hochschule für bildende Künste vereint und nach Charlottenburg verlegt. Obwohl man damit einem nicht einmal fünfzig Jahre alten Traum von der Eigenständigkeit des Kunsthandwerks ein jähes Ende setzte, wurde dieser Beschluß allgemein befürwortet. Stattliche Summen wurden durch den Zusammenschluß und den Umzug in ein anderes Viertel gespart.

Nachdem die Sachwerte und das Mobiliar zu den neuen Örtlichkeiten befördert worden waren, eröffneten sich Möglichkeiten der Gewinnerzielung. Da weder die Schule noch das Kultusministerium die laufenden Kosten für die leerstehenden Räume tragen wollte, wurde in einer großen Tageszeitung ein Inserat aufgegeben, in dem man das Gebäude zur Vermietung anbot. Die Löcher, die der Krieg in die Budgets verschiedener Ministerien gerissen hatte, konnten so zwar nicht gestopft werden, aber selbst geringe an der Kultur vorgenommene Abstriche beruhigen in kritischen Momenten bekanntlich die Gemüter.

Schon bald meldeten sich mehrere Interessengruppen, denen man zur Stimulierung ein Buch in englischer Broschur überreichte, in dem die Schönheit und der historische Wert des Stadtviertels geschildert wurde. In der Tat schloß das Haus an das bedeutendste Berliner Bauwerk der Schinkel-Schule an, und etwas von dem Glanz dieses Gebäudes, so hofften die Verfasser des Büchleins, strahlte auch auf die Hochschule ab. Sei es nun wegen der beschaulichen Worte oder wegen der zentralen Lage des Hauses – nach einem halben Jahr konnte zwischen der

preußischen Bau- und Finanzdirektion und einer privaten Holdinggesellschaft ein zufriedenstellender Vertrag
abgeschlossen werden.

Am 1. Juni 1925 übernahm die Richard Kahn GmbH
die freien Stockwerke. Das Mansardengeschoß und die
Bibliothek blieben der Kunstgewerbeschule erhalten. Obgleich Kahn dem Gebäude zu keinem weiteren Ruhm
verhalf und auch sonst nichts vollbrachte, was in die Ge-
schichtsbücher (und sei es nur in die lokalen) eingegan-
gen wäre, soll sein Name kurz erwähnt werden. Anlaß
hierfür ist ein Aufsatz, den er in seinen freien Stunden
verfaßte. Thema, die Geschichte des von der Richard Kahn
GmbH gemieteten Hauses und seiner Umgebung.

Was ihn zu solch einem Unterfangen bewog, das konnte
Richard Kahn, ein junger Mann Anfang Dreißig, der trotz
einiger schwerer Prüfungen seinen Humor bewahrt hatte,
selbst nicht sagen. Vielleicht erinnerte ihn die Fassade des
Hauses an sein Gymnasium in der Bukowina. Vielleicht
betrieb er die Recherchen nur, um sich über eine erfolglose
Liebschaft hinwegzutrösten. Psychologisch erschöpfend
begründen wollen wir sein Handeln nicht. Allein einige
wichtige Passagen aus seinen Heften, die er mit einem für
diesen Zweck erstandenen silbernen Füllfederhalter niedergeschrieben hatte, sollen wiedergegeben werden:

»Die glorreiche Geschichte des südlichen Teils der
Friedrichstadt begann 1737 mit dem im Auftrage von Baron Vernezobre de Laurieux errichteten Palais, das ihm
als Sommersitz diente. Das Palais wurde schon bald nach
seiner Fertigstellung der Schauplatz vieler wichtiger Kul-
turereignisse Berlins. Dort wurden alljählich unter der
Leitung des Barons Liebhabertheaterstücke aufgeführt.
Dort wurden ebenfalls Übersetzungen italienischer Dichter in Auftrag gegeben.

Der Baron kam 1751 kurz unter den Verdacht, an der
brutalen und allem Anschein nach rituellen Ermordung
einer Näherin beteiligt gewesen zu sein. Die Vermutungen erwiesen sich schon bald als falsch. Der Baron konnte

jedoch die breite Bevölkerung nie ganz von seiner Unschuld überzeugen. Grund zur Nachrede gab des Barons Gastfreundschaft. Der Baron bewirtete über mehrere Wochen hindurch vier Schwarzafrikaner. Auch andere Menschen fremder Nationalität wurden oft bei ihm gesehen.«

»Nach mehrfachem Wechsel des Eigentümers, darunter: ein Bankier, ein türkischer Gesandter, ein preußischer Minister, ein Markgraf, eine Prinzessin, eine Armenspeisungs-Anstalt und eine Stiftung, erwarb 1830 Prinz Albrecht das Palais, das er bis zu seinem Tod 1872 als Wohnsitz nutzte und das nach ihm benannt wurde. In seinem Auftrag wurde das Palais von Karl Friedrich Schinkel umgebaut. Schinkel verhalf dem Schloß zu einer schlichten Eleganz und ließ den linken Flügel mit den verschachtelten Boudoirs, Schreib- und Musizierzimmern der ehemaligen Dame des Hauses niederreißen und zu einem luftigen, sachlichen Stockwerk umgestalten. Schinkel errichtete ebenfalls nach modernsten Maßstäben der Zucht und Dressur eine Reithalle und einen Marstall.«

»1877 wurde nicht weit vom Palais der Grundstein für das Kunstgewerbemuseum gelegt. Drei Jahre später begann man auf der gleichen Straßenseite mit dem Bau des Völkerkundemuseums, in dem einmalige Schätze bewundert werden können, darunter die größte europäische Sammlung von Volks- und Nationaltrachten.«

»1887 entstand das Hotel ›Vier Jahreszeiten‹, später ›Prinz Albrecht‹ genannt, das zu den besten Hotels der Stadt zählt. Die Perserteppiche im Eingang stammen von dem ersten Besitzer des Hauses und sind handgeknüpft. Tenöre, Politiker und sogar einige Filmschauspieler haben das Hotel mit ihrer Anwesenheit beehrt.«

»Auf Drängen vieler Künstler und Handwerker wurde 1905 nach einem Entwurf des Ministeriums der öffentlichen Arbeiten die Kunstgewerbeschule errichtet. Die Schule trug erheblich dazu bei, das Interesse für das deutsche Handwerk auf internationaler Ebene zu wecken. Ihre jährliche Ausstellung ›Holz, Keramik, Stahl‹ fand breiten

Anklang. Viele Gymnasiasten konnten für diese doch eher unscheinbaren Materialien empfänglich gemacht werden.«

»Seit 1925 wird das Gebäude Prinz-Albrecht-Straße 8 von einer privaten Holdinggesellschaft verwaltet, die die Klassenräume im ersten, zweiten und dritten Geschoß umbauen ließ, um sie als Büroräume zu nutzen. Die Kahn GmbH ließ ebenfalls Arbeiten in den Bildhauerateliers im Südflügel durchführen. 42 Ateliers des Mansardengeschosses wurden Künstlern zur Verfügung gestellt.«

Dem allgemein verbreiteten Vorurteil von der jüdischen Geschäftstüchtigkeit zum Trotz, mußte Richard Kahn am 31. Oktober 1932, nach einem mißglückten Rettungsversuch, den Konkurs anmelden. Aus naheliegenden Gründen wurde der Mietvertrag, der am 31. März 1933 auslief, nicht verlängert.

Mit dieser schmählichen Trennung versickerte auch Kahns Interesse für das Haus und die Umgebung. Die Notizen, die er danach aus Gewohnheit in ein Heft eintrug, sind unvollständig, teilweise falsch und hören im April 1933 gänzlich auf.

So kam es also, daß die wichtigsten Protagonisten unseres Romans in den Heften Richard Kahns keinen Platz fanden. Zwar gab er an, und dies, obwohl er diese Ereignisse als flüchtiges Intermezzo der deutschen Geschichte ansah, daß 1918 in der Prinz-Albrecht-Straße 5 die Kommunistische Partei Deutschlands ins Leben gerufen wurde und daß am 1. April 1932 die Redaktion des Parteiblattes ›Der Angriff‹ in die Wilhelmstraße 106 gezogen war. Wer aber im Frühjahr 33 in die Prinz-Albrecht-Straße 8-9 und in die Wilhelmstraße 100-104* ziehen sollte, das wußte Richard Kahn nicht. Er hatte, nebenbei bemerkt, zu diesem Zeitpunkt als getaufter Volljude andere Sorgen.

* Prinz-Albrecht-Straße 8: Gestapo-Hauptquartier
Prinz-Albrecht-Straße 9 (Hotel Prinz Albrecht): Reichsführung der SS
Wilhelmstraße 100: SS-Hauptamt
Wilhelmstraße 101–104: Sicherheitsdienst unter Heydrich und Judenreferat Adolf Eichmann

Das Eiserne Kreuz

Das Eiserne Kreuz war aus Gußeisen und schwarz. Daß er es sich redlich verdient hatte, bewiesen die Granatsplitter, die man ihm damals aus dem Bein zog, und die angegriffene Lunge, die einen General dazu bewogen hatte, ihm das Kreuz mit einem militärischen Gruß an die Brust zu stecken, was eine schöne Entschädigung war. Das Kreuz konnte die Lunge zwar nicht wärmen, die immerzu husten mußte, wärmte aber das Herz.

Nun hing es auf rotem Samt an der Wohnzimmerwand und wurde von der Putzfrau einmal die Woche abgestaubt. Der rote Samt hob die Formen des Kreuzes hervor und erinnerte ihn an sein auf dem Feld vergossenes Blut.

Die Putzfrau wußte nicht, daß das Kreuz ein Kreuz erster Klasse war. Sie sah nur die Ecken, in denen sich der Staub festsetzte, und fragte sich, ob sie das Kreuz wohl vom Samt trennen könne, um den Stoff einmal richtig schön zu waschen, denn sie mochte halbe Sachen nicht.

Auch der Hund wußte nichts vom Kreuz, biß aber immer in den Stock aus Holz, mit dem sein Herr spazierenging, weil einige Granatsplitter sein Bein nicht verlassen wollten, und wurde dafür geschlagen. Der Hund biß in den Stock, um sich für die Schläge zu rächen, so daß der Stock jedes Jahr gewechselt werden mußte, während das Kreuz nach wie vor so frisch wie am ersten Tag aussah. Der Stock war eben aus Holz, während das Kreuz aus Gußeisen war.

Nur Leo, der Bruder des Herrn, der den Hund manchmal mit aufs Land nahm, damit er sich austoben konnte, wußte das Kreuz zu schätzen. Er wußte, daß das Kreuz 1813 gestiftet worden war und daß es jeder, ohne Unterschied von Grad, Rang und Stand, für seine Verdienste im Krieg verliehen bekommen konnte und daß es 1918 35 000 Juden für ihre Tapferkeit erhalten hatten, manche mit einer über ihrem Grab abgegebenen Ehrensalve.

Einer dieser braven, wenn auch nicht ganz und gar dem Vaterland ergebenen Männer – es war heroischer und ökonomischer, an der Front zu erlöschen, als verstümmelt zurückzukehren –, einer dieser braven Männer war sein Bruder Ernst, der nun hinkte und hustete.

Auch Leo war dem Vaterland innig verbunden. Ach, wie sehr wünschte er sich die schöne Uniform. Er eilte zu den Fahnen. Doch während Ernst in die Infanterie kam und mit Blumen und Applaus an die Front geschickt wurde, kam er in die Etappe. Da saß er nun und träumte von Tressen, Märschen und der herben Kameradschaft derer, die gemeinsam bestandene Gefahren verbindet. Da saß er nun und war betrübt, denn er war ja nicht minder patriotisch gesinnt als der Bruder, der sich nun auf Befehl in Feindesland eingrub. Konnte ja nichts für die fünf Zentimeter zu kurzen Beine, die, wenn sie erwünscht gewesen wären, ihren Nachteil auszugleichen gewußt hätten. Aber da war nichts zu machen, und so kam er in die Schreibstube und bekräftigte damit, ohne sein Verschulden, die im Kriege verbreitete Behauptung, daß die Juden sich vor dem Frontdienst drücken würden.

Ein Glaube, der Leo zutiefst verletzte und der sich desto verbissener im Hirn seiner deutschen Kameraden festsetzte, je schwieriger sich die Kriegslage und die wirtschaftlichen Verhältnisse gestalteten.

Wenn er schon nicht den Kriegsausgang ändern konnte, so doch wenigstens die Ansichten seiner Mitbürger, dachte Leo und veröffentlichte, weil Wissen erleuchtet und man Vorurteilen mit sachlicher Ruhe entgegentreten muß, zahlreiche Schriften, in denen er die beschädigte Lunge und den Stock seines Bruders Ernst erwähnte, der nichts von solchen Ehren wußte. Auch das Eiserne Kreuz führte er an. Denn das Eiserne Kreuz, dachte er, löste selbst beim Pazifisten Ehrfurcht und Andacht aus, war es doch die höchste Auszeichnung, die das Vaterland verlieh. Und das hatte sich sein Bruder redlich verdient, weil er sich nicht etwa ins Heer eingewühlt hatte, wie Judenfeinde behaupteten, die die Schuld an der Niederlage den Juden in die Schuhe schoben, sondern in einen Acker, um die Hügelstellung zu halten, die dem Feind unter großen Opfern entrissen worden war und die ein kleiner roter Punkt auf der Karte des Generals darstellte.

Denn Leo glaubte fest daran, daß die Gründe, die den deutschen Staatsbürgern jüdischen Glaubens einleuchtend erschienen, auch die deutschen Staatsbürger christlichen Glaubens überzeugen müßten.

Denn er glaubte fest daran, daß sich die chemische Zusammensetzung der Hirnmasse beider Staatsbürger im wesentlichen nicht unterschied, daß sich auch das Blut nicht unterschied, das bei beiden in die Erde sickerte, wenn der Staatsbürger von einer feindlichen Kugel mitten ins Herz getroffen wurde oder in den Magen oder in die Lunge oder eben in das irrende Hirn. Und daß das Blut diese Erde mit ihren lieblichen Hügeln, Flüssen und Wäldern nährte und daß das Leid und die Tränen ihren Ertrag steigerten, ja, daß die von seinem Bruder ausgestandene Qual die Erde auch für ihn heiligsprach.

Und dachte daher, daß die rote Flüssigkeit, die aus den Körpern von 12 000 jüdischen Soldaten ausgetreten war, bis diese erstarrten, auch ihm ein Recht gebe auf das Land, dem er wegen seiner zu kurzen Beine in der Etappe gedient hatte.

Und führte also, weil ihm klar war, daß das Blut nicht sprach und nicht bestätigen konnte, was er wußte und worüber er alle aufzuklären gedachte, in seinen Broschüren die zahlreichen Eisernen Kreuze erster und zweiter Klasse auf den Brustkörben der Juden an und erwähnte auch den jüdischen Säbelfechter, der in den Burschenschaften einen legendären Ruf genoß, und Professor Sternfeld, den bekannten Wagnerkenner, und Laband, den

Meister deutschen Staatsrechts, und den getauften Juden Dernburg, sowie den Fleiß, die straffe Disziplin, den Familiensinn und die Wirtschaftlichkeit, ohne die ja nichts vorankommt.

Nein, geliebt werden wollte er nicht. Feindseligkeiten gab es selbst im kleinsten Familienkreis. Nur aufgenommen werden wollte er – ach, wie sehr wollte er in ihrer Mitte weilen.

Und schnitt daher auch das außerordentlich wichtige Religionsproblem an und erklärte, daß sich der moderne Jude nicht an die rituellen Vorschriften halte, man könne jederzeit unerwartet zu ihm nach Hause kommen, auch mitten in der Nacht, man solle ihn nur überprüfen, könne auch die Nachbarn fragen. Auch er aß Räucherschinken, Würste, Haxe und Klopse, die der Metzger jeden zweiten Tag frisch aus Schweinehack anfertigte.

»Ach«, sagte er, »man kann sich doch sofort davon lösen«, und meinte damit seine Religion, die Religion eines Sklavenvolkes, »und nicht nur, um Reserveoffizier zu werden. Die zahlreichen Taufen beweisen es.«

Denn der Jude unterschied sich weder in sozialer noch in wirtschaftlicher, kultureller oder ethischer Art vom Germanen. Die völkische Einheit wurde doch nicht durch die Schädelform und Haarfarbe geschaffen – er hatte, nebenbei bemerkt, ebenso wie sein Bruder, der ein Eisernes Kreuz erhalten hatte und nun hustete, ebenso wie sein Vater, dessen Sohn ein Eisernes Kreuz erhalten hatte und hustete, ebenso wie sein Onkel und seine Tante, deren Neffe ein Eisernes Kreuz erhalten hatte und hustete, blondes Haar. Ja, die völkische Einheit wurde nicht durch das Haar, sondern durch Willen und Bewußtsein geschaffen und durch das von den Juden, die deutsch sein wollten und deutsch fühlten, vergossene Blut.

Und erklärte und bewies und bestritt und belehrte und zergliederte und belegte und bekräftigte, stichhaltig, unanfechtbar, einleuchtend und zwingend, aber überzeugte nicht.

Und Dora Lipmann, ehemalige Wellner, dachte sich ihren Teil über die Broschüren ihres neuerworbenen Onkels und daß er lieber auf seine Frau aufpassen sollte, die, während er von der Vermischung des deutsch-jüdischen Blutes träumte, diese Vermischung mit dem Herrn Schellenberg, dem jungen Nachbarn vom ersten Stock, in die Tat umsetzte – er hatte es ihr auf seinem Sofa ins Ohr geflüstert –, und sagte ihrem Mann auch, was sie davon hielt, und sagte dies in einwandfreiem Deutsch:

Benutzte nicht die Verneinung, um die Bejahung auszudrücken, und brachte die Antwort nicht in der Form einer weiteren Frage vor, wie es gewisse Juden oft tun, denn was man bei einem Juden, selbst beim assimilierten, am häufigsten auf die Frage: »Wie geht es dir?« als Antwort zu hören bekommt, ist die Gegenfrage: »Wie soll's mir schon gehen?«

Klagte nicht, sagte nicht »Ach, Gott im Himmel« und »Weh mir, wo nehm ich die Blumen her?«

Gebrauchte die rhetorische Frage nicht, eine jüdische Krankheit. Warf die Hände nicht in die Luft und schnitt keine Grimassen, verfiel in keinen Singsang, mauschelte nicht, jüdelte nicht, sprach nicht laut wie in der Judenschule oder leise wie jüdische Konspiranten, gestikulierte nicht und benutzte keine unaussprechlichen Jargonausdrücke, außer »Goimnaches«, denn dieses unübersetzbare Wort schien ihr die Überzeugungswut des neuerrungenen Onkels am treffendsten zu definieren.

Die Druckpresse

Am 26. Dezember 1928 begab sich Wachtmeister Erich Hagel gegen sechs Uhr früh in sein Revier und gestand, kaltblütig einen Menschen erstochen zu haben. Es handelte sich um das Fräulein Ella Feigenbaum, mit dem er seit über zwei Monaten verkehrte. Natürlich wurde Hagel, den man als zuverlässigen Kollegen allgemein achtete, kein Glauben geschenkt. Erst nachdem er mehrmals aufgeregt gefordert hatte, in eine Zelle gesperrt zu werden, setzte ein Kollege das Protokoll auf:

Das Fräulein Feigenbaum traf ich im Lokal der Gastwirtin Hilde Andacht in der Schillerstraße. Sie war dort anscheinend Stammgast und sehr beliebt. Zuerst nahm sie mich gar nicht wahr. Ich saß immer an der Theke und las Zeitung, während das Fräulein Feigenbaum im angrenzenden Vereinszimmer Klavier spielte und sang. Es ging dort sehr lustig zu.

Einmal wollte ich mich auf die Toilette begeben, dazu mußte ich durch das Vereinszimmer. Ich blieb an der Tür stehen, weil gerade getanzt wurde. Da fiel ich ihr auf. Sie lächelte mich an und flüsterte einem Mann, der neben ihr stand, etwas ins Ohr. Beide lachten. Ich drehte mich um und ging schnell in den Schankraum zurück. Als ich bei der Wirtin noch ein Bier bestellte, kam sie auf mich zu und forderte mich zum Tanzen auf. Ich war sehr verwirrt, lehnte zuerst mit der Begründung ab, daß ich nicht tanzen könne und mich noch in Uniform befände, beugte mich dann aber, um weiteres Aufsehen zu vermeiden. Danach sah ich sie auch nachmittags. Wir gingen zusammen spazieren, manchmal auch ins Kino. Ich erzählte ihr von meinem Vater, meiner Mutter und den Kameraden.

Sie war sehr interessiert und wollte alles wissen. Sie sagte, daß ich ihr eine unbekannte Welt eröffne. Über Politik redeten wir nie. Sie gab mir auch Bücher zu lesen, »Don Carlos«, »Wahlverwandtschaften«, »Dantons Tod«, die wichtigen Zeilen hatte sie vorher unterstrichen. Öfter nannte sie mich scherzend ihren preußischen Pygmalion. Ich habe das nicht als beleidigend empfunden und sah keinen Grund, den Kontakt abzubrechen.

Wir trennten uns immer an ihrer Haustüre. Nur einmal habe ich ihre Wohnung betreten, ich wartete im Flur auf sie, während sie im Schafzimmer ihren Hut suchte.

In der Nacht der Tat trafen wir uns wie gewohnt im Lokal der Wirtin Andacht. Fräulein Feigenbaum war traurig und forderte mich auf, mit ihr zu trinken. Sie sagte, daß sie einen Freund verloren habe. Sie verfluchte alle Frauen. Sie nannte sie hinterhältige und niederträchtige Huren. Sie redete sehr verworren. Als die Wirtin zum Aufbruch mahnte, wir hatten die Polizeistunde schon längst überschritten, bezahlte ich die Zeche, dann verließen wir gemeinsam das Lokal. Kurz vor ihrer Wohnung fragte sie mich, ob ich genügend Zigaretten bei mir hätte. Da ich verneinte, betraten wir ein zweites Lokal, in dem ich, um nicht nur wegen der Zigaretten hineingegangen zu sein, für uns beide ein Glas Bier bestellte, das wir zügig austranken. Danach mußte ich sie fast nach Hause tragen. Die Wohnungstüre öffnete ich mit Mühe, mehrmals glitt mir der Schlüssel aus der Hand. Obwohl ich klar denken konnte, entnehme ich im nachhinein hieraus, daß ich zu diesem Zeitpunkt schon sehr angetrunken gewesen sein muß. Im Flur fiel Fräulein Feigenbaum zu Boden, so daß ich sie aufheben und ins Bett tragen mußte. Ich zog ihr den Mantel aus, nahm den Hut ab und streifte ihr die Schuhe von den Füßen. Da ich danach plötzlich nicht mehr wußte, was ich mit mir anfangen sollte, ging ich in die Küche und rauchte eine Zigarette.

Ich muß schon bei meiner zweiten oder dritten Zigarette gewesen sein, als sie mich fragte, was ich bei ihr verloren hätte. Ich hatte sie nicht kommen hören und erschrak. Sie lehnte am Türpfosten und fing an, mich zu beschimpfen. Sie hätte mir doch danken müssen, denn ohne mich wäre sie sicherlich nicht nach Hause gekommen, nannte mich aber statt dessen einen Hochstapler. Das verstimmte mich sehr, und ich beschloß, nach Hause zu gehen. Als ich an ihr vorbeiwollte, streifte ich zufällig ihren Körper. Sie roch nach Schweiß und Alkohol und stieß mich ab. Obwohl nichts in ihrem Verhalten darauf schließen ließ, kam ich zu der inneren Überzeugung, daß sie gleich versuchen würde, mich zu küssen. Ein Gedanke, der mich mit Ekel erfüllte. Um sie davon abzuhalten, drückte ich sie gegen die Wand. Ich muß ziemlich unsanft zugefaßt haben, denn ihr Gesicht verzog sich vor Schmerz. Ob sie schreien wollte, weiß ich nicht, ich fürchtete es aber, griff mit beiden Händen nach ihrem Hals und würgte. Zuerst wehrte sie sich, dann schloß sie die Augen und sank in sich zusammen. Ich kniete neben ihr und hatte den Hals noch umschlossen, als sie auf dem Boden lag.

Während des Würgens hatte ich eine leichte Erektion bekommen. Obwohl die Erektion gleich darauf wieder nachließ, war in mir der Wunsch erwacht, mit der am Boden Liegenden den Beischlaf zu versuchen. Da ich annahm, daß es sich nur um einen kurzen Ohnmachtsanfall handelte, und den Puls noch zu spüren glaubte, riß ich die Kleidungsstücke vom Körper, zog auch die Strümpfe aus und winkelte, in der Hoffnung, mich in den Zustand sexueller Erregung zu versetzen, das rechte Bein der Frau an, so daß ich ihre offene Scham sah. Es geschah jedoch nichts. Ich geriet in eine unbeschreibliche Wut, die sich steigerte, als die Frau zu husten anfing.

Was sich danach ereignet hat, kann ich in genauer Reihenfolge nicht mehr wiedergeben. Ich griff nach dem Küchenmesser, das auf dem Tisch lag, und stieß es in ihre linke Brust, vielleicht zog ich es wieder heraus und stieß erneut zu, weil sie jammerte. Ich versetzte ihr auch meh-

31

rere Faustschläge, sehr wahrscheinlich vor dem Stechen, und betätigte mich zwischen beiden Handlungen (Stechen und Schlagen) oder vielleicht sogar auch vor dem Schlagen, auf keinen Fall jedoch, nachdem ich all das Blut sah, geschlechtlich an ihr. Danach schlief ich ein. Wie lange ich bei ihr gelegen habe, weiß ich nicht, ebenfalls unklar ist mir, was ich noch unternahm. Ganz unbestimmt habe ich im Gedächtnis, daß ich mich wusch und mit einer Bürste das Blut von meinem Körper entfernte. Auch das Hemd habe ich zu waschen versucht, gab es aber auf. Am Morgen deckte ich die Leiche mit einem Tuch zu, löschte das Licht und verließ die Wohnung. Dann nahm ich die erste Bahn zum Revier und überreichte, nachdem ich gefordert hatte, festgenommen zu werden, meinen Revolver und das Koppel.

Von allen Vorgängen konnte Erich Hagel als bestimmtes Geschehnis das Würgen angeben. Auf die Frage: »Und was taten Sie dann?« oder »Gestochen und geschlagen haben Sie auch?« schilderte er in der bekannten Reihenfolge die Momente des Stechens und Schlagens. Die Augenblicke des Beißens waren ihm nicht in Erinnerung. Nur ganz unbestimmt glaubte er, einen Widerstand im Munde verspürt zu haben. Als er am Schlusse seiner Schilderung gefragt wurde, wann er den Beischlafversuch unternommen hatte, gab er an, daß ihm jegliche genaue Erinnerung daran fehle.

Die sterbliche Hülle Ella Feigenbaums wurde nach einer Woche freigegeben und in aller Stille beigesetzt. Fräulein Feigenbaums Mutter übernahm die Kosten der Beerdigung. Drei Wochen später erhielt sie per Einschreiben eine Kiste, in der sich das Tagebuch, das Adreßbuch, drei Bündel Briefe und einige Photographien ihrer Tochter befanden. Über die Vorgangsweise der Polizei entrüstet, keiner hatte sie darüber informiert, daß intime Notizen ihrer Tochter beschlagnahmt worden waren, forderte Frau Feigenbaum einen genauen Bericht über den Fahndungsablauf. So erfuhr sie, daß eine im Schlafzimmer gefundene Druckpresse der Anlaß gewesen war, eine in größerem Stil angelegte Untersuchung über die Aktivitäten und den Freundeskreis ihrer Tochter einzuleiten, die sich schon bald als fruchtbar erwiesen hatte.

In einem von Fräulein Feigenbaum gemieteten Keller konnten Broschüren und Flugblätter mit subversivem Inhalt sichergestellt werden. Außerdem teilte man ihr mit, daß ihre Tochter häufig wechselnden Männerbesuch erhalten hatte. Bei Frauen mit solch einer lockeren Lebensführung, erlaubte sich Kriminalbeamter Mehring hinzuzufügen, würde daher ein gewaltsamer Tod keinen verwundern.

Über die innere Motivation des Mörders ihrer Tochter konnte Frau Feigenbaum nichts Befriedigendes in Erfahrung bringen. Dem Sektionsprotokoll der Gerichtsärzte zufolge starb Ella Feigenbaum an inneren Blutungen aus einem Herz- und mehreren Lungenstichen. Sowohl die Würgspuren am Hals, die Bißwunden an Brust, Wade und Schenkel als auch die Verletzung der äußeren Geschlechtsteile – sehr wahrscheinlich Kratzwunden – waren oberflächlicher Natur und haben nicht zum Tode geführt.

Erich Hagel wurde trotz seiner Gedächtnisschwäche für zurechnungsfähig erklärt und zu lebenslänglicher Haft verurteilt. Er kam im Mai 1929 in Einzelhaft, sollte schon bald in eine Zwischenanstalt überwechseln und wurde Anfang 1931 auf Drängen eines Reichstagsabgeordneten aus der Deutschnationalen Volkspartei begnadigt.

Die Tage- und Notizbücher der Ermordeten führten zu mehreren Festnahmen kommunistischer Agitatoren und zur Ausweisung eines Polen. Sie wurden der Mutter der Verstorbenen nur teilweise zurückerstattet.

Die Druckpresse wurde 1934 auf einem Wohltätigkeitsball der Polizei versteigert und ging, nachdem eine schriftliche Sondergenehmigung der Gestapo eingeholt worden war, an den Ortsgruppenleiter Dieter Walter über, der sofort von ihr Gebrauch zu machen wußte.

Der »Mysteriöse Mord« wurde in fünfzehn Artikeln der inländischen Presse beschrieben. Während die Journalisten in der ersten Prozeßwoche noch ausführlich über die Ermordung Ella Feigenbaums berichteten, wurde das Thema schon einige Tage später, kurz vor der Verurteilung Hagels, gänzlich fallengelassen. Nur der Redaktionsleiter eines Kulturmagazins, ein gewisser Dr. habil. Justus Bernstein, griff den Fall noch einmal auf; sein Artikel erschien stark gekürzt in der Frühlings-Sonderausgabe.

Insgesamt wurden zwei Mappen mit dem »Fall Feigenbaum« gefüllt. Die Mappen wurden zur weiteren Bearbeitung an das Landesgericht, das Kammergericht und das Oberkommando in den Marken weitergeleitet. Die dort zusammengefaßten Informationen sollten sich noch Jahre danach als nützlich erweisen.

Trockene Erde

(Fünf Gramm Uhrenteile)

Eine kurze Passage ohne große Funktion, zur allgemeinen Entspannung geschrieben: Waren die Parzen den Kindern wohlgesonnen? Oder war es der Unbedachtsamkeit des Paares zuzuschreiben, daß die Tür mit einem leisen Seufzer nachgab und die Kinder eines nach dem anderen ins Innere der nach Heu und Holz duftenden Scheune huschten, um erst einmal stehenzubleiben und auf ein Geräusch von gegnerischer Seite zu warten.

Aber nichts kam. Kein »Wer da?«, kein zorniger Ausruf, nicht einmal ein Rascheln störte die Stille. Die Wand warf ihnen nur den Widerhall ihres eigenen schnellen Atmens entgegen. Zaghaft gingen sie einen Schritt vor, noch einen Schritt, und einen weiteren. Und dann hörten sie es, leise zwar, unterdrückt, sich dennoch befreiend und sämig das Heu herunterträufelnd: das heisere Lachen einer Frau, das ihnen fremd war. Denn so lachten weder die Mutter noch der Vater, wenn er abends mit seinem Freund Bernstein im Arbeitszimmer saß. Ja, die Kinder ahnten es, daß dieses Lachen, das über ihren Köpfen schwebte und ihnen unheimlich war, nicht für sie bestimmt, daß es ein Lachen war, mit dem man alleine gelassen werden wollte.

Nun mußten sie es aber wissen und stiegen eines nach dem anderen die Leiter zum Heuboden hinauf. Die Neugierde siegte wie gewohnt über die Angst, denn die Kinder waren fest entschlossen, nicht nur zu hören, sondern auch zu sehen, was der Wirtssohn mit der Kellnerin in der Scheune machte, während draußen die für den Abend engagierte Kapelle eine lustige Polka spielte.

Man muß sich die Szene nun folgendermaßen vorstellen: Die Kellnerin und der Wirtssohn, die beide nichts ahnen, befinden sich – in welcher Lage, wird noch geklärt werden – oben auf dem Heu. Die Kellnerin lacht das schon erwähnte, den Kindern unheimliche Lachen; ob auch von des Wirtssohns Seite etwas zu hören ist, lassen wir vorerst einmal dahingestellt. Währenddessen beratschlagen die sich etwa zwei Meter tiefer befindenden Kinder mit den Händen oder vielleicht auch flüsternd, wie vorzugehen sei, und erklimmen danach die Leiter.

Wir haben nun also drei Kinder, die auf einer Leiter stehen und sich gegenseitig anschubsen, weil keines etwas verpassen will, und zwei Erwachsene auf dem Heu. Wir haben nun also drei Paar Kinderaugen, vielleicht auch ein oder zwei Nasen, aber auf keinen Fall Münder, denn die Kinder bleiben so gut es geht in Deckung, die einige Zentimeter über dem Boden hervorlugen und die aus einer außergewöhnlichen Perspektive, nämlich von unten, einem liegenden Paar zuzusehen gedenken. Die aber – das wollen wir kurz noch erwähnen, bevor die handelnden Personen vorgestellt werden –, die also etwas ganz anderes erblicken.

Gehen wir nicht nach dem Alter oder dem Alphabet, sondern nach der Rangordnung vor.

Da wäre zuerst Vera Lipmann: ein trotziges Mädchen mit einer hellen, sommersprossigen Haut. Ihr zwei Jahre älterer Bruder Hermann: Klassenerster, friedfertig, Karl-May-Kenner. Oswald Blatt: er wird zur Vorbeugung einmal die Woche geschlagen, trägt karierte Hemden und soll so werden wie der Vater, der Dorfschullehrer ist. Franzi Zink, der Wirtssohn: Einzelkind, er wird das Lokal einmal erben. Die Kellnerin Berti: prall, herzensgut und faul.

Wir wollen hier keine weiteren Bestimmungsmerkmale entwickeln, weil mit diesem spezifischen Fall von kindlicher Neugierde nichts erklärt oder bewiesen werden soll. Auch nehmen wir nicht das Recht in Anspruch, lange über innere Beweggründe zu spekulieren. Der Leser darf also aufatmen. Ökonomische, politische, psychologische, biologische, juristische und ideologische Angaben bleiben ihm erspart.

Was sehen die Kinder also? Sie sehen einen knienden Mann und eine Frau, die breitbeinig wie eine Göttin dasteht, ihren Kopf zurückgebeugt, als wolle sie den unsichtbaren Sternen trotzen. Eine Frau also und die Umrisse eines Mannes, der, nach dem karierten Hinterteil zu urteilen, das er den jungen Zuschauern entgegenstreckt, kein anderer ist, als der Wirtssohn – nur er trägt Hosen aus solch einem geschmacklosen Stoff.

Die Kinder sehen also sein Hinterteil – rot-weiß kariert und mit dunklen Streifen durchzogen –, sehen auch seine Arme, in die Höhe gestreckt, und den voluminösen Rumpf, hingegen nicht den Kopf. Die, anders ausgedrückt, einen kopflosen Mann erblicken und damit ein interessantes, philosophisches Problem aufwerfen, ob nämlich die Realität das ist, was unsere Sinne wahrnehmen, oder etwa eine auf Erfahrung und Wissen beruhende Erkenntnis.

Ja, die Kinder bemerkten es nicht sofort, sondern erst nachdem sich der erste Schrecken gelegt hatte (sie hatten einiges erwartet, aber nicht dies), daß der Kopf nicht abhanden gekommen und der Wirtssohn nicht von der verrücktgewordenen Kellnerin enthauptet worden war, sondern daß er seinen Kopf ganz einfach in die wohligwarme Mulde zwischen den riesigen Brüsten der Kellnerin gezwängt hatte, wo er sich für eine Weile auszuruhen gedachte.

Aber kein Frieden währt lange. Die Kellnerin, die spürte, wie sich ihr Nacken verkrampfte, drehte den Kopf nach links, dann rechts und wäre, als sie ihren Blick übers Heu schweifen ließ und drei Kinderköpfe sah, die sie interessiert anstarrten, vor Überraschung fast gestürzt.

»Da, sieh, da, da«, stotterte sie, stieß den Wirtssohn beiseite, raffte zitternd ihre Bluse über der Brust zusammen, zeigte auf die Leiter und versuchte mit diesen unbeholfenen Worten zu erklären, was sie so verstörte.

»Was ist denn los?« fragte der Wirtssohn und richtete sich schwerfällig auf.

An die eigene Haut und an die Schlagkraft der Fäuste des Wirtssohns denkend, ergriffen die Kinder die Flucht und kletterten polternd die Leiter hinunter. Und da sie die Leiter trotz der Eile – der Mann stand nun drohend über ihnen – nur nacheinander benutzen konnten, sprang Hermann, der sich am weitesten hinaufgewagt hatte, die letzten Sprossen einfach hinunter, verstauchte sich dabei den Fuß und bekam, mit schmerzverzogenem Gesicht zur Tür humpelnd, als einziger die Zornesworte des Wirtssohnes mit.

Denn der Wirtssohn konnte sich nicht anders schadlos halten als eben durch das Wort, hätte er doch bei einer handgreiflichen Bestrafung der Kinder zugeben müssen, daß er mit der Berti in der Scheune gewesen war, was er auf keinen Fall wollte. Und da er nicht in der Scheune und schon gar nicht mit der Berti und zu dieser Stunde hatte gewesen sein wollen, folglich auch nicht in der Scheune gewesen war, konnte er die in fremdes Eigentum eingedrungenen Kinder nicht gesehen haben, die ihn wiederum auch nicht gesehen haben konnten, weil er, wie schon erwähnt, nie dort gewesen war.

Deshalb, und nicht etwa, weil der Wirtssohn nicht gewollt hätte – ach, wie gerne hätte er doch wenigstens eins der Kinder verprügelt –, fand das Abenteuer im chaotischen Rückzug und der sich hieraus ergebenden Fußverstauchung Hermanns seinen dramatischen Abschluß.

Und als dann die Schwellung nach vier, fünf Tagen nachließ und auch die Angst vor eventuellen Vergeltungsmaßnahmen, denn man wußte ja nichts von des Wirtssohns herrschsüchtiger Mutter, seiner Achillesferse, die nur insofern mit dessen Füßen in Verbindung gebracht werden kann, als er noch nicht auf ihnen stand, ja, als nicht einmal mehr ein blauer Fleck oder die letzten Reste einer Schramme auf das Erlebnis verweisen konnten, wurde es Erinnerung, die auch brüchig wurde wie trockene Erde im Hochsommer, so daß bald nichts mehr blieb als die Eintragungen im Tagebuch Veras und eine schon am nächsten Tag angefertigte geometrische Zeichnung, die einen von zwei länglichen, fleischfarbenen Ellipsen umsäumten dunklen Kreis darstellte, der auf einem gequollenen Quadrat, einem karierten Kubus, zu ruhen schien und auf den Vera, um ihn plastisch hervorzuheben, ein Spannrad und einige Rädchen geklebt hatte, die sie aus einer alten und nicht mehr funktionierenden Uhr der Mutter herausgebrochen hatte. Denn für solch eine Art Erlebnis fehlten unserer Heldin ganz einfach die Worte.

Die Geschichte des kleinen Löwy

(Eine lose Briefmarke)

Ich stelle mich nicht vor. Nennen Sie mich W. oder E., wenn es Ihnen beliebt. Ich bin ein Produkt meiner Zeit. Nicht schlechter als mancher andere, auch nicht besser. Männer meines Schlages bevölkern mit einigem Erfolg diese Erde. Wir essen zu viel tierische Fette, rauchen zu viel Tabak und messen der weiblichen Physis zu große Bedeutung bei. Wir führen im Namen einer austauschbaren Wahrheit mindestens jedes halbe Jahrhundert einen Krieg, damit unsere Erde, die an manchen Stellen dicht besiedelt ist, sich etwas lichtet, und üben uns in der restlichen Zeit im Gründen von Familien. Wir sind Herdentiere, können nicht alleine sein und suchen uns schon früh eine passende Partnerin.

Ich wurde 1918 geboren. Ich hatte meine erste Erektion mit zehn und den ersten Schatten eines männlichen Flaums mit zwölf. Ich betrachtete – mit noch ungeschultem Blick – meine erste nackte Frau mit sechs, wobei sich meine noch haarlose Oberlippe zu einem ausgedehnten Ah öffnete (obwohl sich unten noch nichts regte). Es handelte sich, nebenbei bemerkt, um eins jener harmlosen Bildchen, die sich in meinen Jugendjahren großer Popularität erfreuten und auf denen eine mollige Sirene dem Betrachter ihre rosigen Pobacken entgegenstreckt.

Ich schaffte mir später ein ganzes Album von solchen Bildchen an, die ich mit meinem Taschengeld bei einem fliegenden Händler erstand und in der Schule doppelt so teuer verkaufte. Schon früh verstand ich die Regeln der Marktwirtschaft und bot meinen Kameraden an, was alt und verschlissen war und seinen Dienst getan hatte, um mich mit neuen und gewagteren Positionen einzudecken.

Mutter entdeckte die Sammlung während des jährlichen Großputzes in einer Kiste unter meinem Bett und konfiszierte sie mit lautem Geschrei. Mein Vater ließ diesen Anlaß nicht ungenutzt vorübergehen und erteilte mir eine der letzten Züchtigungen auf mein Hinterteil, das sich dabei rot verfärbte. Als ich mich später zu Studienzwecken an den Wohnzimmerschrank meiner Eltern heranmachte, in dem sie neben den Spielkarten den Likör aufbewahrten, und den guten Weinbrand herausnahm, der, von den Kristallgläsern verborgen, in einer Ecke stand, sah ich meine Bildchen wieder. Sie lagen in dem gleichen ausgebeulten Schuhkarton und gehörten nun allem Anschein nach meinem Vater. Ich war verletzt und wollte meine Mutter fragen, warum hier schmutzig war, was dort erlaubt, unterließ es aber dann, einem Instinkt folgend.

Ich hätte erklären müssen, was ich im Spirituosenschrank gesucht hatte, und hätte als Lohn womöglich eine Ohrfeige erhalten. Damals begriff ich, daß es verschiedene Stufen von Gerechtigkeit gibt, eine für die Starken und eine etwas schwächere für die Schwachen. Doch von meinen Lehrjahren soll hier nicht die Rede sein. Die Bildchen hatten zu der Zeit, über die ich nun berichten werde, in der ich vom Stilleben auf das lebendige Modell übergegangen war und mich mit gebücktem Rücken im Schielen durch diverse Schlüssellöcher übte, ohnehin jeglichen Reiz verloren. Ich habe sie, nebenbei bemerkt, einige Jahre nach meiner Entdeckung an den kleinen Bruder eines Klassenkameraden verkauft, den ich durch das Schenken der ersten Bildchen für dieses Hobby empfänglich gemacht hatte. Weder meine Mutter noch mein Vater haben sie jemals zurückgefordert.

Aber wir wollen dieses interessante Kapitel meiner Biographie einmal überspringen, um, nach den strengen Regeln der Selektion, die Erektion und den ganzen Rest hinter uns zu lassen, denn obwohl ich weder auf das Wie noch auf das Warum eine Antwort geben kann, weiß ich doch, wann alles begann, und werde nun die Geschichte des kleinen Löwy erzählen.

Ich bin fünfzehn, habe ein Fahrtenmesser erhalten, auf dem zwei keinen Jungen kaltlassende Worte eingraviert sind. Blut und Ehre, denke ich und poliere stolz die Klinge, bis sie funkelt. Blut und Ehre, und ich ahne, was damit gemeint ist, denn die Ehre kenne ich – oder glaube ich zu kennen –, und Blut gehört zum Messer wie Salz zum Brot.

Was macht der kleine Löwy währenddessen? Er muß, glaube ich, vierzehn oder fünfzehn Jahre alt gewesen sein, was, wohlgemerkt, gar nicht mehr so klein ist, aber der Name haftete ihm an, weil er kleiner war als sein Vater, der Uhrmacher, und deshalb wurde er auch mit vierzehn oder fünfzehn noch der kleine Löwy genannt, außer später, bei seiner Belehrung – aber das gehört in das nächste Kapitel –, als er ganz einfach Judensau hieß.

Er wird das machen, was alle Jungen in unserem Alter gemacht haben. Wird wohl Flugzeuge verglichen haben und Rennautos, wird wohl was geklaut haben im Laden nebenan, im Klo der Schule oder auf dem Hinterhof seine erste Zigarette geraucht, Bildchen gesammelt haben – er war kein Klient von mir, aber es gab damals mehrere Quellen, denn wo viel Nachfrage ist, floriert der Handel. Einige Schrammen, feuchte Träume, verschlissene Hosen und verwaschene Hemden, vielleicht auch ein Beinbruch: das Gewöhnliche halt.

Aber beginnen wir beim Beginn, und zwar wie in jedem Roman, der auf sich hält, mit der Beschreibung eines Gebäudes:

Unser Haus war ein modernes Haus. Ich sage das hier nicht, um mich in irgendeiner Weise hervorzutun, sondern um die Hintergründe dieser Geschichte verständlich zu machen. Wir hatten einen Vorgarten mit Fliederbusch, Rasen und Plattenweg. Der Fliederbusch wollte zwar seit einigen Jahren nicht mehr so richtig blühen, hatte aber trotz Altersschwäche sein Ansehen bei den

Mietern bewahren können, was einiges über seine frühere Stattlichkeit aussagen mag. Wir hatten im ersten Stock Doppelfenster, pro Wohnung jeweils einen Balkon mit Ziergeländer, einen Hinterhof mit Teppichstange, einen Schuppen, graue, ausstellbare Rolläden, die wir nach langem Suchen, meine Mutter war in dieser Hinsicht gewissenhaft, von der Firma Hinkel und Söhne bezogen hatten, und – ich komme nun zum eigentlichen Punkt – eine zentrale Warmwasserheizung, die sich im Keller befand und ausschließlich von mir bedient wurde.

Einmal bin ich also wieder unten und schiebe Koks nach. Ich habe meinen Pulli, den mir die Mutter zu Weihnachten gestrickt hat, ausgezogen und die Hemdsärmel hochgekrempelt. Es ist Freitag, und ich schwitze. Meine Mutter wäscht fürs Haus Wäsche, womit sie sich ein paar Mark nebenbei verdient, und ich bin ihr als guter Sohn behilflich und schaufle, damit sie genug heißes Wasser hat.

Ich schiebe also mit der Kohlenschaufel ordentlich was in die dunkle Öffnung rein, und weil diese Beschäftigung anstrengend ist, aber nicht intellektuell fördernd, denk ich mir, guckste mal aus dem Kellerfenster, um zu sehen, was da oben im Hof vor sich geht, ohne natürlich etwas anderes zu erwarten als die Teppichstange und die Wäscheleine, die an ihr angebracht ist und schon diverse Wäschestücke der Mieter zur Schau stellt, darunter, ich will hier nichts verbergen, ein Bataillon Büstenhalter in einem fleischfarbenen Ton.

Ich öffne also, mehr aus Langeweile als aus Interesse, die Fensterluke, hebe mein Kinn in Erwartung der ausgebeulten Oberteile und sehe statt dessen zwei kurze Beine, die ich sofort erkenne, weil keiner außer Löwy solche Beine hat. Und während ich mir denke, was macht denn der hier bei uns im Hof, der will wohl eine geklebt haben, und die zwei Hachsen so wild auf der Stelle herumtrampeln, daß mir beim Hinblicken fast schwindlig wird, hör ich das Kichern einer unserer Mieterinnen, die Vera heißt und drei Jahre jünger ist als ich.

Nun bin ich aber wirklich interessiert. Was kann die Mieterin aus dem ersten Stock schon mit dem Fettsack zu tun haben wollen? Denn ich schließe aus dem Kichern und dem Gewackle der Beine, daß da irgend etwas Wichtiges im Gange sein muß.

Meine Beschäftigung als Freitagnachmittagswarmwasserheizer kurz unterbrechend, gehe ich nach oben, aber nicht direkt in den Hof – die Kloppe, denk ich mir, kriegt der später, ich möchte mir die Sache, um gezielt einschreiten zu können, vorerst einmal anschauen –, sondern zu einem strategischen Stützpunkt, den ich schon öfter benutzt habe, weil ich von dort fast den ganzen Hof überblicken kann. Es handelt sich um unsere Küche. Das Fenster ist auch deshalb so nützlich, weil man alles sieht, ohne gesehen zu werden.

Viele Vertreter haben schon von den Vorteilen der deutschen Qualitätsgardine gesprochen, ich frage mich, warum sie, statt auf ihre Lebensdauer, nicht auch einmal auf diesen Aspekt hingewiesen haben: ich meine, daß man hinter ihr unsichtbar bleibt. Ich glaube, daß sie mit diesem Argument neue Käuferschichten erreichen könnten.

Ich hole, da ich mich auf ein längeres Warten gefaßt mache und meine Knie schon immer sehr empfindlich waren, ein Kissen vom Sofa, lasse mich bequem auf die Knie nieder – die Mutter ist ja in der Waschküche und kann mich nicht stören. Will mir sogar noch etwas zum Trinken holen, sehe dann aber, kaum am Fenster, wie Löwy Vera küßt oder Vera den Fettwanst, wer wen küßt, kann ich aus der Entfernung nicht genau erkennen, und das sabbert und labert, als würde er eins von seinen Schokoladencremetörtchen essen, die er sich auf der Straße schnell in den Rachen stopft.

Wie am Jordan in der Bibel, denk ich, das ist ja geradezu ekelerregend, denk ich, pfui Teufel, das Mädchen kann mir gestohlen bleiben, wenn es das Heu von der Spreu, oder wie das auch immer heißen mag, nicht unterscheiden kann. So ein Biest, denk ich mir, mit einem schwarzgebräunten Judenbengel, und der küßt die hinterhältig im Hof, hat keinen Mumm in den Knochen, muß sich vor aller Welt verstecken, im Hof, wie am Jordan in der Bibel, denk ich. Und dann kommt meine Mutter und knallt mir eine, weil ich, statt einzuheizen, am Fenster vor mich hin döse. Ich kann ihr natürlich nicht erzählen, was ich hier mache und warum mich diese kleine häusliche Szene mit der Mieterin vom ersten Stock, die noch im Sommer körperlich eher unterentwickelt war, mitnimmt. Erdulde alles schon deshalb still, um meine Mutter in dem Glauben zu lassen, daß dies noch ein anständiger Hof ist, und gehe wieder – in der Gegend des Herzens einen tiefen Grimm empfindend – in den Heizungskeller, wo mich der brummende Kessel und mein blau-rot gestreifter Pulli erwarten.

Das zahle ich denen heim, denke ich, mit doppelter und dreifacher Münze, und dann öffne ich die Ofentür, grapsche nach dem Schüreisen, stochere ein bißchen in der Glut, entfeßle das Feuer, quetsche mit dem Stock die Asche an die Ofenwand, packe die Kohlenschaufel, stoße sie in den Sack und schütte Koks ins Loch. Denn heute ist Freitag, und Freitag wird gewaschen, das ist bei uns so, ist schon immer so gewesen, da gibt's nichts, da komme, was wolle. Officium servare, officium facere, officium praestare, officium explere, officio fungi, nicht zu verwechseln mit fundi, fundo, fusus, zu deutsch: Feinde niederwerfen, zerschlagen, zerstören, denn, wie ich schon sagte, diligens officii, und ich bin nun einmal der Freitagnachmittagswarmwasserheizer des Hauses.

Montag morgen, neun Uhr. Lehrstoff der zweiten Stunde: Zeitkunde. Die Ereignisse des Monats sind zu unterteilen in:
Tote des Monats:
   Erstens, Fürstenberg, Carl, bekannter deutscher Bankier, Leiter der Berliner Handelsgesellschaft.
   Zweitens,
   Haltung, Haltung ist alles,

Becker, Hellmut, ehemaliger preußischer Kultusminister,
*die letzte Gurke kann man an den Mann bringen, mit
etwas Haltung,*
namhafter Reformer der deutschen Schulen.
*zum Beispiel müßte man sich etwas mehr aufrichten,
starkes Rückgrat.*
Katastrophen des Monats:
Gerader Sitz zeugt von geradem Charakter,
Erstens, Reichstagsbrand, siebenundzwanzigster Februar. Durch hinterhältige Brandstiftung
*in die Augen schauen, die Augen sind die Fenster der
Seele,*
des Weltjudentums und der kommunistischen Verschwörung
interessiert, nicht zu interessiert,
geht der deutsche Reichstag
*nicht gierig, wer stiert, ist gierig, wer nach unten blickt,
hat was zu verbergen, wer schielt, ist dumm.*
in Flammen auf.
Gefaßter Blick, ernst und aufrecht,
Zweitens, in Neunkirchen an der Saar tötet
vom Profil, das macht sich besser, gerade Nase, deutsches Profil, blonde Haare, griechisch,
eine Gasometerexplosion zweiundsechzig Menschen.
heldisch.
Jubiläen des Monats:
Erstens, vor hundert Jahren wurde der Erfinder des
Schlieffen-Plans, der deutsche Feldmarschall Alfred
Graf Schlieffen, geboren.
Zweitens,
Zweitens, zweitens …
vor
Sauberkeit, oberstes Gebot, oberstes Gebot Sauberkeit,
fünfzig Jahren starb
*sind die Nägel sauber, gut, Hemd, gut, Manschetten,
gut, Hose, gut, Schuhe, Mist, so ein Mist, verdammter
Mist …*

Richard Wagner (1813–1883)

Mist, Mist, Mist …

Spruch des Monats:

Muß ich nachher, mach ich nachher aufm Klo …

Hat der Bauer Geld, hat's die ganze Welt! Hat der Bauer Not, hat die ganze Welt kein Brot!

Und zuletzt notieren Sie bitte Neuigkeiten aus der Landwirtschaft. Näher zu untersuchendes Thema heute: Der Obstbaum, zweimal unterstrichen.

Nach jüngst ausgeführter Obstbaumzählung …

Zählobstbaumung, Baumzählobstung, Zählobstmistung, Mistzählbaumung,

gibt es im Reich 155 Millionen Obstbäume, und zwar:

70 Millionen Apfelbäume,

36 Millionen Pflaumenbäume (1913 noch 57 Millionen),

neunzehnhundertdreizehn noch fünfundsiebzig Millionen,

25 Millionen Birnbäume,

18 Millionen Kirsch-,

 2 Millionen Pfirsich-,

 1,4 Millionen Walnuß- und

 0,3 Millionen Aprikosenbäume – Absatz.

Herr Studienrat, könnte ich einmal kurz mit Ihnen sprechen, nein, nein, nein, gelassener,

Die meisten Apfelbäume stehen in Württemberg (zirka elf Millionen),

gelassen, ruhig, sicher, Herr Studienrat, es handelt sich um, nein, nein, nein,

ebenso die meisten Birnbäume (vier Millionen), die meisten Kirschbäume befinden sich in der Provinz Sachsen – Punkt Absatz.

ich trete auf ihn zu und räuspere mich erst mal, Herr Studienrat, ich muß Ihnen leider …, leider muß ich Ihnen …

Neunzehnhundertdreizehn gab es noch hundertfünfundsiebzig Millionen Obstbäume im Reich – Komma

47

– ein beunruhigender Rückgang also – von zwanzig Millionen Obstbäumen – Komma – der durch Platzmangel – kein Komma – und Vernachlässigung der landwirtschaftlichen Traditionen zu erklären ist – Punkt Absatz.
Der Rückgang trifft – Doppelpunkt Absatz:
Pflaumen,
Ja, Pflaumenkuchen,
Zwetschgen,
Zwetschgenkuchen,
Mirabellen,
Mirabellenkuchen,
Reineclauden,
Reineclauden, kenn ich nicht,
Schattenmorellen,
Süßkirschen und …
Die Schulglocke läutet schrill, gring, gring, gring und ein langgezogenes bing, bong. Pause. Alle rennen aus dem Klassenzimmer in den Hof. Ich bleibe zurück, krame in meiner Hosentasche herum, popele in der Nase und trete mir die Beine in den Bauch. Dann gehe ich auf das Lehrerpult zu. Nicht direkt, gehe vorher an einer anderen Schulbank vorbei. Streife mit dem Finger über die Holzfläche des Tisches, so wie's meine Mutter macht, wenn sie kontrollieren will, ob sich der ärgste Feind der deutschen Hausfrau auch auf unserer Kommode häuslich niedergelassen hat. Kein Staub, der auf dem Tisch meiner Klassenkameraden seine grauen Spuren hinterläßt. Nur einige Schreibhefte, Federmäppchen und zerknülltes Papier, das seine glorreiche Zeit, als es der Hüter der belegten Brote war, schon hinter sich gelassen hat.
Der kürzeste Weg zwischen zwei Punkten ist die Gerade, denk ich, aber es gibt auch krumme Linien, die in der Geographie ihre Funktion haben, und trete endlich ans Pult. Brackmann ist dabei, die Bücher in seine Tasche zu legen. Ich räuspere mich. Über dem Holzpult schauen mich zwei skeptische Brillengläser an.

»Herr Studienrat?«

»Was ist denn, Eckstein?«

Jetzt oder nie, denk ich, öffne den Mund, fahre mit meiner rauhen Zunge über die Lippen, atme sogar einmal tief durch, um meiner Stimme die Durchschlagskraft zu geben, die von einer guten Bauchatmung ausgeht, denn ich will hier seriös erscheinen. Und während sich in meinem Kopf schon das erste Wort formt, aus untersten Tiefen angerollt kommt, denn nun bin ich bereit, steh fest auf meinem Platz, habe die Lippen mit der Zunge befeuchtet, meine Lungen entleert und mich gesammelt, sehe ich ein schwarzes, borstiges Haar, das aus des Lehrers Nase hervorlugt und mir die Sprache verschlägt.

»Ja«, sagt Brackmann und klopft mit dem Bleistift mehrmals auf den Tisch, »was gibt's denn, Eckstein?«

Was gibt's denn, Eckstein, denke ich und muß wieder auf das glänzende Nasenhaar schauen, das mich hämisch anlugt. Sag's doch, sag's doch endlich, denke ich, nun auf Brackmanns Hände blickend, denn ich habe es geschafft, mich loszureißen und den Kopf wie in tiefer Scham zu senken, jetzt öffne doch endlich dein dummes Maul.

Aber ich kann nicht. Kann einfach nicht. Bringe keinen Pieps über die Lippen, denn ich muß, wie durch einen Magnet angezogen, wieder meinen Kopf heben, um auf die Nasenlandschaft mit Haar zu schauen. Bin vom Nasenhaar des Lehrers verhext worden. Habe doch schon Nasen gesehen und Haare und verstehe nicht, was mit mir los ist. Stehe also verständnislos wie ein stummer Trottel, wie ein glotzender Teichkarpfen, der ins Netz gegangen ist und nach Luft hechelt, vor dem Lehrer, der mich nun seinerseits auch anzustarren beginnt.

Jetzt fangen meine Hände zu schwitzen an, und auch meine Oberlippenrinne bricht in Schweiß aus. Ich weiß, es ist alles verloren, und wische mir die Handflächen an der Hose ab. Und während ich so dastehe und Brackmann anstarre, als wäre er ein Denkmal – der unbekannte Soldat vor dem Armeemuseum zum Beispiel, den ich andächtig zu bewundern habe, damit diese starke, bestimmende Gewalt auch zu meinem Herzen einen Zugang findet –, höre ich, wie das Schloß seiner Tasche zuschnappt, und dann dreht er sich um, zuckt die Achseln, sagt irgend etwas von der Verblödung der Jugend heutzutage und geht aus dem Klassenzimmer.

Ich aber bleibe stumm und schwitzend zurück. Und dann kommt es, das erlösende Wort, kommt in einem Schwall: »Scheiße, Kacke, Scheiße, Kacke, Scheiße, Scheiße.«

Ich bin momentan nicht besonders einfallsreich und beschränke meine Rede auf zwei altbewährte Würzworte. Und während ich mit dem Fuß auf den Stuhl des Lehrers eintrete, denn ich habe mich endlich aus meiner Erstarrung reißen können und bin nun wütend, höre ich hinter mir ein Grölen und dann, als wäre dies noch nicht genug, ein flötendes: »Herr Studienrat, Herr Studienrat«, und dann ein erneutes Grölen, das nicht nachlassen will und wegen seiner meckernden Qualität einen direkten Zugang zu meinem Herzen findet.

Was mach ich nun, wie rette ich meine zeitweilig verlorengegangene Ehre? Zum Entwickeln komplizierter Strategien hab ich keine Zeit, hinter mir das Gewieher, vor mir die Tür. Was mach ich bloß? Ich mache das einzig Vernünftige, das, was sich wie von selbst anbietet, ich zucke nicht zusammen und gehe ganz gelassen, eine kleine Melodie vor mich hin pfeifend und das rechte Bein zur Seite ausschlagend, als wolle ich ein Buch mit der Schuhspitze aus meinem Weg fegen, aus dem Klassenzimmer. Ich drehe mich nicht um, blicke weder seitlich auf die Tafel noch auf die Tische, die in Zweierreihen hinter mir aufgestellt sind – man weiß ja, was Lots Frau widerfahren ist –, und gehe schnurstracks durch die weit geöffnete Tür hinaus, denn der kürzeste Weg zwischen zwei Punkten ist ja, wie schon erwähnt, die Gerade.

Wäre mir die Person, die ich an ihrer Stimme erkannte und die sich so köstlich über mich zu amüsieren schien, aus dem Klassenzimmer über den Flur und das Parterre in das Lesezimmer gefolgt, hätte sie sicherlich an den bekannten und bewährten Spruch gedacht, in dem von der Qualität und der zeitlichen Reihenfolge verschiedener Gelächter die Rede ist. Aber sie blieb zurück und konnte daher nicht sehen, wie ich – einem machiavellistischen Einfall folgend – das Deutsche Lexikon zur Hand nahm, um fein säuberlich abzuschreiben, worauf ich am Vortag gestoßen war, als ich etwas über ein Phänomen aus der Tierwelt nachlesen wollte. Es handelte sich um eine sehr genaue Beschreibung des Alkoholrausches und seiner verheerenden Auswirkungen auf den menschlichen Organismus. Dieser etwas hölzern abgefaßte Text interessierte mich aus zwei Gründen. Zuerst erschienen dort Worte, Impotenz und Schwachsinn, die jeden Jungen in meinem Alter mit ehrfürchtigem Schauer erfüllten. Dann wußte ich von meiner Mutter, der man Glauben schenken darf, weil sie über den Werdegang unseres Viertels bestens informiert war, daß der ganze Uhland-Clan soff, will meinen, daß der Großvater, der Onkel und der Vater eines Klassenkameraden dem Alkohol verfallen waren. Ein trauriger Umstand, werden einige nun sagen, aber was geht uns der Uhland-Clan an?

Ich werde Ihnen darauf ohne Umschweife antworten, obwohl ich nichts vorwegnehmen möchte. Ich wollte mir Uhlands Wut zunutze machen. Ich hatte ihn zum Werkzeug meiner Bestrafung auserkoren, ein Privileg, von dem er nichts ahnte und nichts ahnen durfte. Denn Uhland, der eher kräftig gebaut war, würde das Urteil vollstrecken, ohne zu wissen, daß er in meinem Auftrag handelte. Reagierte er doch auf jede Bemerkung, die den gesteigerten Alkoholgenuß seiner Familie betraf, gereizt. Sie verstehen nun. Ich gedachte ihm eine kurze Mitteilung unseres Freundes Löwy zuzuspielen. Dann wollte ich zur Seite treten und zuschauen, wie er sich, für die von mir verfaßte Demütigung, an ihm schadlos hielt.

Ich schlenderte in den Hof. Mir blieben noch zehn Minuten. Reichlich Zeit. Ich trat auf das kleine Grüppchen zu. Sie waren gerade dabei, von den Geisterschiffen zu reden, die die Meere unsicher machten. Es gab Tausende davon, und nun hatte die englische Versicherungsgesellschaft Lloyd entschieden, die Schiffe aus Sicherheitsgründen versenken zu lassen. Die Jungs, die in einem Halbkreis beisammenstanden, schlossen Wetten ab, wie lange ein Schiff brauche, um abzusaufen. Ich konnte mich für solche Details nicht begeistern, regte aber an, alle Wetten niederzuschreiben, und machte mich erbötig, das Geld in Verwahrung zu nehmen. Mein Vorschlag wurde abgelehnt, und ich packte mein Frühstücksbrot aus. Leberkäse. Ich hatte keinen Hunger, kaute aber trotzdem aus Gewohnheit daran herum.

Ganz langsam ließ ich meine Hand in die Hosentasche gleiten. Der Zettel war noch dort. Ich biß ins Brot, dann holte ich ihn hervor.

Sie sprachen über die Schiffe, die seit 27 verschollen waren.

»Das soll ich dir von Löwy geben.« Ich streckte den Arm in die Höhe. Zugegeben, ich hätte es geschickter anfangen, hätte das Ganze mit einigen Bemerkungen oder Witzen einleiten können. Ich wedelte mit dem Zettel in der Luft.

»Na und?« sagte einer und drehte mir den Rücken zu.

Der Einsatz war jetzt schon bei einer Mark angelangt.

»Das ist von Löwy.«

Die Jungs schauten mich nun alle schweigend an.

»Ich hab damit nichts zu tun.« Ich hielt Uhland den Zettel unter die Nase.

Er öffnete die Hand. Ich trat einen Schritt auf ihn zu und gab ihm wortlos den Zettel. Uhland strich angeekelt den Papierknäuel glatt, der in meiner Hosentasche feucht geworden war.

»Bete, daß es mich interessiert, sonst ...«

Er kniff, wie immer, wenn er sich konzentrieren mußte, die Augen zusammen, tippte mit dem Zeigefinger aufs Papier und dann auf meine Brust. Ich versuchte zu grinsen.

»Lies du.«

Ich spürte einen Knoten in der Magengegend, ich konnte doch nicht selbst ... Ich hatte doch nicht ... Ich ... Ich begann zu lesen.

Ich kann mich nicht mehr erinnnern, von wem Löwy zuerst gesichtet wurde. Er stand mit einem Bein an die Mauer gelehnt, die uns vom Hof des Spirituosengroßhändlers trennte, durch dessen Entgegenkommen unsere Sekretärin sich an ihrer neuen Schreibmaschine im Tippen von Beschwerdebriefen üben konnte. Er rannte nicht weg, als wir auf ihn zukamen, schaute uns nur interessiert an, als handele es sich hier um ein verzwicktes mathematisches Problem, das es zu lösen gelte.

Nach dem ersten Fausthieb, den Uhland ihm mit fachmännischer Präzision mitten ins Gesicht knallte, fingen Nase und Lippe an zu bluten. Sein Blut roch süß und tropfte auf das Leinen des hellgrünen Hemdes. Dort hinterließ es große, dunkle Flecken, die wie Schweiß aussahen.

Löwy reagierte auch nach diesem Schlag noch nicht. Er stand einfach da und schaute ungläubig auf seine Hände, auf sein Hemd und auf Uhland. Jemand stellte ihm ein Bein. Im Fallen bedeckte er schützend das Gesicht. Ich sah das braune Haar, das zwischen den vor dem Gesicht gekreuzten Armen hervorlugte, den weit aufgerissenen roten Mund und die weißen Zähne, schimmernd wie Knochen in einer offenen Wunde, aber ich sah nicht den Blick seiner Augen.

Ich fing an, ihn zu treten. Vorsichtig, forschend zuerst, dann immer sturer. Uhland und die anderen schlossen sich mir an. Wir bildeten einen Kreis um ihn und traten. Dann, irgendwann, es muß wohl in der Zwischenzeit geläutet haben, blieb ich mit Löwy alleine zurück. Er lag zusammengerollt im Staub und stöhnte. Ich kniete mich zu ihm nieder und betrachtete ihn. Sein Hemd war zerrissen. Seine Nase blutete. Er hatte die Augen geschlossen. Ich brachte meinen Mund an sein Ohr und sagte ihm flüsternd, was ich zu sagen hatte. Er sollte seinen Urteilsspruch kennen. Ich zog das Fahrtenmesser, das ich immer bei mir trage, hervor und betrachtete die Klinge. Sie fing die wenigen Sonnenstrahlen auf, die unseren leeren Hof beschienen. Ich hob seine rechte Hand.

Mit einem schnellen Ruck ritzte ich Löwy in den Daumen. Er ließ es ohne Widerstand geschehen. Etwas Blut blieb an der Klinge haften, ich wischte es an seiner Hose ab. Dann tat ich das gleiche bei mir. Ich drückte unsere Daumen zusammen.

»Blut und Ehre«, sagte ich, »Blut und Ehre«, und leckte das bittere Blut meines eigentümlichen neuen Bruders.

Ich packte mein Hab und Gut aus und suchte nach einer passenden Gabe. Ich hatte einiges Münzgeld, mein Messer, einen Bindfaden, zwei Würfel und in der Brusttasche eine Postkarte, die ich an mich genommen hatte, weil der Briefträger sie nicht ganz durch den Türschlitz der Wohnung der Nachbarin vom ersten Stock geschoben hatte. Ich betrachtete die ausländische Briefmarke, man bekam in diesen Tagen selten etwas vom Ausland geschickt, faltete die Karte in der Mitte zusammen, zerknickte dabei das Fräulein, das dumm lächelnd vor einem Gletscher stand, und stopfte sie Löwy in die Hose. Dann ging ich, mit der Handfläche schnell den Staub von den Kleidern klopfend, ins Gebäude zurück.

Ich weiß nicht, ob ich Mitleid mit Löwy empfand, ich setze es allerdings voraus. Ich kann mich nur an eine unter diesen Umständen sonderbare Feststellung erinnern, die ich machte, als ich über ihm stand:

Nach jedem Stoß zuckte Löwys Körper zusammen, als wären meine Füße und sein Rumpf die harmonisch aufeinander abgestimmten Teile eines einzigen eigentümlichen Apparates. Ja, es war, als gäbe es in diesem Augenblick nur ihn und mich, nur uns beide, in der Bestrafung vereint, unbeachtet, ausgeliefert und von der Welt vergessen, und sonst nichts.

Frühlingsbotschaft

1. Neuordnung

Sehr geehrter Dr. Heillein,
die Sitzung vom 13. des Monats unter Teilnahme des unterzeichnenden Präsidenten (Tagesordnung »Stellungnahme zu lebenswichtigen Fragen der Abteilung«), zu der Sie geladen waren, hat zu folgendem Ergebnis geführt:
In Anbetracht der Lage müssen von der Abteilung sofortige Entschlüsse gefaßt werden. Die Abteilung unternimmt den Versuch, sich aus sich selbst heraus neu zu organisieren; sie sieht sich gezwungen, allen Mitgliedern die anliegenden Fragen vorzulegen, und bittet um sofortige Beantwortung ausschließlich mit Ja oder Nein und um Ihre Unterschrift. Die Antwort muß spätestens am 21. März bei der Akademie eingetroffen sein.

2. Ja oder Nein

Sehr geehrter Dr. Heillein,
sind Sie bereit, unter Anerkennung der veränderten geschichtlichen Lage weiter Ihre Person der Preußischen Akademie der Künste zur Verfügung zu stellen? Eine Bejahung dieser Frage schließt die öffentliche politische Betatigung gegen die Regierung aus und verpflichtet Sie zu einer loyalen Mitarbeit an den satzungsgemäß der Akademie zufallenden nationalen kulturellen Aufgaben im Sinne der veränderten geschichtlichen Lage.

Ja   Nein
(Nicht Zutreffendes bitte zu durchstreichen.)

3. Zugehörigkeit

Sehr geehrter Herr Bernstein,
zur Ergänzung der Personalnotizen unserer Mitglieder
ist die Feststellung der Konfession erwünscht. Ich wäre
Ihnen deshalb dankbar, wenn Sie uns möglichst umgehend
mitteilen würden, welcher Konfession Sie angehören.

4. Das Einschreiben

Sehr geehrter Herr Bernstein,
nach an maßgebender amtlicher Stelle eingeholten Informationen muß ich Ihnen leider mitteilen, daß Sie nach
den für die Neuordnung der kulturellen staatlichen Insti-
tute Preußens geltenden Grundsätzen künftig nicht mehr
zu den Mitgliedern gezählt werden können.

5. Die Erklärung

Sehr geehrte Kollegen,
ich, Bertolt Heillein, versichere hiermit: Mir sind trotz
Prüfung keine Umstände bekannt, welche die Annahme
rechtfertigen könnten, daß ich von nichtarischen Eltern
oder Großeltern abstamme; insbesondere hat keiner meiner Eltern- oder Großelternteile zu irgendeiner Zeit der
jüdischen Religion angehört. Ich bin mir bewußt, daß ich
mich dienststraflicher Verfolgung aussetzte, wenn diese
Erklärung nicht der Wahrheit entspricht.

Das Atelier des Bildhauers

1.

Nachdem er geweckt und der Anforderungsschein ausgehändigt worden war, es hatte wegen eines unleserlichen
Dienstsiegels, das man in zu großer Eile auf das Amtsfor-
mular gedrückt hatte, Unschlüssigkeit gegeben, wurde
der Schüler Volker Tilling in den Wagen gebracht, der
ihn zum Verhör in die Prinz-Albrecht-Straße 8 fahren
sollte. Obwohl die Insassen gleich beim Wecken darüber aufgeklärt worden waren, daß sie noch vor dem
erneuten Öffnen der Tür an der Zellenwand bereitzu-
stehen hätten, kauerte Tilling mit im Schoß gekreuzten
Händen auf dem Steinboden seiner Zelle und konnte
nur unter Anwendung von Gewalt in den Hof getrieben
werden. Auch im Wagen zeigte er sich störrisch, so daß
ihm zur Sicherheit Handschellen angelegt werden mußten.

Tilling hatte sich schuldig gemacht, als er um zwei Uhr
morgens mit fünf anderen Gymnasiasten die Hauswand
Kurfürstendamm 112 mit feindlichen Parolen beschrif-
tete. Von einem Nachbarn ertappt, der sofort die Polizei
verständigte, konnten drei der jungen Männer, nach einer
zehn Minuten langen Jagd durch die menschenleeren
Straßen, gefaßt und abgeführt werden. Obwohl es sich um
ein geringfügiges Delikt handelte und keiner der Jugendlichen vorbestraft war, wurde, um weitere Protestaktio-
nen im Keim zu ersticken, ein Schüler in das berüchtigte
Hausgefängnis der Gestapo in der Prinz-Albrecht-Straße
gebracht, wo er nach allen Regeln der Einschüchterung
verhört werden sollte. Lag es nun daran, daß er die Tat
unaufgefordert zugab, oder war es reiner Zufall, die Wahl
fiel auf den siebzehnjährigen Volker Tilling.

Tilling hatte den Eindruck, als kenne er den Wärter, der ihm Schlips, Gürtel, Schnürsenkel und die Geldbörse abnahm und der ihm väterlich riet, die Hundesöhne sofort zu verraten. Gemeint waren seine Kameraden aus der seit einem Jahr aufgelösten Sozialistischen Arbeiterjugend. Wir schreiben das Jahr 1934.

Auch in der Zelle, in die er geführt wurde, weil zu so früher Morgenstunde keiner seiner Verhörer anwesend war, versuchte er sich vergebens zu erinnern, wann dieser dunkelbraune, kurzsichtige Blick schon einmal auf ihn gefallen war. Erst als ihm der Wärter eine Tasse Kaffee brachte, fiel es ihm plötzlich ein. Doch war er wegen der unerträglichen Stille der Zelle, die in scharfem Gegensatz zu dem Aufruhr seines Inneren stand, eingeschüchtert und fand keine Erleichterung in dem Gedanken, daß der Feind ein menschliches Gesicht trug, weil er die gleichen betrübten Augen hatte wie der Vater.

2.

Ungeduldig wartete Tilling auf sein Verhör. Nicht Schmerz untergrub seinen mutigen Entschluß, nicht zu gestehen, sondern Zweifel. Ach, selbst Schläge hätte er diesem fiebrigen Harren vorgezogen. Stolz hatte er dem Polizisten, der ihm die Handschellen angelegt hatte, ins Gesicht gelacht. Wo war dieser Hochmut nun, der von seiner Jugend herrührte und von dem Anspruch, den die Jugend auf die Unsterblichkeit erhob?

Schon im Revier hatte man ihn darüber aufgeklärt, daß er sich im Hausgefängnis auf etwas ganz Besonderes gefaßt machen könne. Aber worauf? Obwohl er Reden der Hakenkreuzträger abschätzig als Lügengebilde denunzierte, glaubte Tilling den Polizisten aufs Wort. Nur versagte sein sonst so bewundertes Vorstellungsvermögen kläglich, stellte er sich beim Wort Sonderbehandlung nichts anderes vor als ein schwarzes, bedrohendes Etwas, dessen amorphe Umrisse er in der Ferne wahrnahm und das mit jeder verstreichenden Minute ein Stück näher auf ihn zukroch.

Beklommenen Herzens schaute Volker Tilling auf die Tür. Mehrmals hörte er das Geräusch nahender Schritte. Doch nie sollten sie im Laufe des endlos erscheinenden Vormittags vor seiner Zelle stehenbleiben.

Verlassen wir Tilling, um kurz über die Zelle zu berichten, die von einem belesenen Wärter nicht zu Unrecht das Purgatorium genannt wurde. Was hat sie Außerordentliches, daß wir sie der Beschreibung der Gemütsverfassung unseres Helden vorziehen? Eine dunkle Zelle, 3 Meter lang, 2 Meter breit, und von einer einzigen Glühbirne beschienen.

Vor einigen Jahren war sie der untere Teil des Ateliers eines Bildhauers gewesen, der dort das Gipsmodell eines mittlerweile in Ungnade gefallenen Reichstagsabgeordneten angefertigt hatte. Nun haben fleißige Handwerker Zwischenwände eingezogen und den Raum in 19 Zellen unterteilt, in denen 19 Männer, darunter auch Tilling, auf ihr Schicksal warten, das drei Etagen über ihnen in Form eines rauchenden SS-Mannes auf und ab geht.

Vielleicht rochen die Häftlinge ihn noch, den herben Geruch von Metall, Stein, Holz und Farbe, der dieses Atelier einst durchdrungen hatte. Vielleicht spürten sie auch etwas von der Feierlichkeit, die herrschte, als der Vater der deutschen Demokratie, den sie ja alle verehrten, alle bewunderten, als dieser große Mann sich dort zeichnen ließ. Nein, es ist wohl nicht anzunehmen. Sie waren im Zustand des äußersten Nervenaufruhrs kaum für Impressionen empfänglich und spürten nur die eigene Angst. Sie ahnten nichts von der Geschichte dieses Ateliers, das für sie nur das Vorzimmer ihrer Qualen war. Und hätten sie gewußt, daß auf demselben Flecken, wenn auch unter anderen Umständen, wenn auch mit anderen Erwartungen, ihr Vorbild gesessen hatte, sie hätten keinen Mut geschöpft, hätten es wohl als grausame Wendung, als böses

Wechselspiel des Lebens erachtet, und selbst Tilling, der immerfort nach einem Sinn suchte, hätte sich jegliche Deutung verboten.

3.

Gegen elf Uhr nachts wurde Tilling von zwei Wärtern in den ersten Stock gebracht. Hungrig, müde und von der brüsken Veränderung seiner Lage verwirrt, stolperte er mehrmals und wurde von einem Wärter in die Rippen gestoßen. Oben angekommen, hörte er, trotz der von außen mit schweren Filzdecken verhängten Türen, Schreie. Sie ließen ihn zusammenzucken. Als man ihm gebot stehenzubleiben, schöpfte er, aus einem unerklärlichen Grund, Hoffnung. Tilling nahm in der Mitte des Verhörzimmers Platz. Obwohl ihn das Licht der auf ihn gerichteten Schreibtischlampe blendete, bezwang er den Wunsch, sich die Hand schützend vor die Augen zu halten.

Ganz spontan, forderte man ihn auf und bot ihm eine Zigarette an, solle er berichten, was er seit der Auflösung der SAJ unternommen habe. Nachdem Tilling die Zigarette angezündet hatte, sagte er, was er als bekannt voraussetzte. Seit 1931 war er Mitglied der Sozialistischen Arbeiterjugend und hatte an mehreren Flugblattaktionen teilgenommen. Da er noch nicht wußte, was auf ihn zukommen sollte, weigerte er sich, Namen von Kameraden zu nennen, die nicht in der Organisation eingeschrieben waren und deren Erfassung schwerer war als erwartet. Auch als sechs Männer das Zimmer betraten und sich mit Gummiknüppeln und Reitpeitschen hinter ihm aufstellten, blieb Tilling bei seiner gleich zu Beginn des Verhörs gemachten Aussage – eine Aussage, die von allen Seiten als unbefriedigend erachtet worden war.

Im Laufe der Nacht wurde Tilling mehrmals geschlagen. Obwohl er sich zu schützen versuchte und sein Gesicht mit Händen und Armen verdeckte, verlor er drei Stunden nach Beginn des Verhörs vier Zähne und brach kurz darauf, von den Schmerzen und dem Hunger erschöpft, zusammen. Von heftigen, schüttelnden Bewegungen erfaßt, konnte Tilling auch nach einer fünf Minuten langen Schmerzenspause, in der man ihm ein Glas Wasser zum Ausspülen des Mundes reichte, nicht mehr sitzen. Man ließ ihn liegen. Die Prügel, die folgte, nahm er in einer Art Dämmerzustand wahr.

Kurz vor Morgengrauen wurde Tilling, dessen Körper einer einzigen Masse geschwollenen Fleisches glich, in seine Zelle gebracht. Ein Arzt hatte wegen des schwachen Pulsschlages geraten, das Verhör auf den nächsten Tag zu verschieben. Weil der junge Mann mit kaum mehr als einem Nicken reagierte und weil das, was er sich unter allergrößter Anstrengung abringen konnte, nicht mehr zu verstehen war, stimmten die Männer, die das Schicksal des jungen Schülers in ihren Händen hielten, zu.

Gegen Mittag wurde Tilling wachgerüttelt. Mit den Lebensgeistern erwachten auch die Schmerzen, die ihn seinen Körper in neuer Weise erleben ließen. Da Tillings Überweisungspapiere noch nicht ausgestellt worden waren – die Beamten der Gestapo hatten nicht angenommen, daß sich das Verhör eines in der Regel leicht manipulierbaren Ersttäters derart in die Länge ziehen könnte –, wurde seine Verpflegung vom Untersuchungsgefängnis Moabit zugestellt, zu dem er administrativ zählte. Es handelte sich um eine leicht verdauliche Haferschleimsuppe, die der Koch des Gefängnisses den Häftlingen zubereitete, die eine »schärfere Vernehmung« im Obergeschoß der Gestapo hinter sich hatten, und der er manchmal einen klebrigen und süßen Milchreis zufügte, der ebenfalls nicht durchgekaut werden mußte. Nachdem Tilling die vollständige Ration eingeflößt worden war und er Kräfte geschöpft hatte, wurde er gegen drei Uhr nachmittags erneut in den ersten Stock geschleift.

Tilling wirkte apathisch. Aus geschwollenen Augen blinzelte er seine Peiniger an. Vor allem einem jugendlich wirkenden Mann mit heller Haut und flachsblondem

Haar – er hatte ihm das Glas Wasser gereicht und ihn nur vorsichtig, ja fast liebevoll geschlagen – versuchte er, sobald er sich mit einer Anwort an seine Zuhörer wandte, ins Gesicht zu schauen. Erneut gequält, zeigte er sich gegen sechs Uhr abends einsichtig und wurde, nachdem die von ihm gelieferten Informationen geprüft worden waren und sich als richtig erwiesen hatten, mit einer Morphiumspritze in den ersehnten Schlaf befördert.

4.

Tilling blieb insgesamt drei Tage in Haft. Ein Strafverfahren wurde gegen ihn nicht eingeleitet. Mit Ausnahme einer ledernen Tasche, einem Geschenk des Vaters, der auf der Innenseite seine Initialen hatte einstanzen lassen, wurde ihm all sein Hab und Gut ausgehändigt. Auch das Kleingeld, das er bei seiner Verhaftung bei sich trug, bekam er vollständig zurückerstattet. Die Tasche, sagte man ihm lächelnd, denn man wußte, daß kein Häftling das Haus freiwillig ein zweites Mal betrat, könne er sich in einer Woche abholen.

Als Grund für seinen plötzlichen, gänzlich unerwarteten Umschwung – Tilling hatte die gewünschten Namen auch nach erneutem Prügeln nicht genannt –, muß folgender Vorfall erwähnt werden. Am zweiten Tag der Vernehmung hatte ein Beamter vor den Augen Tillings die Photographie des verstorbenen Vaters zerrissen, die dieser in seinem Portemonnaie bei sich trug. Wütend sprang Tilling den Mann an, der, vom Angriff überrascht, stürzte. Der Häftling wurde daraufhin so lange mit dem Gummiknüppel auf den Kopf geschlagen, bis er wimmernd zu Boden sank. Sei es nun, weil mit dem Entzweireißen des Bildes auch der Widerstand des jungen Mannes gebrochen werden konnte oder weil er die körperlichen Qualen nicht mehr ertrug, Tilling wirkte danach verändert und beantwortete anstandslos alle Fragen.

Es wird eine Zeit bald kommen

Ich ging den Gang entlang und versuchte mein Schicksal an den Gesichtern der an mir vorbeistreifenden Frauen abzulesen, prallte aber an den fleischigen Hülsen ab, die, trotz der rot gefärbten Lippen, unbelebt wirkten. Alle täuschten Heiterkeit vor. Auch schauten sie beschämt weg, wenn ich ihnen entgegenhinkte. Ich spürte die Neugierde, die ich hervorrief, eine unterdrückte Respektlosigkeit, an die ich mich gewöhnt hatte. Nur ein Kind schaute unverschämt auf den Stock. Es wurde sofort von seiner Mutter weggezogen, die mit ihrem Blick um Entschuldigung heischte. Ach, wie gut mir das Kind tat. Wäre es noch etwas länger geblieben, ich hätte wieder Mut gefaßt. Ich wollte meine Reise abbrechen, wußte aber nicht wo. Gab es den Ort denn, an dem man sich meiner annehmen würde, oder war ich dazu verdammt zu wandern?

Es war nicht die Enttäuschung, die mich verzagen ließ, sondern mein körperlicher Zustand. Ich war schon zu lange auf mich alleine gestellt und hätte mich gerne mit jemandem unterhalten. Auch ein kurzes, aber freundliches Gespräch über das Wetter hätte mich befriedigt.

Aber ich wußte es nur zu gut, obwohl mein Bruder sich über mich lustig machte: Vorsicht war geboten. In heiteren Momenten neigte ich dazu, allerlei zu erzählen. Meine Unkenntnis auf dem Gebiet des Verstellens führte dazu, daß ich mir öfter widersprach. Auch kannte ich die herrschende Meinung nicht und verstrickte mich, sobald ich Mißbilligung auf dem Gesicht meines Gesprächspartners sah, in Ausflüchte, die mich auf die Dauer nur ermüdeten.

Ich drückte die Türe auf, die stotternd nachgab, schwang

den Kopf zuerst nach rechts, dann nach links, als wolle ich die Nackenmuskulatur lockern, und ging einen kleinen Schritt in den Speisewagen hinein. Ich hatte meine Augen darin geübt, jeden Ort, den ich betrat, zu durchforschen, und mir im Schauen einige Kunstfertigkeit erworben, so daß ich mit einem Nicken oder einer raschen Drehung des Kopfes alles, was um mich herum vorging, wahrnahm, ohne es mir anmerken zu lassen.

Das Besteck funkelte mir von den noch unberührten Tischen entgegen. Nur in der Mitte des Raumes saß ein älteres Paar. Die Frau hatte einzelne Kleidungsstücke wie welke Blätter über den Sitz gehängt. Sie war zu winterlich angezogen, aber das war in diesem Monat nicht ungewöhnlich. Das Wetter wechselte immerzu und schlug einem gerade dann ein Schnippchen, wenn man vorsorglich eine wärmere Jacke mitgenommen hatte. Auch in kälteren Jahreszeiten konnte die Sonne einem schon einmal den Schweiß aus den Poren treiben, was meine vor Jahren gefaßte Ansicht bestätigte, daß der tiefe Vogelflug nicht immer Gewitter bedeuten muß, daß die Vorsorge sich generell nicht auszahlt und daß man Prophezeiungen skeptisch entgegentreten sollte.

Der Kellner machte mir ein Zeichen wie einer, der sein Handwerk im Schlaf verrichtet. Obwohl der Speisewagen fast leer war, hatte er für mich den Ecktisch neben der Küche am anderen Ende des Waggons bestimmt. Ich sagte mir, daß er diesen Tisch wahrscheinlich ausgewählt hatte, weil er spürte, daß ich von Natur aus gutmütig bin. Ich ließ ihn in seinem Glauben und folgte ihm durch den schmalen Gang. Oder wollte er mir damit beweisen, daß ihn mein Hinken nicht störte? War dies eine Lektion, die er mir erteilte? Sollte es eine Herausforderung sein? Ich durchquerte mit erhobenem Haupt das Abteil und hörte dem Takt meines Stockes zu. Ich kam an dem Paar vorbei, wollte der Dame zulächeln, nickte statt dessen dem Stück Fleisch zu, das auf dem Teller des Mannes in einer braunen Soße schwamm; wie ich später beim Lesen der

Karte herausfand, nannte sie sich pikante Jägersoße. Das paßt gut zu dem Mann, dachte ich, denn er ähnelte, über seinen Teller gebeugt, einem Hasen, und freute mich darüber, daß das Wild manchmal auch den Jäger verschlang, obwohl ich natürlich wußte, daß dies in der Realität nie der Fall ist.

Der Kellner deutete auf den Tisch. Er hatte gerötete Hände, die er an den Hosenbeinen abwischte, bevor er mit einem Tuch über meinen Tisch fegte. Ich schaute, peinlich berührt, zur Seite und bestellte, nachdem er seinen Block gezückt hatte, ein Rührei mit Brot und Butter. Schon seit Jahren hatte ich keine Freude mehr an den Speisen. Mich ekelte vor dem süßen Geschmack des Fleisches. Ich glaubte die Todesangst der Tiere herauszuschmecken. Und selbst wenn dem nicht so wäre, so war ich doch zu lange Soldat gewesen, hatte zu viele Kameraden fallen sehen, um nicht nachempfinden zu können, wie man sich fühlt, wenn man ins Schlachthaus getrieben wird. Unweigerlich dachte ich an einen Kameraden, ein netter Kerl war er gewesen, er hatte die Stellung mit einem Lied auf den Lippen zu halten gewußt.

Der Kellner verzog das Gesicht und schlenderte in die Küche, ohne mich eines weiteren Blickes zu würdigen. Ich war kein guter Gast. Ich hatte nicht einmal etwas zu trinken bestellt. Wie einfach er es doch hat, dachte ich und hätte gerne mit ihm getauscht. Meine Kriterien im Beurteilen von Menschen waren selbst mir nicht genau bekannt. Langsam faltete ich die Serviette auf. Ich konnte über die Berge fahren, da war es zu dieser Jahreszeit sehr schön, oder über das Meer. Vieles sprach für das Meer. Einiges für die Berge.

Bergbewohner sind verschlossen. Kommt ein Fremder des Weges, blicken sie kaum von ihrer Arbeit auf und lassen ihn weiterziehen, ohne zu fragen, von wo er kommt und wohin er geht. Bergbewohner haben ein schweres Leben, der Boden ist in diesen Höhen unergiebig, sie müssen sich eilen, das Heu rechtzeitig zu mähen, die

Ernte einzubringen und das Vieh zurück in den Stall zu treiben.

Mit dem Finger strich ich den Weg auf der Karte entlang, die ich auf meinem Schoß ausgebreitet hatte. Er wand sich durch die fahlbraune Fläche. Der Kellner stellte den Teller auf den Tisch. Ich schaute auf und bedankte mich. Der Speisewagen hatte sich allmählich gefüllt. Langsam führte ich die Gabel an den Mund und betrachtete die anderen Gäste. Wäre nicht mein Mißtrauen gewesen, ich hätte nichts Ungewöhnliches bemerkt. Ich beschloß, daß Vermutungen für mich keinen Sinn mehr ergaben – wo sollte ich mich hier auch verstecken? –, und aß gewissenhaft das Ei. Meine im Krieg von den Vorgesetzten so gepriesene Veranlagung, in den Dingen Zeichen für etwas Kommendes zu sehen, hatte sich, einmal in die Stadt zurückgekehrt, als störend erwiesen. Warum soll ich es leugnen, ich konnte nicht mehr ertragen, daß sich alle über mich lustig machten, daß die Wünsche, wie so oft, die Sicht versperrten.

Ich dachte an die Küste. Ich mochte sie gerne. Wie schön kann doch eine Küstenlandschaft mit Hügeln sein und einer schäumenden Brandung. Man vergaß sich selbst, angesichts solch einer Herrlichkeit. Es war beschlossen. Ich würde den Zug nehmen, der in jedem Dorf anhielt und oft auch mitten auf dem Weg, weil eine Ziege oder eine Kuh das Gleis verstellte.

Der Himmel fing an, hellrot zu dämmern. Er warf ein letztes verklärendes Licht auf die Wiesen. Bald ist es Nacht. Ich wurde unruhig, beendete mein spärliches Mahl und wischte mir den Mund ab. Da waren noch die Koffer. Ja, mit den Koffern war das so eine Sache. Es waren drei an der Zahl. Ich hatte sie mir immer gegen ein kleines Entgelt tragen lassen. Ich war durch das ganze Land gereist, hatte mit ihnen aber noch nie die Grenze überschritten.

Der Kellner brachte die Rechnung. Als er das Trinkgeld sah, das ich auf dem Teller ließ, nickte er mehrmals bestätigend mit dem Kopf. Würde ein Grenzbeamter, dem ich mit den Koffern entgegentrat, nicht annehmen, daß ich mit all meinem Hab und Gut ausreisen wollte? Waren es nicht zu viele, für einen einfachen Urlauber? Sah man mir die Flucht nicht an den Koffern an? Ich hing sehr an meinen Koffern, aber ich wollte sie mir nicht zur Hürde werden lassen. Ich stand auf. Der Kellner reichte mir den Stock wie eine Trophäe. Ich bedankte mich, und er schritt voraus. Hier gingen wir, ein lustiges Paar: der Bettelkönig und sein Hoffnarr. Als ich den Speisewagen schon verlassen hatte, drehte ich mich noch einmal um. Der Kellner winkte, das Trinkgeld hatte ihn unbarmherzig gemacht. Ich wandte mich ab. Warum sollte mich das Wohlwollen eines Kellners interessieren? Ich hatte zur Zeit große Sorgen.

Ich will meinen Kummer nicht mehr verheimlichen. Mein Unglück wurde nicht durch Fehler verursacht. Die Ursachen waren unerklärlich. Ich hatte Nachforschungen angestellt. Es war alles umsonst. Die Schuld traf mich nicht. Ich hatte keinen Einfluß auf mein Schicksal.

Um mich zu ermuntern, wandte ich mich einem konkreten Problem zu. Ich würde nur ein Köfferchen mit wenig Wäsche mitnehmen. Eine Tasche, mit dem Fuß vorwärtsgeschoben. Oder würde ich auch mit einer einzigen Tasche auffallen? War nicht anzunehmen, daß der Grenzbeamte die Bewohner der Umgebung kannte? Würde er sich nicht fragen, warum ein Fremder, von weit hergekommen, nur mit einigen spärlichen Kleidungsstücken reiste. So oder so, dachte ich und öffnete die Abteiltür, man macht sich so oder so verdächtig.

Ich betrachtete mich im Spiegel und setzte mich wieder auf den Fensterplatz, den ich durch eine auf die Sitzfläche gebreitete Zeitung freigehalten hatte.

Mein Scheitel hatte sich gelichtet, und auch die Haut unter dem Kinn war schlaff geworden. Und die Zähne erst. Schon lange hätte ich sie richten lassen müssen. Um auf andere Gedanken zu kommen, denn mein Anblick hatte mich ernüchtert, zog ich wieder die Karte hervor.

Hätte ich die Reise in Begleitung meines Bruders und seiner Frau unternommen, aber sie wähnten sich ja noch in Sicherheit, ich hätte mich ohne Zögern für den Küstenweg entschlossen. Die Bergluft bekommt nicht jedem. Gebrechliche Menschen plagen sich im hohen Gebirge. Die Luft ist dünn, die Wege sind uneben, und wenn es regnet, versinkt man im Schlamm. Ich hob meinen Koffer aus dem Netz und holte den Apfel hervor, den ich für das Abendessen aufgehoben hatte. Mit einem Taschenmesser trennte ich in einer langen roten Spirale die Schale von der Frucht, dann schnitt ich das Gehäuse heraus. Der Apfel war süß und mürbe. Ich würde es, wie üblich, auf mich zukommen lassen. Das Leben hatte mich zum Fatalisten gemacht. Nein, es war nicht das Leben, es waren die Menschen, die mich an meinem Willen zweifeln ließen.

Langsam fuhr der Zug in die Stadt ein. Ich schaute hinaus. Der Himmel verdunkelte sich. Ein häßliches Grau hatte sich über die Häuser gespannt. Ich zog meinen Mantel an, lehnte dabei den Stock an die Abteiltür und band auch den Schal um. Zuerst würde ich einen Gepäckträger finden müssen, dann ein billiges Hotelzimmer. Ich setzte mich wieder, warum das Bein ermüden, und wartete, bis alle ausgestiegen waren. Unter den Sitzpolstern lag Abfall.

Mühselig trat ich auf die Bahnsteigkante und nickte dem Gepäckträger zu, der mich schon erwartungsvoll angesehen hatte, als er mich mit dem Stock in der Hand an die Tür hinken sah. Während er meine Koffer auf seinen Schubkarren hievte, schaute ich dem Mann nach, der neben mir gesessen hatte. Er wirbelte sein Kind in die Luft, stellte es dann auf den Boden und küßte die Frau. Das Kind fing an zu weinen.

Ich deutete wortlos auf den Ausgang und schritt mutig voraus. Mein Bein schmerzte, und ich mußte mehrmals anhalten und verschnaufen. Der Gepäckträger überholte mich gereizt. Er tat mir leid. Mit meinem Gebrechen raubte ich ihm den zweiten Kunden. Ich beschloß, ihm ein statt-liches Trinkgeld zu geben. Er konnte ja nichts dafür, daß der Feind mir das Bein zerschossen hatte. Müdigkeit überkam mich. Langsam hinkte ich an dem Fahrdienst-leiter vorbei, der seine Kelle schlaff herunterhängen ließ wie ein erwerbsloser Magier. Die Kelle hatte den Zug zum Halten gebracht, doch nun zeigte die Scheibe auf den Boden. Ich blieb wieder stehen. Vor mir eilten die Menschen durch den dunklen Schacht, der sie ins Freie bringen würde. Ihre Schatten zitterten im gelben Licht der Lampe. Es mußte jetzt wohl nach acht Uhr sein.

Als ich in den Tunnel trat, das helle Ende im Auge, be-merkte ich, daß sich am Ausgang ein Menschenknoten gebildet hatte. Vielleicht war eine Frau umgefallen und verstellte mit ihrem ausgestreckten Körper den Weg. Oder die Schaulustigen, die ihren Spaß am Kummer an-derer haben, verhinderten ein zügiges Vorankommen. Was es auch war, es kümmerte mich nicht. Ich ging einige Schritte vorwärts. Dann sah ich sie. Zwei Beamte in Uni-form. Sie standen am Ausgang und kontrollierten die Fahrkarten. Ich griff an meine Brust. Ja, die Karte war noch dort, wo ich sie hingesteckt hatte. Ich holte die Fahrkarte hervor und streckte den Arm aus, zog ihn aber wieder ein. Sah es nicht verdächtig aus, wenn ich dem uniformierten Mann mit ausgestrecktem Arm entgegen-trat? Konnte es nicht scheinen, als ob ich nichts mit der Karte zu tun haben wollte? Aber so, dachte ich, sieht er meine Karte gar nicht und wird glauben, daß ich mich in den Bahnhof hineingeschmuggelt habe. Ich wurde unsi-cher und verzögerte den Schritt.

Warum standen zwei Männer am Ausgang? War dies nicht ein ganz gewöhnlicher Bahnhof? Reichte nicht ein Beamter? Ich wurde beiseite geschoben. Warum wurde mein Atem schneller? Warum schaute man mich an? Ich hatte meine Karte doch in der Hand. Gleich würde ich sie dem Beamten geben, die Bahnhofsstraße überqueren und in das erste Hotel hineingehen. Wie jeden Abend würde ich einzuschlafen versuchen. Ich würde meinen Kopf ins Kissen drücken und vergebens darauf warten, daß mich die Angst verließ.

Ich stand nun in der Schlange, die sich vor dem Ausgang gebildet hatte. Um mich herum krochen Beine unmerklich vorwärts. Das Tier ist raublustig, dachte ich, und frißt auch seinesgleichen. Die Tür wippte auf. Ich reckte den Kopf in die Höhe und sah den Gepäckträger, der mir ungeduldig zuwinkte. Eine kalte Brise, in der man schon den nahenden Frühling, die Lindenblüten und Anemonen roch, streifte meinen aufgebrachten Körper. Draußen war es still. Der Beamte streckte mir die Hand entgegen. Nun gut, dachte ich, nun gut, und schaute auf seine Hand. Er hatte lange, knochige Finger.

Ja, es gab eine Zeit, in der ich zu jeder Stunde einschlafen konnte. Wie angenehm waren diese Ruhepausen. Alle Glieder wurden schwer, der Mund öffnete sich, und wie ein mannschaftsloses Boot trieb man in den Schlaf hinein. Ich stützte mich auf den Stock, der auf den Steinfliesen einen dunklen Streifen hinterlassen hatte, und griff suchend in die Tasche. Die Spur störte mich nicht. Zu lange schon war ich auf der Flucht, was blieb da noch von mir. Sollten sie sich nun meiner bemächtigen, so würde ich mir wenigstens mit dem dunklen Streifen ein Denkmal setzen.

Meine Freunde hatten recht. Vergeblich waren die Mühen. Der Zweifel hatte sich in meinem Herzen breitgemacht. Zum Ketzer bin ich geworden, weil ich nicht an den Fortschritt glaube, mich nicht beugen lassen wollte, und nun zittere ich bei jedem Windstoß und finde keinen Halt. Was gibt es da noch zu schreiben, wie meine Geschichte beenden? Die letzten Seiten meiner Biographie, würde man sie mir diktieren? Habe ich denn kein Recht, frei zu entscheiden? Soll ein erfülltes, ja, ein musterhaftes Leben so abgeschlossen werden? Und das, was ich vollbracht hatte, unter so viel Anstrengung bewältigt hatte, würde man es nun einfach für sinnlos erklären. Würde

man über meine Entbehrungen lachen, war ich zum Amü-
sement meiner Feinde geworden?

Ungeduldig tippte der Beamte auf meine Schulter und
deutete auf die Schlange, die sich hinter mir gebildet
hatte. Getroffen, dachte ich und überreichte dem Beamten mit einer ausholenden Bewegung die Fahrkarte.

Getroffen wie der Hirsch, der in der Brunft das Geweih
in die Höhe wirft, um mit einem einzigen, gewaltigen
Schrei die Gefährtin zu locken, und der doch nur den Jäger ruft. Schon am Boden hingestreckt, schaut das Tier
ins blaue Auge des Gewehrs und hofft. Doch während
das Tier zittert, biegt sich der Finger des Jägers zum letzten Abschuß.

»Nicht wahr«, fragte ich, »es ist doch ein Jammer, daß
man so enden muß?«

Der Beamte nahm die Karte entgegen. Er antwortete
nicht. Aber wozu auch. Ich kannte die Antwort nur zu gut.

Die lederne Tasche

Karl Kowalsky wurde an einem Donnerstag verhaftet. Er saß gerade im Restaurant über einen Teller Nudeln gebeugt, als vier SA-Männer sich auf ihn stürzten. Von dem unerwarteten Angriff überrascht, blieb ihm keine Zeit, die Pistole zu ziehen, die er seit einem Jahr bei sich trug. Nach einem kurzen Kampf wurde er abgeführt. Kowalsky, der seit 1929 im Berliner Exil lebte, war von seiner Freundin verraten worden, die sich zur Zeit des Geschehens in der Damentoilette im ersten Stock aufhielt und die, einmal an den Tisch zurückgekehrt, einen gefaßten Eindruck machte. Sie war es, die das Lokal vorgeschlagen hatte, das sich wegen seiner ruhigen Straßenlage und wegen fehlender Fluchtmöglichkeiten für solch ein Unterfangen geradezu anbot. Sie wurde, nebenbei bemerkt, einige Monate nach Kowalskys Verhaftung von jemandem im Auftrag der Komintern ausgeschaltet.

Das erste Mal hatte ich Kowalsky an einem Sonntag gesehen. Ella Feigenbaum hatte mich zum Tee eingeladen. Das war kurz vor ihrer brutalen Ermordung. Ich kam etwas später als erwartet und wurde sofort in die Küche geführt. Kowalsky stand an einen Stuhl gelehnt und sprach mit einem Mann, den ich zuvor schon gesehen hatte. Er war Übersetzer in der ungarischen Sektion der Komintern. Um die beiden Männer hatte sich ein kleiner Kreis gebildet. Obwohl Kowalsky heftig mit dem Mann stritt, wendete er sich nach jedem Satz lächelnd Ella zu. Er war sichtlich von ihr betört, und auch sie hing an seinen Lippen.

Ich war natürlich schockiert. Wie konnte solch ein Mann wie Kowalsky – ich hatte alle seine Schriften gelesen, ja, geradezu verschlungen –, wie konnte er sich so vor einer Frau produzieren.

Als mich Ella, die meine Verehrung für Kowalsky kannte, etwas später vorstellen wollte, täuschte ich Kopfschmerzen vor und verließ ihre Wohnung. Ich erinnere mich, wie ich danach ziellos durch die Straßen irrte. Es war, als hätte mich diese kleine, unschuldige Bekundung gegenseitiger Sympathie in einen Abgrund gestoßen. Damals begriff ich meinen inneren Aufruhr nicht; heute weiß ich, daß ich Ella attraktiv fand und daß ich Kowalsky beneidete.

Danach hörte ich lange nichts von ihm. Angeblich hatte er in diesen Jahren, meinen Studienjahren, viele Reisen unternommen, vor allen Dingen nach Moskau, wo er unter dem Namen Kyrill ein aufregendes Leben führte. Erst einige Jahre später, ich war mittlerweile verlobt, traf ich ihn im »Café Komet« wieder. Er war sehr gealtert. Nur die Augen besaßen das gleiche jugendliche Feuer. Obwohl nicht halb so prominent wie Kowalsky – ich war nur ein bescheidener Gewerkschaftsführer –, hatte ich die Ehre, ebenfalls auf einer der schwarzen Liste stehen zu dürfen.

Ich war vor meinem Haus abgefangen worden. Ich hatte gerade die Tür geöffnet, als mich ein Mann, der nach der Uhrzeit oder etwas Ähnlichem fragte, mit einem zielsicheren Hieb in den Magen unschädlich machte.

Als Kowalsky hereingeführt wurde, stand ich mit drei anderen Genossen an der Wand, die Beine gespreizt, die Hände über den Kopf gestreckt. Das »Komet« war eins der vielen Lokale, deren Hinterräume der SA als Versammlungsort dienten. Ich erinnere mich daran, daß vorne im Lokal Polka gespielt wurde.

Sie nahmen sich zuerst Kowalsky vor. Er wurde abwechselnd geschlagen und getreten. Nach etwa einer viertel Stunde ließen sie von ihm ab. Komischerweise wurde ihm keine einzige Frage gestellt. Ich schloß hieraus, daß wir lediglich vorbereitet werden sollten, das eigentliche Verhör würde erst später stattfinden.

Stöhnend torkelte Kowalsky auf uns zu. Wir legten ihn mit angewinkelten Beinen auf den Boden. Man ließ uns gewähren. Ich zog meine Jacke aus und schob sie ihm unter den Kopf. Kowalsky griff nach meinem Arm und zerrte mich zu sich hinunter. Weil sein Mund einer offenen Wunde glich, verstand ich nicht, was er mir sagen wollte. Im erhellten Teil des Raumes wurde gelacht. Dann hörte ich, wie mein Name genannt wurde. Ich machte mich von ihm los und stand auf. Mein Herz begann wild zu hämmern. Ich wurde geholt.

Das zweite Mal traf ich Kowalsky im »Hausgefängnis«. Dem »Prominentenknast«, wie wir Häftlinge ihn ironisch nannten, vielleicht auch, um uns mit dieser scheinbar ungezwungenen Redeweise Mut einzuflößen. Dort sah ich auch Ernst Thälmann, den ich anfangs nicht wiedererkannte, weil er mindestens zehn Kilo abgenommen hatte. Sein Gesicht hatte sich ebenfalls verändert.

Kowalsky saß auf einer Bank vor dem Verhörzimmer und nickte mir kaum merklich zu. Man bedeutete mir, neben ihm Platz zu nehmen. Da man uns ausdrücklich verboten hatte, miteinander zu reden, konnte ich ihn nicht fragen, was mit ihm seit unserem letzten Treffen geschehen war. Ich wußte, daß er im Gegensatz zu mir – ich wurde auf ein Revier gebracht – noch in der gleichen Nacht eingeliefert worden war, und konnte mir vorstellen, wie sich diese zwei Tage auf sein seelisches und körperliches Befinden ausgewirkt haben mußten. Willi Gleitze, ein Freund, der schon die Ehre gehabt hatte, in der P-A verhört zu werden – er hatte vergeblich versucht, die SPD in die Illegalität zu überführen –, hatte mir erzählt, daß die Foltermethoden im »Hausgefängnis« die des »Columbia-Hauses« bei weitem übertrafen.

Wir warteten lange. Irgendwann fing es an zu dämmern. Ich hatte Lust zu rauchen, mich zu bewegen und, vor allen Dingen, zu sprechen, blieb aber regungslos sitzen. Ich wußte, wie man das Mißachten eines Gebotes belohnte, ich hatte die Erfahrung gleich zu Beginn meines Aufenthaltes gemacht.

Ein Mann kam schwer schnaufend die Treppen herauf und flüsterte mit der Wache. Kowalsky und ich schauten uns an. Sie tauschten ein Papier aus, dann wurde Kowalsky abgeführt. Es müssen wohl zwei weitere Stunden verstrichen sein, bis die Tür aufging und auch ich geholt wurde.

Das erste, was mir auffiel, als ich das Verhörzimmer betrat, war die Sekretärin. Ich hatte erwartet, hinter der verhaßten Tür uniformierte Gestapomänner anzutreffen, und sah mich einer gleichaltrigen Frau gegenüber, die mich über ihre Schreibmaschine hinweg gelangweilt anblickte. Ich setzte mich auf den Stuhl und wartete. Die Sekretärin spannte ein weißes Blatt Papier ein und schaute aus dem Fenster. Ich wunderte mich, wie sicher sie ihrer Sache war.

Nach einer Weile kam mein Verhörer in das Zimmer. Er wurde von drei Männern begleitet, die in der politischen Severing-Polizei gewesen waren. Ich hatte ihre Bekanntschaft schon gemacht. Da man über meinen Herzfehler informiert war, fing das Verhör mit gutem Zureden an. Danach prasselten die Fragen auf mich herunter. Manchmal wurde ich mit der Faust gestoßen, nicht fest, nur als Warnung. Der Verhörer bat mich, Vernunft anzunehmen. Er meinte, daß er nur Kommunisten fresse, keine Sozialdemokraten. Wörtlich sagte er: »Ihr seid weder Fisch noch Fleisch, so was rühr ich nicht an.«

Als ich am Abend wieder in die Zelle geführt wurde, erfuhr ich, daß Kowalsky eine Gehirnerschütterung erlitten hatte. Ein Kamerad, dessen Name mir entfallen ist, erzählte mir ebenfalls, daß zahlreiche Mitglieder der Widerstandsgruppe um Neumann verhaftet worden waren. Er bot mir einen Teller kalte Suppe an, den er für mich aufgehoben hatte. Ich setzte mich auf die Pritsche und begann zu essen.

Gegen Mitternacht hörte ich das Rasseln der Schlüssel.

Ich sprang sofort auf. Als der SS-Posten eintrat, schaute ich ihn stumm an. Ich wurde wieder geholt. Beklommenen Herzens folgte ich dem Posten. Oben angekommen, mußte ich etwa zwei Stunden regungslos vor der Tür stehen bleiben. Fieberhaft versuchte ich, mich zu konzentrieren. Ich wollte auf alle Fragen gefaßt sein, aber meine Gedanken sprangen immer wieder ab. Ich verstand nicht, warum alle, außer Neumann, überführt worden waren. War er ein Spitzel, oder hatte man ihn liquidiert? Die Tür wurde geöffnet, ich fühlte mich schmutzig und schwach.

Mein Verhörer bot mir eine Zigarette an. Ich lehnte ab und setzte mich. Ohne Umschweife sagte er mir, daß Kowalsky Selbstmord begangen hätte. Der erwartete Effekt blieb nicht aus. Ich sackte zusammen und schüttelte ungläubig den Kopf. Erst später erfuhr ich, daß es sich um eine wohlbedachte Lüge gehandelt hatte.

Kowalsky sollte nach drei Monaten, auf internationalen Druck hin, freigelassen werden. Mit Hilfe einiger Freunde gelangte er nach Frankreich, dann nach Spanien und flüchtete, als die Faschisten auch Barcelona eroberten, nach Moskau. Dort starb er, plötzlich in Ungnade gefallen, kurz bevor er in einem der Lager Stalins interniert werden sollte, an Herzversagen.

Noch ehe ich mich wieder fassen konnte, wurde ich von einem SS-Mann an den Tisch gezerrt.

»Kennen Sie das«, fragte mein Verhörer.

Ich schaute ihm verwirrt ins Gesicht. Was hatte eine Tasche mit Kowalskys Selbstmord zu tun?

Ich erkannte die Ledertasche nicht sofort. Ich war zu aufgebracht und schaute nicht richtig hin. Erst als der SS-Mann die Tasche öffnete und ich die Initialen las, wußte ich, wie sie meinen Willen brechen wollten. Leise fluchte ich. Erneut wurde ich gefragt, ob ich die Tasche erkenne. Ich war nicht fähig zu sprechen und nickte. Der Verhörer schüttelte mitleidig den Kopf. Ihm täte meine Mutter leid.

»Jetzt hat sie beide im Knast.«

Ich fragte ihn, was er von mir wissen wolle. Er versprach, meinen Bruder sofort zu entlassen.

Ich blieb ungefähr zwei Stunden. Dann bekam ich Bier und belegte Brote. Ich aß teilnahmslos, während man mir freundlich auf die Schultern klopfte. Nach einer Zigarettenpause wurde ich erneut verhört.

Ja, man muß es ihnen lassen, es war eine wahrhaft perfekte Methode. Zuerst hatten sie meine Lebensumstände zerstört, nun meine Selbstachtung und bald, so dachte ich, während ich auf den Mann schaute, der die Sekretärin abgelöst hatte, bald würden sie auch meinen Körper auf eine möglichst billige Weise vernichten.

Gegen Morgen bekam ich Kaffee. Dann wurde ich in meine Zelle gebracht, aus der man meinen Kameraden entfernt hatte. Nach einer Woche verlegte man mich ins KZ Esterwegen. Obwohl das gegen mich eingeleitete Verfahren Anfang Juni eingestellt wurde, blieb ich weitere zwei Jahre inhaftiert.

Als nebensächliches Kuriosum möchte ich noch erwähnen, daß mein Bruder am Tag meiner Einlieferung entlassen worden war. Es bestand also, als ich die gewünschten Namen nannte, keine unmittelbare Gefahr für ihn. Ich erfuhr die Wahrheit erst einige Monate später, aber da spielte sie für mich keine Rolle mehr.

Positioneller Zugzwang

Die Formen der Fehler sind unerforschlich. Es gibt ihrer zu viele. Nach der Wahrscheinlichkeitstheorie stellen sie sich am häufigsten in ungünstigen Situationen ein, zum Beispiel dann, wenn man sich schon verloren glaubt. Als Auftakt sei folgender Fall vorgeführt.

Eine Maus sieht in der Ferne einen schwarzen Schatten und nimmt an, daß es die Katze ist, die auf sie lauert. Kopflos rennt sie in die entgegengesetzte Richtung, wo der Stahlrachen der Falle weit aufgerissen auf sie wartet. Hätte die Maus, statt davonzueilen, nachgedacht, hätte sie sich gesagt: »Der Schatten, den ich sehe, kann auch der eines Zaunes oder einer Hecke sein. Ich will mich leise heranpirschen, denn ich kann nicht reglos hier stehenbleiben und auf mein Schicksal warten. Ich werde die Ursache des Schattens ergründen.«

Doch die Maus läßt sich von ihrer Angst leiten, da sie sich in einer schlechten Ausgangsposition befindet. Sie ist Maus und nicht Katze. Sie ist diejenige, die gefressen wird, und nicht die, die frißt.

Oft werden Fehler auch durch grundlegende Mängel im Denken verursacht, die dann zutage treten, wenn man das Subjekt aus seiner gewohnten Umgebung herausreißt. Ist der Gegner daher nicht schon durch seine benachteiligte Stellung geschwächt, sollte man ihn auf unbekannte Wege locken, so daß er bei jedem Schritt, den er tut, neue, eigenständige Entscheidungen zu treffen hat.

1.

Das erste Mal sah Harald Hartmund – ein umsichtiger Mann, der mit knapp zwanzig in die Bank eingetreten und vor kurzem zum Hauptkassierer seiner Filiale ernannt worden war – Gerta Berg an einem Mittwoch. Das Treffen war für beide Seiten nicht erfreulich.

Berg kam als Kundin in die Bank. Hartmund schickte sich gerade an, seine Topfpflanze zu gießen, eine Begonie, die als überflüssiges und schmückendes Element neben der Kasse und einigen Stempeln auf dem Tisch aus Birkenholz stand. Er hatte sie von seinen Kollegen zur Beförderung geschenkt bekommen. Wegen des spärlichen Lichts war sie dabei einzugehen. Hartmund betrachtete traurig die schon welkenden Blätter, als ihm Gerta Berg ein Säckchen Münzen auf den Drehteller schüttete und ihn mit eindringlicher Stimme bat, den Haufen in mehrere Scheine zu wechseln.

Hartmund war ungehalten und tippte auf das Schild, das er vor den Schalter gehängt hatte; es besagte schwarz auf weiß, daß nun geschlossen sei und daß er sich, weil es kurz vor halb eins war, in seine gewerkschaftlich geregelte Mittagspause begeben konnte, die er dazu nutzen wollte, den Text eines kleinen Chorals noch einmal durchzugehen, um ihn nach der Arbeit im Gesangsverein, den er zweimal wöchentlich besuchte, fehlerlos vortragen zu können.

Sich schon um wertvolle Minuten beraubt sehend, schlug Harald Hartmund, als Frau Berg anfing, die Münzen linkisch zu kleinen Türmen zu stapeln – sie hatte das Geld zu allem Unglück vorher nicht abgezählt –, aufgebracht auf den Drehteller und streifte dabei die Hand der Kundin.

»Was soll das?«

Hartmund entschuldigte sich ausführlich – es gehörte nicht zu den Gepflogenheiten des Hauses, die Kunden zu beleidigen – und händigte der Frau drei Scheine aus.

Eine Woche später trat die Gerta Berg erneut in die Halle der Bank. Auch diesmal schüttete sie ihr graues Leinensäckchen auf den Teller. War es die Stille des frühen Morgens, die ihn verleitete, etwas zu tun, was er in seiner ganzen Karriere nicht getan hatte, waren es Gewissensbisse – er hatte die unangenehme Szene nicht vergessen können: Hartmund fragte die Kundin, wie es komme, daß sie soviel Kleingeld bei sich trage, und verletzte somit das Gebot der Diskretion. Die Frau lächelte und überreichte ihm als Antwort eine Einladung zum Jahrmarkt.

Obwohl er sich vorgenommen hatte, in den Gesangsverein zu gehen, fuhr Hartmund am folgenden Sonntag mit der Bahn bis zur Stadtwaldgrenze.

Verwundert schaute er um sich. Er konnte sich nicht erinnern, jemals zuvor an solch einem Ort gewesen zu sein, und die grellen Farben der Plakate taten seinen Augen weh. Nach einer Weile fand er das Zelt der Kundin Berg, die hier »Die Große Samantra« hieß. Hatte er die Frau noch vor wenigen Minuten zielstrebig gesucht, wich er nun, da er sie gefunden hatte, zurück, denn das Plakat, auf dem sie leichtbekleidet abgelichtet war, verletzte sein Schamgefühl. Schon wollte er gehen, als ihn Gerta Berg bemerkte und herbeirief. Überrumpelt nahm er auf einer hölzernen Bank Platz.

Nun trat auch schon die Große Samantra auf die Bühne. Sie hatte ihr Kostüm gewechselt und trug einen mit roten Steinen bestickten Mantel, den sie, nachdem sie sich verbeugt hatte, aufknöpfte und auf einen Stuhl warf. Dann setzte sie sich, den Zuruf eines Mannes ignorierend, auf eine lange, rechteckige Platte, die mitten auf der Bühne aufgestellt und um die ein schwarzes Tuch drapiert worden war, stützte sich mit den Händen ab und ging in schneller Reihenfolge vom Winkelstütz zum Spitzwinkelstütz und vom Spitzwinkelstütz zum Spagat über. Nachdem sie noch einige andere Freiübungen gezeigt hatte, für die man ihr mit schüchternem Beifall dankte, kam aus den Kulissen ein zehnjähriger Junge, der Assistent der Großen Samantra.

Hartmund sah, welchen Taschen die Münzen, die er jede Woche wechselte, entsprangen. Denn auch er legte etwas in den Hut, mit dem sich der Junge vor den Ausgang postiert hatte, um zahlungsmüde Kunden zu einer kleinen Spende zu ermuntern.

Hartmund wollte gehen, blieb aber aus einem unerklärlichen Grund auf seiner Holzbank sitzen und sah, wie sich die Turnerin Berg, die immer noch auf der Bühne stand, aufbäumte und – sozusagen als Zugabe – ein Rad schlug, mit einer einzigen Bewegung wieder auf den Tisch sprang und dort, die Arme weit zur Seite gestreckt, in einen zweiten, graziösen Spagat sank. Er war erschüttert. Noch nie in seinem Leben hatte er einen solch mysteriösen Tanz gesehen. Es kam ihm vor, als ob die Frau schwebte. (Er wußte nicht, und konnte auch nicht wissen, daß es sich um einen einfachen Seitenspagat handelte.) Und sie hat diesen Tanz vollführt, dachte er gerührt, als keiner sie mehr sehen konnte, als das Zelt schon leer war. Und mit einem Mal und mit ganzem Herzen verstand er, was er vor kurzem in der Einleitung eines Musikbuches gelesen hatte: daß die wahre Kunst sich selbst genügt. Er hätte singen können. Statt dessen stand er leise auf und verließ das Zelt, um die Frau nicht zu stören.

Danach sah er sie lange nicht mehr. Der Jahrmarkt war weitergezogen. An einem Mittag – Hartmund hatte die Szene im Zelt schon längst vergessen –, als er wie gewohnt an einem der runden Tische seines Stammlokals saß, erkannte er unter den anderen Gästen Gerta Berg. Mehr aus Höflichkeit denn aus Interesse beugte er sich vor und fragte die Frau, ob sie neben ihm Platz nehmen wolle.

»Gerne«, antwortete die Turnerin und stand geschmeidig auf.

Schon bald sahen sie einander regelmäßig. Auf Hartmunds Rat verließ Gerta Berg den Jahrmarkt und arbeitete nun bei Optiker Kraus, der die junge Frau trotz ihrer

Unkenntnis eingestellt hatte. Er war Liebhaber des schwäbischen Werbetanzes und ließ die Turnerin, wenn keine Kunden im Laden waren, Tanzschritte vollführen.

Hartmund ging weiterhin täglich zur Bank. Doch versenkte er sich nicht mehr in seine Arbeit und bebte, wenn er gegen Feierabend das Surren des Zeigers der Wanduhr über seinem Kopf hörte, vor Ungeduld. Er wurde zerstreut. Eines Tages – er dachte gerade an einen Film, den er im Kino gesehen hatte –, gab er einem Kunden, der Geld von seinem Sparkonto abhob, einen Schein zu wenig heraus. Erst als der Mann die Bank schon verlassen hatte, bemerkte Hartmund seinen Fehler. Er wollte sofort melden, was geschehen war, steckte den Schein aber nach langem Zögern in die Hosentasche und kaufte damit zwei Parkettplätze fürs Ballett, um Gerta, die die Bühne vermißte, eine Freude zu machen. Von nun an sollten sie jeden Freitag eine Tanzvorstellung besuchen.

Obwohl Hartmund auf der Hut war und immer nur bei Kunden Geld entwendete, die gewisse Anzeichen von Zerstreutheit erkennen ließen, und selbst dann nur geringfügige Summen, kam es im Laufe der Zeit zu einigen unangenehmen Vorfällen. Er entschuldigte sich jedesmal und zahlte den Kunden den restlichen Betrag aus, konnte aber nicht verhindern, daß ein verheirateter Kollege auf ihn aufmerksam wurde und ihn skeptisch beobachtete. Hartmund beschloß, sein neuerworbenes Hobby aufzugeben, fing aber nach einigen Wochen gegen seinen Willen wieder damit an.

Am Tag seines zwanzigjährigen Firmenjubiläums, das mit einer kleinen Feier zur Mittagspause gekrönt werden sollte (der Direktor, der das Zugehörigkeitsgefühl jedes Angestellten belohnte, hatte in einer Konditorei eine Obsttorte bestellt), versuchte Hartmund, von der festlichen Stimmung und dem schon zu Arbeitsbeginn getrunkenen Glas Sekt leichtsinnig geworden, eine größere Summe zu entwenden. Die Kundin, eine ältere Dame mit dicken Brillengläsern, bemerkte den Rechenfehler und beschwerte sich, trotz wiederholter beschwichtigender Gesten, bei Hartmunds Vorgesetztem. Der Kassierer wurde ins Büro gebeten und zur Rechenschaft gezogen und, nachdem er diesen unverzeihlichen Fehler seiner Schlaflosigkeit zugeschrieben hatte, lediglich milde verwarnt.

Einen Monat nach diesem Ereignis, Hartmund saß mit seiner Freundin in einem vegetarischen Restaurant und aß Kohlsuppe, setzte die Turnerin Berg ihn davon in Kenntnis, daß sie vorhabe, ihre Stelle aufzugeben.

»Aber warum denn?« fragte Hartmund und erfuhr ohne Umschweife, daß Gerta Berg zwar das Kostüm der Großen Samantra im Schrank verstaut hatte, daß es ihr aber nicht gelungen sei, auch ihre Reiselust einzumotten, daß sie daher, sollte der Platz der Großen Samantra noch nicht besetzt sein, mit dem Jahrmarkt weiterziehen würde, der in einigen Tagen wieder in der Stadt haltmachte.

Hartmund erhielt nun regelmäßig Postkarten, auf deren glänzenden Vorderseiten die Sehenswürdigkeiten verschiedener Städte zu sehen waren. Obwohl wieder alleine, änderte er keine seiner Gewohnheiten. Da er Gefallen am Tanz gefunden hatte, ging er auch weiterhin jeden Freitag in eine Vorstellung. Und weil der Tanz für ihn nicht nur mit der Turnerin Berg, sondern auch mit seinen Ausschreitungen in der Bank verbunden war, entwendete er bald auch wieder kleinere Summen. Er tat dies aus Wehmut, denn er benötigte das Geld nicht.

Nun fing auch der Direktor an, gewisse Zweifel zu schöpfen. Er beschloß, dem Angestellten mit Hilfe eines vertrauenswürdigen Kunden eine Falle zu stellen. Hartmund, der nichts ahnte, zog auch diesem Kunden eine persönliche Gebühr ab und wurde, als er den Schein in die Hosentasche stecken wollte, ertappt. Hartmund konnte nicht erklären, warum er das Geld gestohlen hatte, und wurde, da er einer der dienstältesten Mitarbeiter der Bank war und da man, wegen des Rufs der Filiale, von einer Publikmachung seiner Vergehen absehen wollte, in aller Diskretion und ohne die Polizei einzuschalten, entlassen. Nach einem langen und hitzigen Briefwechsel zog er in den Wohnwagen der Turnerin Gerta Berg.

2.

Kann der Gegner nicht, wie Harald Hartmund, durch eine im fortgeschrittenen Alter entdeckte Kunstbegeisterung auf dunkle Pfade geführt werden, sollte man versuchen, ihn durch das Anfachen einer Leidenschaft, wie Alkohol, Liebe oder Spiel, von einer besonnenen Denkweise abzuhalten.

Fallen einem außerdem übertrieben ehrgeizige Neigungen beim Gegner auf, sollten diese ermutigt werden, indem man ihm ein ungewöhnliches Opfer darbietet und seine Angriffsgelüste weckt.

Der Gegner läßt seinen Schutzwall hinter sich, schreitet überrascht und geschmeichelt einen Schritt vorwärts und stürzt, da sein Weg durch keine Hindernisse verstellt scheint, in sein Verderben. Die Überschätzung der eigenen Kraft ist eine der Fallen, denen vor allen Dingen im Kampf geübte Strategen erliegen, weil sie das Siegen gewohnt sind. Doch auch die Unterschätzung der eigenen Kräfte ist gefährlich, wie dieses anschauliche Beispiel beweist:

Am 10. März wurde der Opernsänger Werner Kurzig von fünf jungen Männern in SA-Uniform entführt. Kurzig hatte mit seinem Freund am Frühstückstisch gesessen und ein Konzert besprochen, das er am folgenden Tag geben sollte, als die Männer Einlaß forderten, indem sie vorgaben, vom Elektrizitätswerk geschickt worden zu sein, um den Stromzähler zu prüfen. Das Hausmädchen, seit über zehn Jahren bei Kurzig in Stellung und über alle Zweifel erhaben, hatte gutgläubig die Tür geöffnet und wurde, noch bevor sie ihren Herrn um Hilfe rufen konnte, auf den Kopf geschlagen, so daß sie ohnmächtig zu Boden fiel.

Als wären sie mit den Räumlichkeiten und Gewohnheiten des Sängers gut vertraut, gingen die Männer ohne Umschweife ins Eßzimmer, packten Kurzig, schleppten ihn, nachdem sie den Flügel in seinem Arbeitszimmer beschädigt hatten, in einen Kraftwagen, der unten auf sie wartete, und fuhren ihn auf ein Brachfeld im Süden der Stadt. Dort angekommen, bildeten sie einen Kreis um Kurzig, den sie höhnisch »Fräulein« nannten, und zwangen ihn, sich auszuziehen. Kurzig tat, wie befohlen.

Mit Gummiknüppeln und Hundepeitschen schlugen sie auf den nackten Sänger ein. Sie zielten vor allem auf sein Geschlechtsorgan. Dann stülpten sie einen Kartoffelsack über Kurzigs Kopf und nahmen seine Kleider, einen Silberring und eine goldene Armbanduhr mit.

Nach etwa einer Stunde wurde der bewußtlose Sänger von der Wirtin Hilde Andacht gefunden. Frau Andacht alarmierte die Polizei und rief die Ambulanz herbei. Kurzig wurde in die Universitätsklinik gefahren. Dort stellte man verschiedene Brüche fest.

Kurzigs Freund, der Pianist Otto Wagner, auf dessen Kopf die Männer mehrmals mit einem stockähnlichen Gegenstand eingeschlagen hatten, kam mit einer leichten Gehirnerschütterung davon, die ihn zwang, eine Woche im Bett zu bleiben. Einmal wiederhergestellt, besuchte er Kurzig im Krankenhaus. Dort verbrachte er täglich mehrere Stunden in der Gesellschaft des langsam genesenden Freundes, dem er, zur Ablenkung und Erheiterung, aus mitgebrachten Büchern vorlas.

Von Kurzigs Impresario erfuhr Wagner, daß dem Sänger die Türen der Opernhäuser verschlossen bleiben würden. Wagner, den dieser Umschwung entrüstete, versuchte mit Hilfe einiger einflußreicher Musikfreunde einen Liederabend zu veranstalten, fand aber keinen geeigneten Saal, weil sich die Besitzer der in Frage kommenden Räume (es waren ihrer drei) vor Ausschreitungen fürchteten.

Obwohl der Vorfall unter der Bevölkerung großes Aufsehen erregt hatte und von der Presse einstimmig verurteilt wurde – Kurzig war nicht nur ein besonders begnadeter Sänger, sondern erfreute sich auch wegen seiner freundlichen Natur einer gewissen Beliebtheit –, wurden ihm mehrere wichtige Konzerte abgesagt. Kurzig sah sich daraufhin am Ende des Jahres gezwungen, in ein Nachbarland auszuwandern. Dort lebte er nach einem mißglückten Belebungsversuch seiner Karriere bis zu seinem Tod in aller Bescheidenheit in einer Pension.

Obgleich Kurzig versuchte, seinen langjährigen Freund zu überreden, mit ihm ins Ausland zu ziehen, blieb Wagner in Deutschland zurück, hielt aber den Kontakt zu seinem Freund aufrecht.

Als Kurzig nach einigen Monaten zum Staatsfeind erklärt wurde, distanzierte sich Wagner öffentlich von ihm und bekam ein Jahr später die Leitung eines großen Opernhauses übertragen. Im gleichen Jahr heiratete er eine junge Theaterschauspielerin, die ihre Karriere gerade begann.

Wagner sah Kurzig nicht wieder. Von seinem Tod erfuhr er über einen gemeinsamen Freund. Das war an einem Mittwoch. Wagner ging danach ins Opernhaus. Dort studierte man gerade die »Zauberflöte« ein, in der Kurzig fünfzehn Jahre zuvor seinen Durchbruch als Sänger gefeiert hatte. Wagner konnte sich noch erinnern, wie er oben auf der Galerie nach dem Verklingen der Arie des Sarastro erschüttert auf dem Stuhl sitzen geblieben war, weil er noch nie einen Ton von solcher Reinheit gehört hatte, und wie er verwundert auf den kleinen Mann hinuntergeblickt hatte, der ihm damals wie ein Gott vorgekommen war und der unbeholfen an den schweren Falten des burgunderfarbenen Samtvorhangs zupfte, um in den Lichtkegel hinauszustoßen wie eine Zunge aus einem roten Frauenmund.

Früher war das Siegen leicht. In schweigendem Einverständnis stürzten die Feinde sich ins heiße Gefecht. Ein Opfer anzunehmen, selbst wenn man dadurch ein Wagnis einging, galt als Ehrensache. Und mit einer schön präsentierten Lockspeise, die sich schon sehr bald als unverdaulich erweisen sollte, zwang man manchen in die Knie. Ja, damals standen die Methoden der Verteidigung hinter denen des Angriffs zurück. Der Stratege dachte nicht an das, was er verlieren könnte, sondern an den Sieg, und nicht selten war dies der Auftakt eines wahren Opferreigens.

Will man einem Gegner heute entgegentreten, muß man ihn zuerst mit List aus seinem Bau locken. Viel wurde schon versucht, viel gibt es noch zu entdecken, denn jeder neue Fall fordert die schöpferische Erfindungsgabe des Strategen heraus. Doch wird man nur eine Kampfart finden, die selbst die Gleichgültigsten begeistert. Sie wird in der Fachsprache strategische Verluststellung oder, noch kategorischer, positioneller Zugzwang genannt. Es handelt sich hierbei um eine geschickte Ausnützung von Umständen, die im voraus geplant werden und deren Hauptfigur der in seiner Form vollkommene Kreis ist. Der Gegner wird durch wohlüberlegtes Einkreisen gezwungen, seine besten Männer und dann, in Ermangelung einer anderen Möglichkeit, sich selbst zu opfern. Ja, wer nie das Weiße im Auge des Gegners erblickt hat, während jener schamvoll erliegt, der hat nie gesiegt.

Drei Jahre später, Otto Wagner war inzwischen die Leitung eines großen Schauspielhauses seiner Stadt übertragen worden, wurde er an einem Nachmittag in das Amt für Theater und Film bestellt. Dort angekommen, bat man ihn, einer Schauspielerin namens Kernig die Hauptrolle in einem Stück zu geben, das gerade geprobt wurde und die Saison eröffnen sollte.

Wagner, der das Anliegen des Sekretärs nicht sofort

verstand, da kein Zweifel darüber bestehen konnte, daß die Kernig dem Stück nicht gewachsen war und es über ihre schauspielerischen, wenn auch nicht physischen Kräfte ging, diese tragische Frauengestalt zu verkörpern – sie war eine kräftige und pralle Blondine –, erlaubte sich einzuwenden, daß er die Rolle schon an eine ausgezeichnete Schauspielerin vergeben habe, die sicherlich nicht enttäuschen werde. Es handelte sich (wie man schon erraten haben mag) um seine Frau.

»Ja«, antwortete der Sekretär, der mittlerweile ungeduldig geworden war, »ich will Ihnen in dem, was Sie sagen, schon recht geben, aber es spielen noch andere Faktoren mit.«

Und er erzählte ihm, was Wagner als Leiter des wichtigsten Schauspielhauses der Stadt längst hätte wissen müssen: daß die Schauspielerin Kernig mit dem reichen und einflußreichen Paul Raeder liiert war, einem engen Berater Görings, und daß ihm daher keine andere Wahl bleibe. Wagner versprach, alles sofort in die Wege zu leiten, und ging beklommen ins Theater zurück, denn er dachte an den Zorn seiner Frau.

In der Tat nahm Frau Wagner, sonst eine eher leichtsinnige Natur, diese Aufführung sehr ernst. Sie hatte schon seit geraumer Zeit mit Hilfe des Dramaturgen historisches Hintergrundmaterial gesammelt, das, auf dem Salontisch aufgetürmt, darauf wartete, von den feinen und wohlgepflegten Fingern der Schauspielerin durchgeblättert zu werden.

Als sie nun am folgenden Morgen vom Sekretär ihres Mannes erfuhr, daß sie sich eine kleine Erholungspause gönnen dürfe, rannte sie, ohne vorher den Mantel übergestreift zu haben, in ihre Wohnung, ging wortlos am Dienstmädchen vorbei und zertrümmerte Wagners Schallplatten an der Schlafzimmerwand.

Währenddessen bestrich Wagner in der rustikal ausgestatteten Gaststube eines kleinen Wirtshauses sein erstes Brötchen mit frischer Butter. Er war sich seiner Feigheit bewußt und kam sich recht kläglich vor. Aber was war ihm anderes übriggeblieben. Die Saison begann in knapp fünf Wochen, und er mußte, wollte er auch diesen Herbst erfolgreich hinter sich bringen, mit seinen Kräften sparsam umgehen. Da ihn ein Streit mit seiner Frau schon im voraus ermüdete und in gewissem Maße auch langweilte, hatte er für einige Tage die Flucht ergriffen. Nun schob er seinen Teller beiseite, zündete sich eine Zigarette an und dachte an den bemitleidenswerten Heller, seinen Sekretär, an dem seine Frau ihre Wut auslassen würde und dem er für die ausgestandene Not eine Gehaltserhöhung gewähren müsse. Auch seiner Frau wollte er etwas schenken, nämlich die Hauptrolle in einem Stück, das zur Weihnachtszeit aufgeführt werden sollte und in dem sie, in eine weiße Toga gehüllt, das Schicksal der Frauen beklagen konnte.

Doch es kam anders. Während der Proben war Frau Wagners Blick auf den jungen Dramaturgen Johannes Schellenberg gefallen, den sie bisher für unscheinbar gehalten hatte, der sie aber durch seine Allgemeinbildung in Begeisterung versetzt hatte.

Der junge Schellenberg hatte sich das Interesse der schönen Schauspielerin zunutze gemacht und war beim Betrachten der alten Bücher und Kataloge, die er in die Wagnersche Wohnung schleppte, immer näher an sie herangerückt. Nach einigen zaghaften Tagen war zwischen beiden ein leidenschaftliches Verhältnis aufgeflammt, das sie indes aus naheliegenden Gründen geheim hielten.

Schon seit geraumer Zeit war in Frau Wagner, was ihren Mann und ihre Ehe betraf, ein Überdruß aufgekommen, der sich bis zur Abneigung gesteigert hatte; ohne es zu wissen, suchte sie nach einem Grund, den Mann zu verlassen, dem sie sich verpflichtet fühlte.

Als sie sich nun in solch billiger Weise hintergangen sah – sie empfand seine Flucht vor der Aussprache wie eine schallende Ohrfeige –, war sie derart gegen ihn aufgebracht, daß sie dem Dramaturgen erzählte, was sie schon

lange an ihrem Mann gestört hatte. Über die verheerenden Folgen ihres Geständnisses machte sie sich keine Gedanken.

Schon am nächsten Tag wußte das Theater, was auf dem
Veloursofa in einer schwachen Minute gestanden worden
war. Wagner aber ahnte von all dem nichts.

Während die frisch engagierte Schauspielerin Kernig
im Wochenendhaus des Ministers, der Dramaturg im
Hause Wagners und der Sekretär Heller bei seiner Mutter
den Sonntag verbrachten, marschierte Wagner, eine kleine
Suite Mozarts vor sich hin summend, durch den Wald
und begab sich nach einem ausgiebigen Abendessen früh
zu Bett, denn er gedachte am Montagmorgen die erste
Bahn zu nehmen, um im Theater nach dem Rechten zu
schaun.

Gegen zehn traf er im Theater ein. Ohne die Blicke zu
bemerken, die man ihm verstohlen zuwarf, öffnete er die
Tür seines Büros und ging, als er das Zimmer leer vor-
fand, erleichtert hinein. Dann bestellte er eine Kanne Tee
mit Milch und zog den Notizblock hervor, auf dem der
Sekretär alle Meldungen vermerkte. Gelangweilt betrachtete er die fein säuberliche Schrift seines Sekretärs, griff in
die Keksdose, die zur Stärkung immer auf seinem Tisch
stand, und wählte, als er gelesen hatte, daß er sich unverzüglich im Amt zu melden habe, die bekannte Nummer.

Nachdem Wagner erfahren hatte, daß er aus moralischen
Gründen von seinem Posten zurücktreten müsse, ging er
auf die Toilette und übergab sich.

Man hatte ihn eine halbe Stunde warten lassen und ihn
dann ins Zimmer seines Vorgesetzten geführt, wo drei
Männer, die er nicht kannte und die sich auch nicht vor-
stellten, ihn aufforderten, Namen und Adressen seiner
Freunde zu nennen. Wagner verstand nicht. Wurde ihm
gedroht? War das nur ein Scherz? Er war doch verheiratet. Er hatte doch eine der schönsten Frauen des Reiches
geheiratet. Erregt stand er auf und ging im Zimmer auf
und ab. Glaubte man ihm denn nicht, daß dieser Ab-

schnitt seines Lebens entgültig vorbei war? Sollte er wegen einer alten, längst vergessenen Geschichte so in Ungnade fallen? Wagner fing an zu erklären. Die Männer winkten ab, sie wollten nur Namen hören. Die ruhige, ja höfliche Art, mit der sie ihn zurechtwiesen, bewies, daß es ihnen ernst war.

Eine Woche später fuhr Wagner, dem man geraten hatte, im Land zu bleiben, zu seiner Schwester nach Bayern. Dort gab er, wie in seinen Studentenjahren, Klavierstunden. Von den Zinsen seiner Ersparnisse und dem Erlös der Stunden lebte er recht gut. Seine Frau, die sich mittlerweile von ihm hatte scheiden lassen, kam ihn einmal besuchen, blieb aber nicht lange, weil sie mitten in Proben war. Sie berichtete ihm, daß das Stück, in dem die Kernig die weibliche Hauptrolle gespielt hatte, schon nach zwei Wochen abgesetzt worden war, und fügte einige pikante Anekdoten aus der Theaterwelt hinzu. Sie brachte ihm auch Platten mit, die sie für ihn gekauft hatte. Er kam sich wie ein Rekonvaleszent vor, wußte aber nicht, welche Krankheit man bei ihm diagnostiziert hatte.

Im gleichen Monat – er half seiner Schwester gerade, die Daunendecken aus der Wäschetruhe zu holen – betraten zwei Männer das Haus und forderten ihn auf mitzukommen. Wagner zog eine Jacke an und ging mit ihnen fort.

Er wurde erneut verhört. Man nannte ihm Namen berühmter Schauspieler und Musiker. Nach vier Stunden wurde er entlassen und machte einen kleinen Spaziergang im Park, der in rotem und gelbem Laub stand.

Auf Zureden des Pfarrers begann Wagner, an Wochentagen in der Kirche Konzerte zu geben. Eines Tages bemerkte er während eines solchen Konzertes unter den wenigen Zuhörern einen Mann, den er noch nie zuvor gesehen hatte und der städtische Kleidung trug. Obwohl keine Beweise vorlagen und obwohl er glaubte, daß das Amt kein Interesse mehr an ihm haben könne, fühlte sich Wagner von diesem Tag an beobachtet. Nun mußte er auch während der Musikstunden, denen er sich sonst mit ganzem Herzen gewidmet hatte, denn er liebte Kinder, an seine erste Unterredung mit den Männern denken.

An einem Dienstag, Wagner wollte gerade in die Kirche gehen, da er am Abend ein Konzert geben sollte, wurde er abgeführt und auf das Polizeirevier der Gemeinde gebracht. Dort sagte ihm der Ortsgruppenleiter, dem man seine Akte zugeschickt hatte, daß er die Klavierstunden unverzüglich einzustellen habe.

Wagner begriff, daß es sich um eine weitere Erniedrigung handelte, beschloß, sie stillschweigend hinzunehmen, und ging, nachdem man ihn entlassen hatte, in die Kirche, wo er bis zum Abend das Musikstück einübte, das er vortragen wollte.

Es begann zu dämmern. Langsam füllte sich der Raum. Wagner erkannte den Ortsgruppenleiter und nickte ihm zu. Seine Schwester und einige Nachbarn nahmen auf den Holzbänken Platz. Nach einer Weile, die er benötigte, um sich zu sammeln, stieg Wagner die drei Stufen zum Podium hoch und setzte sich, nachdem er den Hocker heruntergekurbelt hatte, ans Harmonium. Ein kurzes, unterdrücktes Husten unterbrach die Stille. Wagner hob die Arme und berührte mit den Fingerkuppen die weißen Tasten.

Nach dem Konzert blieb er noch lange, von wohltuender Ermattung erfüllt, am Harmonium sitzen. Erst die Frage einer Nachbarin, die mit ihrer Tochter in die Kirche gekommen war, riß ihn aus der Betäubung. Er blickte um sich. Seine Schwester, die mit dem Mantel über dem Arm auf ihn wartete, machte ungeduldig ein Zeichen. Die Tochter der Nachbarin tippte ihm auf die Schulter. Sie war ein stumpfsinniges, zehn Jahre altes Mädchen, das schon ausgebildete Brüste besaß und deren geöffneter, feuchter Mund eine Sinnlichkeit verriet, die ihren Eltern bald Sorgen machen würde. Die Nachbarin trat etwas näher an ihn heran.

»Sie sind doch …«, sagte sie und zerrte an dem Kragen der Tochter, die sich vom Griff ihrer Mutter losmachen wollte.

Sie hatte seine Hochzeit mit der Schauspielerin in den Illustrierten mitverfolgt und fragte ihn nun, ob er die Schauspielerin trotz der Scheidung noch sehen würde.

»Es ist wegen Anna, meiner Tochter, sie verehrt sie doch so sehr.«

Wagner schüttelte den Kopf. Er hatte seine Frau schon seit einigen Monaten nicht mehr gesehen und auch nicht mit ihr gesprochen. Sie war nun beim Film und zeigte sich in Begleitung des Ministers.

Er erhob sich und ging zu seiner Schwester, die ihm den Mantel hinhielt. Die Nachbarin folgte. Sie fragte ihn, ob das, was er eben gespielt habe, denn auch von Schumann sei. Sie konnte sich erinnern, in der Illustrierten gelesen zu haben, daß er ein Schumannkenner sei.

»Schubert«, sagte Wagner, »Schu-bert.« Er hatte einmal als guter Interpret seiner Lieder gegolten.

»Ach, Schubert«, sagte die Nachbarin.

»Nein, nein«, antwortete Wagner und hielt der Frau die Tür auf, »diese Komposition ist von einem zeitgenössischen Musiker.«

Er knipste das Licht aus und schritt als letzter in den Hof. Gemeinsam gingen sie den kleinen Pfad entlang.

»Hat es Ihnen denn gefallen?«

»Ja«, antwortete die Frau, »es ist zwar merkwürdig, aber doch schön.«

»Schönberg«, sagte Wagner, »Meister der Zwölftonmusik, Arnold mit Vornamen.«

»Wie mein Schwager«, sagte die Frau und erzählte ihm, daß dieser sich beim Tragen eines Kasten Biers einen doppelten Bruch geholt hatte. »Das wird ihm eine Lehre sein.«

»Sie haben recht.« Wagner nickte. »Der Schmerz ist ein guter Lehrer.«

Als sie an der Haustür angelangt waren, strich er dem Kind über den Kopf. Dann verabschiedete er sich und ging eilig in die Küche.

Wie immer rannte ihm seine Schwester schnaufend hinterher. Wagner knöpfte seinen Mantel auf, zog die Handschuhe aus und setzte sich, nachdem er die Hände gewaschen hatte, an den gedeckten Tisch.

Lächelnd faltete er die Serviette auseinander. Er hatte der Frau zwar den Namen des Komponisten genannt, aber nicht erwähnt, daß er in Ungnade gefallen war und nicht mehr gespielt werden durfte. Er hatte versucht, es der Frau zu erklären, dieses Werk, die Größe des Werkes und auch die Freiheit, die in jedem Ton mitschwang und die, darin war er sich sicher, der wirkliche Grund war für die Verbannung des Juden Schönberg.

»Was meinst du«, fragte Wagner und schaute lächelnd seine Schwester an, die zwei dampfende Teller auf das karierte Tischtuch stellte, »die Freiheit ist doch was Schönes?«

Mit einem erleichterten Aufseufzer setzte sie sich neben ihn und griff nach der Gabel. Wagner faltete seine Serviette auf. Ja, dachte er, schön und gewaltig sind die Wege der Freiheit.

Lea
oder wie man das Zweifeln lernt

> Wenn das Kind die Sprache lernt, lernt es zugleich, was
> zu untersuchen, und was nicht zu untersuchen ist. Wenn
> es lernt, daß im Zimmer ein Schrank ist, so lehrt man es
> nicht zweifeln, ob, was es später sieht, noch immer ein
> Schrank, oder nur eine Art Kulisse ist.
>
> *Ludwig Wittgenstein, Über Gewißheit*

Irgend etwas war heute anders. Lea öffnete die Augen
und betrachtete den Stuhl neben ihrem Bett, auf dem die
zusammengefalteten Kleider vom Vortag lagen. Durch
die Schlitze der Fensterläden drang Tageslicht ins Zimmer und hinterließ auf der Wand ein geometrisches Muster. Mit den Fäusten rieb sie die Augenlider, kratzte sich
dann am Rücken.

Warum war es so still? Sie setzte sich auf und horchte,
ob sich Schritte näherten. Sie kannte den zögernden Gang
ihrer Mutter: es war, als hätte sie schon nach dem ersten
Schritt vergessen, wohin sie sich begeben wollte. Lea
drehte sich zur Wand und tastete, den Daumen im Mund,
nach dem Zipfel ihrer Decke. Gleich würde die Mutter
zur Tür hereinkommen und ihr das Lied von den Schlaf-
mützen vorsingen, dann würde sie sie an den Zehen
kitzeln.

Lea mochte den Geruch der Mutter, sog ihn genußvoll
ein, wenn sie in das Bett der Eltern durfte. Jetzt fiel es ihr
wieder ein. Natürlich, die Mutter hatte es ihr ja gestern
vor dem Schlafengehen gesagt. Heute kamen Oma, Opa,
Tante Dora und Onkel Reinhard zum Essen.

Sie stieg aus dem Bett und streckte sich. Oma würde ihr
ein Geschenk mitbringen, vielleicht das Holzpferdchen,

das sie sich gewünscht hatte, und Onkel Reinhard würde wie jedes Jahr seine Haggada vergessen. Sie würde ihm eine aus der Bibliothek holen. Der Vater würde ihr den Schlüssel geben und Onkel Reinhard eine Münze, weil sie ihm aus der Patsche geholfen hatte.

Sie ging ins Zimmer ihres Bruders, in dem auch das neue Fräulein schlief. Es wohnte erst seit einer Woche bei ihnen und hieß Claudine. Das Zimmer war leer. Lea öffnete die Tür, die in den Flur führte.

Es war immer dasselbe. Keiner half im Haushalt. Nicht einmal Erika war ihr eine Stütze, und nun hatte man ihr zu allem Unglück Gladiolen geliefert. Gelbe Gladiolen. Friedhofsblumen. Obwohl sie ein flaches, längliches Bouquet für die Mitte und zwei kleine, runde für die Tischenden bestellt hatte. Aber doch keine Gladiolen und schon gar nicht in gelb. Weiß, rot, sogar rosa Farbtöne hätte sie durchgehen lassen, sie war ja nicht kleinlich, aber um Gottes willen kein Gelb. Nun würde Erika die gelben Servietten auflegen müssen. Besaß sie denn genug davon? Frau Lewinter ging ungeduldig durch die kürzlich renovierte Küche und ließ ihren Blick über den Hängeschrank, das Gewürzregal, die Spüle und den Wasserhahn gleiten.

Ein typischer Fall von Leichtsinn. Sie würde das Geschäft wechseln müssen. Es war ja nicht das erste Mal, daß man ihr den Ausschuß verkaufen wollte. Mit einem grünen Lappen öffnete Frau Lewinter die Ofentür und stach in den Kuchen. Sie war zu gutmütig. Oder war sie nicht umsichtig genug? Die Hilfskraft hatte die Bestellung entgegengenommen. Ein eigentümlicher junger Mann; ein herber Geruch ging von ihm aus. Nicht unangenehm, nur fremd.

Noch ein halbes Stündchen, dachte Frau Lewinter, dann kann ich den Kuchen aus dem Ofen holen. Sie ließ sich auf den Küchenstuhl fallen und trank ihre zweite Tasse Kaffee.

Warum kam die Mutter nicht? Auch Erika hätte sie rufen sollen. Die Frühstückszeit war doch längst verstrichen. Lea war nicht verstimmt, nein, sie war es nicht. Sie gab der Tür einen kleinen Stoß und ging in den Flur, den sie haßte, weil er dunkel, verzweigt und unübersichtlich war: besonders haßte sie ihn, wenn sie nachts ins Bett ihrer Eltern wollte. Vor dem Stromzähler blieb sie stehen und machte kehrt. Sie hatte vergessen, die Hausschuhe anzuziehen. Mutter hatte ihr verboten, barfuß durch die Wohnung zu laufen, weil sie sich erkälten könnte.

Sie war gerne krank. Die Mutter brachte ihr kleingeschnittene Apfelscheiben ans Bett und bereitete ihr Lieblingsgericht, Tomatensuppe mit weichgekochtem Reis, der auf der Oberfläche des Suppentellers schwamm wie eine Flotte weißer Segelschiffe in einem roten Meer und den sie Korn für Korn mit der Zunge am Gaumen zerdrückte.

Lea schob die Küchentür auf. Vielleicht ließ Mutter sie ein Stück Schokoladenkuchen essen. Erika hatte ihn am Vorabend gebacken. Wenn ich dazu ein Glas Milch trinke, dachte sie, wußte aber jetzt schon, daß die Mutter ihr nicht einmal erlauben würde, die überschüssige Schokoladenglasur vom Tellerrand zu lecken, weil sie den Kuchen unversehrt durch den Tag bringen wollte, um ihn dann vor aller Augen am Abend anzuschneiden. Lea streckte sich und ging auf die Mutter zu, die sie in die Arme nahm.

Seit der Geburt des Sohnes machte ihr Leas Verhalten Sorgen. Als sie mit dem Neugeborenen im Arm ins Haus gekommen war, hatte ihre Tochter sie zur Begrüßung in die Hand gebissen. Sie hatte den Schmerz noch Stunden danach gespürt. Verwundert hatte sie immer wieder auf die kleinen roten Abdrücke geschaut. Die heftige Reaktion ihrer Tochter war unerwartet gekommen. Die ersten Wochen waren schwierig gewesen. Überreizung, dachte sie und trank den bitteren Kaffee aus, den sie gerne gesüßt hätte, was sie sich aber wegen des bevorstehenden üppigen Abendessens verbot.

Am schlimmsten war der Daumen gewesen. Wie viele Tränen, wie viele Versprechungen und Geschenke hatte es gekostet, Lea das Daumenlutschen abzugewöhnen.

Sie machte sich keine Illusionen. Da waren das krause Haar und die plumpen Beine, aber das konnte sich ja noch ändern, und natürlich die Nase, die Lea vom Vater geerbt hatte und die bei der Kleinen unbeholfen und groß im Gesicht thronte.

Frau Lewinter rückte das Salzfaß in die Mitte des Tisches und sah ihre Tochter an, die den Küchenstuhl zurückschob.

»Sitz gerade, und schaukle nicht mit den Beinen.«

Sie ging zum Schrank neben dem Ofen, öffnete die Gebäckschublade und schnitt ein großes dreieckiges Stück vom Kuchen ab, das sie ihrer Tochter an den Tisch brachte.

Danke, lieber Gott, danke, daß die Erika den Kuchen verbrannt hat. Lea schob den Teller an den Tischrand. Sie würde das Stück ganz langsam aufessen, zuerst die Glasur, dann die obere Teigschicht, dann die Creme und dann den Boden. Sie mochte den würzigen Geschmack. Er erinnerte sie an die Ferien, als sie mit ihrem Vater ein Picknick gemacht und an einem Lagerfeuer Kartoffeln geröstet hatte. Gleich würde sie in sein Arbeitszimmer gehen, weil er nun gewöhnlich eine Pause einlegte.

Sie zählte an der Wanduhr die Zeit ab und nahm dabei ihre Finger zu Hilfe. In zehn Minuten, dachte sie und fuhr mit der Zunge über einen Vorderzahn. Er war locker und würde bald herausfallen.

»Darf ich jetzt zu Papa?« Lea stellte den Teller in die Spüle.

Fragend schaute sie die Mutter an, die aus einem gelben Brei kleine Bällchen formte, die am Abend neben den wenigen Fettaugen, die sie mit einem Löffel nicht hatte herausfischen können, in der Hühnersuppe schwimmen würden.

»Zuerst wird dieser kleine Schmutzfink gewaschen.«

Die Mutter hielt ihre Hände unter den kalten Strahl und bespritzte Lea mit Wasser. Sie liebte den Ausdruck, der auf dem Gesicht ihrer Tochter erschien, wenn sie enttäuscht war.

»Mein kleiner Schmutzfink. Mein süßer Schmutzfink. Mamas Engelchen geht sich jetzt waschen.«

Lea grub ihr Gesicht in den dunkelblauen Morgenrock der Mutter und spielte mit dem Gürtel.

Irgendwie hatte sich alles von selbst gegeben. Lea hatte sich nach einigen Wochen beruhigt. Ihr Kindergeburtstag hatte ohne Zweifel dazu beigetragen. Sie sah noch das entnervte Gesicht des Zauberers, der am Ende der Vorstellung in das Wohnzimmer gekommen war, wo sie mit den Müttern Kaffee trank, um ihr mit weinerlicher Stimme mitzuteilen, daß ihre Tochter die anderen Kinder dazu verleitet hatte, seine Koffer und Kisten auseinanderzunehmen, um zu sehen, ob er ein wirklicher Zauberer war.

Frau Lewinter lächelte. Sie hatte ihm dann die doppelte Gage gezahlt, um nicht vor den Augen der anderen Damen mit ihm verhandeln zu müssen. Obwohl sie es nicht gerechtfertigt fand.

Ein anstrengender Tag war das gewesen. Sie wischte mit dem Zipfel ihres Morgenrockes den Spiegel über dem Waschbecken blank und versuchte sich zu erinnern, was die Mutter der kleinen Beatrice, eine nachlässige, ja liederliche Frau, ihr über den Mann gesagt hatte. Klatsch, Klatsch, Klatsch, dachte Frau Lewinter, und noch dazu aus dem Mund solch einer Schlampe. Sie seifte ihrer Tochter den Rücken ein.

»Auch hinter den Ohren, mein Engelchen. Die Mama sieht alles, hört alles, riecht alles wie die drei Affen.«

»Nein, nicht riechen, der dritte Affe hält sich doch den Mund zu, nicht die Nase, damit er nicht reden muß.«

Lea stieg aus der Wanne und hinterließ eine Pfütze auf dem weiß gefliesten Fußboden. Die Mutter wickelte sie in das Badetuch ein und rieb ihren Körper ab.

»Schnell ins Zimmer, und daß du mir das Unterhemd anziehst, damit du dich nicht noch einmal erkältest.«

Lea haßte Unterhemden. Auch Strümpfe, Hüte mit Bändern, die im Nacken kratzten, und Schnallenschuhe mochte sie nicht. Aber mit der Mutter war heute nicht zu verhandeln. Sie sah es an den zusammengepreßten Lippen. Sie würde heute ganz besonders achtgeben müssen. Sie zog den Bademantel an, holte tief Luft und rannte ins Zimmer.

Dieses Kind hatte kein bißchen Anmut. Andere Mädchen in Leas Alter waren schon kleine Damen. Sie selbst war doch auch kokett gewesen. Seit sie sich erinnern konnte, hatte sie den Männern und zuvor den Jungen gefallen wollen.

Eine Frau muß auf ihr Äußeres achten. Ihr gutes Aussehen ist ihre Waffe. List gehört natürlich auch dazu. Viel List und Diplomatie und Kompromißbereitschaft.

Frau Lewinter steckte die Hände in die Morgenrocktaschen und verließ das Bad. Ja, Kompromisse mußte man schließen. Was für Träume sie gehabt hatte. Aber das ist ja das Zeichen der Jugend. Und dann war ihr Mann gekommen. Kein gutaussehender Prinz auf weißem Pferd, dafür aber einer mit Wagen. Was nur Erika wieder machte. Frau Lewinter öffnete die Tür und ließ das neue Fräulein und ihren Sohn herein, der beim Anblick seiner Mutter mit den Armen fuchtelte. Wie hilflos diese kleinen Wesen sind, dachte sie, wie sie einen lieben. Sie würde ihm heute sein Mittagessen selbst geben.

Jetzt waren schon mindestens drei Stunden vergangen, und der Vater war noch immer nicht aus dem Zimmer gekommen. Und das neue Fräulein war mit dem Bruder beschäftigt, Erika war nicht da und die Mutter in der

Küche. Lea hatte Hunger. Wenn doch wenigstens Erika käme, um mit ihr zu spielen.

Lea schüttelte das Kissen auf, dann die lange und schwere Daunendecke, strich das Laken glatt und legte das Nachthemd zusammengefaltet unter das Kissen, so wie die Mutter es ihr vor einer Woche beigebracht hatte.

Mit einer ausholenden Handbewegung warf sie die gestreifte Tagesdecke über das Bett, ging zwei Schritte zurück und betrachtete ihr Werk.

Etwas krumm. Sie zog am rechten Zipfel der Decke, denn sie wollte, daß die blauen und zitronengelben Streifen parallel zu den Linien des Bettgestells verliefen. Jetzt hing sie an einer Seite herunter und war auf der anderen zu kurz. Die Decke war ein Problem.

Mühsam schob Lea das Bett von der Wand, um an die linke Seite zu gelangen, und sah den blauen Einband. Mit zwei Fingern fischte sie das Buch, das sie seit einer Woche überall gesucht hatte, aus dem dünnen Spalt zwischen Gestell und Wand und warf sich aufs Bett.

Nun sollte Erika das Kommando übernehmen. Frau Lewinter gab das Steuer ab. Sie ging vom Schiff. Kein sinkendes Schiff: bis jetzt hatte alles besser geklappt als erwartet. Keine schmutzige Unterwäsche auf dem Badezimmerboden, keine Essenreste auf vergessenen Tellern, die sie gerade dann finden würde, wenn Gäste im Haus waren. Und mit etwas Glück würde auch nichts vorzeitig weggegessen werden.

Einmal hatte ihr Mann die Gurken, mit denen sie das Fischtablett verzieren wollte und die Erika in mühevoller Arbeit in hauchdünne Scheiben geschnitten und dann in Spiralen gedreht hatte, einfach vom Tablett gepickt, während er die Zeitung las.

Selbstredend hatte er nicht verstanden, warum sie so wütend war, und fand die ganze Angelegenheit lächerlich. Natürlich verstand er nie, warum sie sich aufregte. Es kommen doch nur ein paar Freunde vorbei. Wir brauchen kein kaltes Buffet. Es ist doch nur die Familie, nur die Familie, daß sie nicht lachte, gerade die! Aber wenn nicht alles so sauber und ordentlich wäre, wenn es nicht immer etwas zu essen gäbe – wo, glaubte er denn, kamen all die Speisen her und die frisch gebügelten und gestärkten Hemden.

Sie knetete mit der linken Hand den Nacken. Sie hatte wieder die Kopfschmerzen, die sich bei ihr einstellten, sobald sie nervös war. Jetzt bräuchte ich ein heißes Bad, dachte sie und beschloß, sich schlafen zu legen.

Frau Lewinter massierte sich mit großen, kreisenden Bewegungen Tagescreme in den Hals und streckte energisch das Kinn in die Höhe. Fünf Minuten Gesichtsgymnastik genügten, hatte die Kosmetikerin gesagt. A, O, I, E, Frau Lewinter artikulierte laut und deutlich die Vokale, die angeblich die Falten aufhielten.

Sie stieg auf die Waage und stellte mit Genugtuung fest, daß sie ein Pfund abgenommen hatte. Männer konnten sich leicht etwas vormachen. Aber bei einer Frau waren die Zeichen des Alterns nicht zu übersehen. Sie drehte den Deckel des Fläschchens auf, tunkte ein Wattestäbchen in das Öl und betupfte die Haut unter den Augen.

Sie erinnerte sich an ihre erste Regel und daran, wie sie zur Mutter gerannt war, voller Angst zu verbluten, und wie ihre Mutter gesagt hatte, daß sie von nun an aufpassen müsse, und sie nicht wußte, worauf.

Sie war enttäuscht gewesen. Viel romantischer hatte sie es sich vorgestellt. Sie hatte den Büstenhalter aus Scham anbehalten. Zu sehen gab es damals natürlich nichts. Frau Lewinter zog die Decke zurück und schlüpfte ins Bett. Arme Emma, dachte sie und schlief ein.

Der Vater war gegangen, ohne ihr guten Tag gesagt zu haben. Und die Mutter hatte sie nicht zu ihm in die Bibliothek gelassen, und jetzt war sie in der Bibliothek, aber der Vater war nicht mehr da. Lea konnte es nicht fassen.

Gemein. Das war einfach gemein gewesen von der Mutter, die doch gewußt haben mußte, daß der Vater weggehen würde. Das hatte sie absichtlich gemacht. Lea zerriß das Bild, das sie ihm mit schwarzer Tusche gemalt hatte. Er würde das Bild nicht bekommen, er würde nie wieder ein Bild von ihr bekommen und die Mutter ebenfalls nicht. Sie rannte in die Küche, in den Salon und, als sie die Mutter auch dort nicht fand, ins Schlafzimmer der Eltern. Sie wußte, daß die Mutter schlief, weil die Tür geschlossen war. Sie hatte nicht vor, die Mutter zu schonen. Sie riß die Tür auf und schlug sie hinter sich mit dem Fuß zu.

»Du bist gemein. Gemein.«

Lea stellte sich vors Bett und fing an zu weinen.

»Was ist passiert?«

Hatte sie verschlafen? Frau Lewinter schreckte in die Höhe und griff nach dem Wecker, der auf der Konsole neben dem Roman eines zeitgenössischen Autors stand, der vor kurzem gestorben war. Es war wie verhext. Nicht einmal eine halbe Stunde hatte sie sich ausruhen können.

»Du hast's gewußt. Als du mir gesagt hast, daß ich mich waschen soll, hast du's gewußt.«

Frau Lewinter schaute auf ihre Tocher und entschied, daß es keinen Sinn hatte weiterzuschlafen.

»Was hab ich gewußt, mein Engelchen?«

Mit ihren neuen schwarzen Lackschuhen, die schon jetzt so aussahen, als hätte sie die Schuhe von einer älteren Schwester übernommen, stieß Lea nach dem Morgenmantel, der vom Stuhl geglitten war, und rannte aus dem Zimmer. Frau Lewinter seufzte und warf die Decke zurück.

Die Mutter klopfte an die Tür. Lea öffnete nicht. Sie dachte nicht daran, die Tür aufzuschließen. Sie würde noch sehr lange im Badezimmer bleiben. Lea drehte den Hahn auf und bespritzte ihr Gesicht. Dann schaute sie sich im Spiegel beim Weinen zu. Die Augen waren rot und geschwollen, das Kinn zitterte.

Sie setzte sich auf den Deckel der Toilette, stand wieder auf, zog das Handtuch vom Halter, faltete es zusammen und schob es, nachdem sie sich wieder gesetzt hatte, zwischen Rücken und Wand. Sie würde mindestens noch eine Stunde im Bad bleiben.

Lea schlich an die Tür und lauschte. Nichts. Nichts regte sich. Weder Erika noch die Mutter. Oder etwa doch? Langsam drehte sie den Schlüssel herum. Der Flur war leer. Sie schritt hinaus. Ging in die Küche, durchquerte das Wohnzimmer, aus dem Eßzimmer hörte sie Stimmen. Lea blieb in der Tür stehen und schaute auf die Mutter, die mit Erika die Sitzordnung besprach. Ach, wie sie die Mutter haßte.

Frau Lewinter ging ihre Garderobe durch. Sie konnte das Bolerokleid aus bedrucktem Piqué anziehen oder die beigefarbene Bluse mit den Puffärmeln, aber das Kostüm, das sie zu der Bluse tragen wollte, war in der Reinigung. Es blieb der Wickelrock, der ihre Hüften vorteilhaft kaschierte, oder das strenge, graue Wollkleid, das an ihr ganz entzückend aussah, weil es ihr wegen ihrer zarten und fraulichen Gesichtszüge gut stand, jungenhaft gekleidet zu sein.

Ich gebe mich halt verrucht, dachte Frau Lewinter. Nicht, daß sie verrucht gewesen wäre. Wer sie besser kannte, ahnte, daß dies ein von Frau Lewinter mit Sorgfalt gepflegter Schwindel war und daß sie, wie der bellende Hund im Sprichwort, noch nie zugebissen hatte, obwohl sich viele Möglichkeiten dazu boten. Sie wußte selbst nicht, warum. Aus Liebe, aus Pflichtbewußtsein?

Frau Lewinter entschied sich für das Wollkleid, zu dem sie auch die Perlenohrringe tragen konnte und die lasziv um das Fußgelenk geschnürten Spangensandaletten. Sie besah sich im Spiegel, hob den Rock und drehte sich zur Seite. Keine schlechte Figur, dachte sie. Seit ich Massage mache, sind die Beine fester geworden. Frau Lewinter lächelte sich zu.

Einmal hatte sie sich in einen anderen Mann verliebt. Die Aufregung hatte ihr nicht gutgetan. Sie hatte monatelang nicht schlafen können. Vor allen Dingen dann nicht, wenn ihr Mann ganz beiläufig, zum Beispiel beim Mittagessen, sagte, daß der andere am folgenden Tag kommen würde. Sie war dann den ganzen Tag wie betäubt und konnte, wenn er mit ihrem Mann in der Bibliothek saß, an nichts anderes denken, als daran, daß sie sich im gleichen Haus befanden und nur eine Tür sie trennte, eine zentimeterdünne Holzplatte. Am ganzen Körper hatte sie seine Gegenwart gespürt.

Ihr Mann hatte von all dem natürlich nichts gemerkt. Es war auch nichts geschehen. Am Ende hatte sie es so arrangiert, daß sie nicht zu Hause war, wenn er kam. Frau Lewinter faltete die Seidenbluse zusammen, die sie aus dem Schrank geholt hatte, und legte sie zurück auf den Stapel.

Sie wußte nicht, was die Leute so schön daran fanden, wenn einem nichts Gescheites mehr einfiel und wenn man sich linkisch benahm. Sie hatte sich damals gehaßt. Aber nun lag auch das hinter ihr. Sie war froh darüber, daß die ruhigen Nächte wiedergekehrt waren.

»Nicht hier«, sagte Frau Lewinter, scheuchte ihre Tochter vom Bett und stellte die Sandaletten hinaus, damit Erika sie polieren konnte, »geh spielen.«

Lea wollte nicht ins Zimmer gehen. Lea wollte auch nicht spielen. Sie setzte sich auf den Boden und umfaßte die Beine der Mutter. Die Mutter machte sich los und gab ihr einen kleinen Klaps.

»Geh, mein Kleines, geh in die Küche zu Erika.«

Lea stand auf und zwickte der Mutter in den Arm.

»Du kleine Hexe. Geh.«

Lea schüttelte den Kopf und begann zu weinen. Alles hatte sich verändert, seit der Bruder da war. Sie ließ sich auf die Knie fallen und umschlang mit beiden Armen das Bein der Mutter, die zur Tür humpelte und nach Erika rief. Sie stieß an die Kante des Bettes, aber der Schmerz störte sie nicht. Loslassen würde sie nicht. Auf keinen Fall würde sie loslassen.

So konnte es nicht mehr weitergehen. Sie war erschöpft. Und jetzt hatte sie Erika mit der Kleinen hinausgeschickt, obwohl noch so viel zu machen war, und hatte ihr versprechen müssen, daß Erika ihr dieses furchtbare Zeug kaufte, das an den Zähnen klebenblieb und sie ruinierte.

Sie leckte den Löffel ab und fügte eine Prise Pfeffer und Muskatnuß hinzu. Dann füllte sie die Kartoffelmasse in den Spritzbeutel und drückte mit dem Papierbeutel dicke Rosetten auf das Backblech. Pommes Duchesse, das sah edel aus und kostete nicht viel.

Sie ging ins Eßzimmer, kreiste prüfend um den Tisch, rückte bald eine Gabel, bald ein Messer zurecht, ging einige Schritte zurück und sah zufrieden auf die Dekoration. Sie hatte das Silberbesteck herausgeholt. Es war ihr ganzer Stolz. Sie hatte es von ihrer Großmutter geerbt. Sehr schön, dachte sie, trotz der gelben Gladiolen, und zuckte zusammen, weil die Klingel sie immer erschreckte. Sie eilte in den Flur und öffnete wütend die Tür.

»Kannst du nicht den Schlüssel … «

Verblüfft schaute sie auf die zwei Männer, die vor der Tür standen, lächelte und fuhr sich, ohne es zu merken, hastig durchs Haar.

Sie waren zuerst auf dem Spielplatz gewesen. Und dann hatte ihr Erika Zuckerwatte gekauft, die sie mit zwei Fingern von einem langen Stiel abriß und auf der Zunge zergehen ließ. Sie wollte noch auf dem Pony reiten, aber Erika hatte gesagt, daß sie keine Zeit mehr hätten, weil bald die Gäste kommen würden.

Lea drehte das Stückchen Kreide zwischen ihren Fingern, das nun ganz feucht geworden war.

»Nimmst du mich huckepack?«

»Nein.«

»Nur bis zur Haustür.«

»Nein.«

»Bitte, bitte, bitte.«

»Sch, sei ruhig.« Erika faßte Lea brüsk bei der Schulter.

»Du tust mir weh.« Lea rieb sich mit der Hand den Arm.

Was hatte Erika denn. Was hatte sie denn schon wieder getan. Sie hatte doch nichts gemacht. Erika zerrte das Kind, das die Straße überqueren wollte, in die andere Richtung.

»Wir gehen noch ein Eis essen.«

»Aber wir müssen doch nach Hause.« Lea schaute auf ihre dicke Kinderfrau. Sie verstand nicht. Und dann sah sie es, vor der Haustüre. Lea wollte sich losmachen und zum Vater laufen – er saß in einem großen schwarzen Wagen –, aber Erika hielt sie fest.

»Laß mich los.«

Deshalb hatte man sie hinausgeschickt. Deshalb durfte sie Zuckerwatte essen. Deshalb wollte ihr Erika sogar vor dem Abendessen noch ein Eis kaufen. Sie begriff nun alles.

»Laß mich los.«

Sie sah, wie ihre Mutter in den Wagen stieg und von dem französischen Fräulein, das sie nicht ausstehen konnte, noch nie hatte ausstehen können, das Bündel entgegennahm, das ihr Bruder war. Lea versuchte sich aus den Armen Erikas zu winden. Alle hatten es gewußt. Alle, außer ihr. Ihr Vater, die Mutter und selbst ihr kleiner Bruder würden in dem großen schwarzen Wagen fahren.

»Sch, sch, mein Herzchen. Papi und Mami kommen gleich zurück.«

Lea grub die Zähne in den Handrücken der Frau. Sogar Erika hatte es gewußt.

»Sch, sch. Papi und Mami gehn doch nur zum Arzt, weil Leo krank ist.«

Der fremde Mann stieg in den Wagen und schlug die

Tür hinter sich zu. Erika streichelte Leas Kopf. Der Wagen fuhr langsam an ihnen vorbei.

Lea sah dem Vater nach. Er hatte nur ein Hemd an und starrte auf den Boden.

Alle logen. Ihre Eltern fuhren nicht zum Arzt. Ihr Bruder war nicht krank. Sie würden auf eine Reise gehen. Sie würden alle im großen schwarzen Wagen auf eine Reise gehen. Und ihr Vater schaute sie nicht an, und die Mutter winkte ihr nicht einmal zu. Sie hatte sie doch bemerkt. Sie hatte sich sogar umgedreht.

Warum hatten sie sie nicht mitgenommen? Weil kein Platz mehr war? Sie hätte sich auf den Schoß der Mutter gesetzt. Sie hätte sich ganz dünn gemacht. Warum hatte man sie nicht mitgenommen? Lea blickte Erika an, die sie in den Armen wiegte.

»Sch, sch, mein Herzblatt, sch, sch. Papi und Mami kommen gleich zurück.«

»Du lügst.«

Lea trat nach Erika, die sie gewähren ließ. Einmal, zweimal, dreimal. Sie würden alle mit den zwei Männern verreisen. Und sie blieb alleine zurück.

Der Reigen

Vom Scheuertuch

Die Lebensdauer eines Scheuertuchs
wird wesentlich verlängert,
wenn man in die Mitte desselben
einen Flicken setzt,
der aus den Restbeständen des alten,
in der Mitte schadhaft gewordenen Tuches
hergestellt wird.
Außerdem sollte man
Scheuertücher immer
im Fadenlauf auswinden.

1.

Den Reigen eröffnete die Buchhalterin Fräulein Barbara Dahl, die seit über einem Jahr arbeitslos war. Aus Gründen, die Fräulein Dahl nicht ganz verstand, hatte man ihrem langjährigen Arbeitgeber, dem nach 1918 eingebürgerten Volljuden Richard Kahn, die deutsche Staatsangehörigkeit aberkannt. Als dieser Mitte 1934 ausgewiesen wurde, sah sich Fräulein Dahl, auf brüske Weise, des Gehaltes beraubt. Sei es, weil sie einem Juden »gedient« hatte oder weil es an Arbeitsmöglichkeiten mangelte, Fräulein Dahl fand nur noch Anstellung als Aushilfe. Sie arbeitete bei einem Optiker, einem Pelzhändler, in einer Kneipe, saß zuletzt einige Monate an einem Informationsschalter der Dresdner Bank, wurde entlassen, weil sie den Kauf von festverzinslichen Wertpapieren nicht warm genug empfohlen hatte, und verlegte sich, nachdem sie sich auch im Reinigen von Photoapparaten versuchte hatte, auf das Nähen von Kleidern.

Diese Beschäftigung machte ihr viel Spaß. Sie liebte die Mannigfaltigkeit der Stoffe, über die sie lange mit den Fingerkuppen strich, und das Rattern der Nähmaschine, die sie sich zu Weihnachten gekauft hatte.

Da sie keine gelernte Damenschneiderin war und sich nicht zutraute, Modelle selbst zu entwerfen, hatte sie zum Zwecke der Fortbildung und wegen der darin enthaltenen Schnittmuster eine Frauenzeitschrift abonniert. Es handelte sich um ein parteiamtliches Blatt, das Fräulein Dahl über das wahre Wesen ihres ehemaligen Arbeitgebers Kahn aufklärte und ihr auch sonst wertvolle Informationen zur Weiterverarbeitung überließ.

Nun ergab es sich, daß eben diese Zeitschrift einen Wettbewerb ausschrieb, dessen dritte und letzte Aufgabe darin bestand, unter Zuhilfenahme von Vorhandenem abgetragenen Kleidungsstücken ein neues Aussehen zu verleihen, eine Aufgabe, der sich Fräulein Dahl schon seit langem mit besonderem Eifer widmete.

In der Hoffnung, wenn nicht einen der ersten sechs Geldpreise, so doch wenigstens die Kunstdruckblumenbilder mit Passepartout zu gewinnen (das farbige, gerahmte Führerbild hatte sie erst kürzlich erstanden), beschloß Fräulein Dahl, am Wettbewerb teilzunehmen. Vor kurzem hatte sie für eine Nachbarin aus einer unmodernen Jacke aus kariertem Stoff und einem zu eng gewordenen Rock aus hellem Leinen ein Kleid genäht. Da das Kleid sehr schön geworden war und von allen gelobt wurde, holte Fräulein Dahl das Schnittmuster hervor, fügte auf der Rückseite den Stoffbedarf und die Anweisungen hinzu und schickte alles an die Sachberaterin für Mode und Hauswirtschaft der Schriftleitung.

Wie groß war Fräulein Dahls Überraschung, als sie nach drei Wochen einen Brief erhielt, der sie knapp, aber freundlich darüber aufklärte, daß man sie, Fräulein Barbara Dahl aus B., als Gewinnerin des ersten Preises ausersehen habe, weil ihr Kleid nicht nur der Sachberaterin, sondern auch der stellvertretenden Schriftleiterin und der

Schriftleiterin persönlich ganz ausgezeichnet gefallen habe. Schon am nächsten Tag kam das Geld. Gerührt las sie die Glückwunschkarte, auf der ein sehr schöner Spruch stand. Dann ging sie zur Nachbarin, berichtete ihr von dem gemeinsamen Siegeszug und schenkte ihr eines der vier Exemplare der Zeitschrift, die sie sich beim Schreibwarenhändler hatte zurücklegen lassen.

Das Glück, das sich so lange von ihr abgewandt hatte, wurde ihr endlich günstig. Fräulein Dahl, die für ihr fehlendes Rassenbewußtsein mit einer fast zweijährigen Arbeitslosigkeit gesühnt hatte, wurde einen Monat nachdem sie zur »Königin der Wiederverwertung« gekrönt worden war, in einer Großbäckerei angestellt, in der die berühmten Salzbrezeln hergestellt wurden, die jeder kurz »Krick-Krack« nannte.

2.

Der zweite Preis ging an Frau Helga Pfeifer. Sollte mit dem ersten Preis der Einfallsreichtum einer Leserin ausgezeichnet werden, so wollte die Schriftleitung mit der Verleihung des zweiten Geldpreises die Leserinnen aus allen Gauen für den praktischen Sinn einer Hausfrau empfänglich machen, die Mutter von vier Söhnen war und daher unschätzbare Erfahrung auf dem Gebiet der Wiederverwertung alter Kleider besaß.

Auf jegliche Effekthascherei verzichtend, hatte Frau Pfeifer ihrer Anregung, wie man Stopfstellen am Pulloverärmel um erhebliche Zeit hinauszögern könne – vermeiden konnte man sie leider nicht –, weder Skizze noch Schnittmuster beigelegt und sich als einzigen Schmuck eine Betitelung ihrer nicht einmal zehn Zeilen langen Erklärung erlaubt, die sie auf einem linierten und aus einem Schulheft ihres jüngsten Sohnes herausgetrennten Blatt Papier niedergeschrieben hatte.

»Das Sorgenkind ist der Ellenbogen im Pullover« war

nicht nur praktisch, sondern auch leicht zu realisieren. Frau Pfeifer regte an, den schadhaften Ellbogen an eine andere Stelle zu rücken, indem der Ärmel einfach, sobald er dünn geworden war, mit dem anderen vertauscht wurde, so daß der rechte Ärmel in das linke und der linke Ärmel in das rechte Armloch genäht wurde. Einstimmig erhielt Frau Pfeifer den zweiten Preis, den man ihr nach vier Wochen in Begleitung eines Glückwunschbriefes zusandte. Frau Pfeifer löste den Scheck in ihrer Bank ein. Da ihr im Brief der Schriftleiterin geraten worden war, sich etwas Gutes zu gönnen, ignorierte Frau Pfeifer die Bitten ihrer drei minderjährigen Söhne, kaufte keine Taschenmesser und erstand, nach einem Besuch beim Friseur, ein Fernrohr, dessen Preis man um dreißig Prozent heruntergesetzt hatte.

Nun ergab es sich, daß eben diese Söhne schon seit einigen Wochen einem Hobby verfallen waren, zu dessen Fortführung sie von den nicht minder interessierten Klassenkameraden mit allen Kräften angespornt wurden. Es handelte sich um das genaue Betrachten der Frau eines Schreiners, die im gegenüberliegenden Haus bei offenem Fenster Toilette machte und deren Anatomie im Schulhof ausführlich besprochen wurde.

Um ihre Wißbegierde bis ins Detail zu stillen, liehen die Söhne, trotz ausdrücklichen Verbotes, das Fernrohr aus. Kaum hatte die Mutter am Abend das Zimmer verlassen, zog der älteste Sohn auch schon das Fernrohr unter seinem Bett hervor, schob die Gardine zurecht und wartete, in seine Decke gehüllt, darauf, daß das Fenster sich erleuchten möge. Aber nichts geschah. Langsam ging er Stockwerk für Stockwerk ab und ließ sich nicht durch seine Brüder stören, die ihn ungeduldig am Ärmel zupften.

Während sich Frau Pfeifer erschöpft neben das Radio setzte, entbrannte im Kinderzimmer ein leiser, aber hartnäckiger Streit um das Fernrohr, da auch die jüngeren Söhne sehen wollten, was den ältesten zu einem leisen Pfiff bewogen hatte.

»Was ist hier los?«

Mit einem Ruck öffnete Frau Pfeifer die Tür, trat ins dunkle Zimmer und sah, wie ihr Fernrohr von Hand zu Hand ging. War es, um von der drohenden Bestrafung abzulenken oder weil ihn der Anblick wirklich erschüttert hatte – schon sprudelte es aus dem ältesten Sohn heraus, was er gesehen hatte. Frau Pfeifer griff zum Fernrohr. Es bestand kein Zweifel. Da saßen zwei Männer engumschlungen auf dem Sofa und fuhren sich gegenseitig durchs Haar.

Noch am gleichen Abend erzählte die entrüstete Frau ihrem Mann, was im anderen Haus geschah. Herr Pfeifer gratulierte sich zu solch einem wachsamen Sohn, ging in den dritten Stock, erfuhr von einer Nachbarin den Namen des älteren Mannes, der gegenüber wohnte, notierte gewissenhaft Namen und Adresse der betreffenden Person, fügte eine kurze schriftliche Erklärung hinzu und überreichte alles in einem weißen Umschlag seinem Vorgesetzten, der Mitglied der Partei war. Eine Woche später wurde der ältere Mann abgeführt. Herr Pfeifer aber bekam eine Gehaltserhöhung.

Herr Bernhard wurde wegen asozialer Umtriebe, bei deren Ausübung er von einer unbekannt bleiben wollenden Quelle beobachtet worden war, festgenommen und in ein hellgrün getünchtes Gebäude gebracht. Nach einem zehnstündigen Verhör, in dem er sich einsichtig zeigte, durfte er wieder nach Hause gehen. Dort angekommen, trank er einen starken und frisch aufgegossenen Tee, packte einige Kleidungsstücke in einen Koffer und verließ noch in derselben Nacht das Land.

Fünf Wochen später wurde die Aktion II S erfolgreich abgeschlossen. Insgesamt wurden fünfundzwanzig Männer festgenommen, die alle gegen § 175 StGB verstoßen hatten, weil sie in dringendem Verdacht standen, mit Angehörigen des gleichen Geschlechts sexuell verkehrt zu haben.

3

Wegen der scharfen Gesetzgebung hatten zehn der fünfundzwanzig Männer geheiratet. Weitere vier lebten in der elterlichen Wohnung. Nur drei Männer waren öfter in gleichgeschlechtlicher Begleitung gesehen worden.

Alle Männer wurden nach dem ersten prüfenden Verhör wieder entlassen. Vier Männer versuchten zu flüchten, womit sie ihre Schuld bewiesen. Drei wurden nach ihrem mißglückten Fluchtversuch verhaftet. Nur einer konnte ins Ausland entkommen, wurde aber zwei Jahre später in einer kleinen Hafenstadt ausfindig gemacht und ausgeliefert.

Zwei der homosexuellen Männer, ein Sportjournalist, dessen mitreißende Berichterstattung während der Olympischen Spiele unvergessen geblieben war, und ein junger Handwerker, nahmen sich durch Erhängen das Leben.

Acht Männern, die in öffentlichen Stellen tätig waren, darunter der angesehene Leiter des Schauspielhauses, wurde fristlos gekündigt. Den Privatbetrieben, in denen weitere neun Männer beschäftigt waren, wurde durch ein unverbindliches und informierendes Schreiben der Rat erteilt, dasselbe zu tun, was unverzüglich geschah.

Sechs Männer, ein Buchhändler, ein Makler, der Besitzer einer Spirituosenhandlung, der Besitzer eines Herrenkonfektionsgeschäftes, ein Drucker und ein Glaser, mußten ihre Unternehmen, um einer Zwangsenteignung zu entgehen, noch im gleichen Monat an Vertrauenspersonen der Partei verkaufen. Zwei Unternehmen, das eines Bibelverlegers und das eines Schreiners, wurden wegen Geschäftsuntüchtigkeit aufgelöst.

Alle Männer wurden ein zweites, manche auch ein drittes oder viertes Mal verhört. Die über sie verhängte Schutzhaft dauerte zwischen sieben und zehn Tagen.

Mit Ausnahme eines Industriellensohnes und des Sohnes eines hohen Parteimitgliedes wurde in dreiundzwanzig Fällen ein Akt angelegt, der von den recherchierenden Beamten jederzeit angefordert werden konnte und auf dessen Umschlag, neben Namen, Alter und der Adresse der betreffenden Person, eine für den internen Gebrauch bestimmte Abkürzung zu lesen war.

In der Hoffnung, typische Verhaltensweisen erkennen zu lernen, die beim Erfassen weiterer Männer behilflich sein könnten, wurde in diesen Akten auch Nebensächliches aus dem Privatleben der Angeklagten aufgezeichnet. Alle Zeugen – Hausangestellte, Arbeitskollegen, Freunde, Familienmitglieder und Nachbarn – sagten unentgeltlich über die registrierten Subjekte aus.

Von den fünfundzwanzig Männern lebten dreiundzwanzig in der Stadt, zwei in einem kleineren Vorort, zehn in Miet-, neun in Eigentumswohnungen und sechs in Häusern.

Fünfzehn Männer wurden, nachdem sie verhört worden waren, in ein Arbeitslager überstellt. Auf Anfragen der Gattin eines Gefangenen hieß es lakonisch, daß dies besser für sie sei.

Von den fünfzehn internierten Männern kamen drei im Arbeitslager um, drei wurden nach zehn Monaten entlassen, und neun Männer wurden mit einem für politische und jüdische Gefangene bestimmten Güterzug ins Konzentrationslager Oranienburg verfrachtet.

Dort starben in den ersten vier Monaten drei Männer. Sie starben an Typhus, Unterernährung und durch den Strang.

Weitere vier Männer wurden einige Monate später wegen ihres rosa Winkels erschossen. Zwei Männer überlebten.

Alle Männer mußten ein Geständnis unterschreiben, in dem sie zugaben, sich schon in ihrer frühesten Jugend pervertiert zu haben. Einige Männer erklärten in den öffentlich abgehaltenen »Sittlichkeitsprozessen«, daß sie eine besondere Gefährdung der nationalsozialistischen

Volksgemeinschaft wären und forderten, sterilisiert zu werden.

Bei fünf der fünfundzwanzig Männer lebte zum Zeitpunkt der Verhaftung die Mutter noch. Sechs Männer besaßen beide Elternteile, vier nur den Vater. Zehn Männer hatten vor der Verhaftung beide Elternteile verloren. Allen Eltern wurde eine Woche nach dem Tod ihrer Söhne ein Brief zugeschickt, in dem der Lagerkommandant die Familie über ihren erlittenen Verlust informierte und als Todesursache eine Insuffizienz des Herzmuskels angegeben wurde.

Vier der zehn Frauen, deren Männer wegen asozialer Umtriebe verhaftet worden waren, ließen sich scheiden. Die anderen hielten in der ersten Phase der Internierung die Verbindung mit ihren Gatten aufrecht.

Von den zehn mit homo- oder bisexuellen Männern verheirateten Frauen blieben fünf mit Kindern zurück. Drei Kinder wurden zur Adoption freigegeben. Die Kinder, die zwischen ein und fünf Jahre alt waren, erhielten den Namen der Adoptivfamilie. Der Mutter wurde zur besseren Integration des Kindes verboten, die neue Familie zu besuchen.

Nur zwei Kinder, der sechzehnjährige Sohn eines Arztes, der vom Scharführer zum einfachen Hitlerjungen degradiert worden war, und die zwölfjährige Tochter eines Beamten, wandten sich gegen ihre Väter und weigerten sich, mit ihnen zu sprechen.

Bei fast allen Männern erfuhren die Arbeitskollegen, Bekannten und Nachbarn den Grund der Verhaftung. Nur fünf Personen, die Jugendfreundin des Verlegers, ein alleinstehender Witwer und Nachbar eines Krankenpflegers, die Bekannte des Geschäftsbesitzers, ein Pastor und eine Kollegin des Buchhalters, versuchten, den Männern oder ihren Familienmitgliedern helfend beizustehen.

Eine dieser Personen war Fräulein Barbara Dahl. Acht Monate nachdem sie den ersten Preis im Nähwettbewerb gewonnen hatte, wurde sie kurz vor der Mittagspause in das Privatgebäude neben der Fabrik bestellt. Da sie erst zweimal das Haus des Direktors und seiner Frau betreten hatte, wunderte sie sich sehr. Schnell räumte sie ihren Tisch auf, kämmte sich mit einer fahrigen Handbewegung das Haar, steckte die Bluse in den Rock, dann machte sie sich beklommenen Herzens auf den Weg.

Nachdem der Direktor sie kurz gemustert hatte und sich wieder einmal in der Beobachtung bestätigt sah, die er schon vor Jahren als Student gemacht hatte, daß die Bildung den Frauen nicht bekommt, sagte er der eingeschüchtert dastehenden jungen Frau, daß er schon viel von ihrer Tüchtigkeit gehört habe und sie trotz ihrer Jugend zur Hauptbuchhalterin der Firma ernenne.

»Ach«, sagte Fräulein Dahl, der das Glück die Sprache verschlug, und hielt sich kurz am Stuhl fest. Sie wußte noch nichts von der Entlassung ihres Kollegen. Sie war zu aufgeregt, um klar zu denken und den logischen Schluß aus ihrer Beförderung zu ziehen, und sollte erst vom Wachmann, der sie ins Haus des Chefs begleitet hatte und nun im Obstgarten unter einem Birnbaum auf sie wartete, erfahren, daß dem gewissenhaften und zuvorkommenden Herrn Mehler, dem sie noch vor einigen Tagen unterstanden hatte, fristlos gekündigt worden war.

Drei Wochen später besuchte Fräulein Dahl, weil sie Mitleid mit der Frau und ihren zwei Kindern hatte und weil sie der Fall interessierte, die Familie Mehler. Als ihr geübtes Auge den verwahrlosten Zustand sah, in dem sich die Kleider der Kinder und der Frau befanden, die sich mittlerweile von ihrem Mann getrennt hatte, flammte Fräulein Dahls Leidenschaft von neuem auf.

Da sie die Frau nicht irritieren wollte, die augenscheinlich zu stolz war, eine finanzielle Unterstützung anzunehmen, fragte Fräulein Dahl, ob nicht alte Kinderkleider vorhanden seien, die man umarbeiten könne, und erhielt nach einigem Suchen zwei verwaschene und zu klein gewordene Spielanzüge des jüngsten Sohnes, die die Frau in den Küchenschrank gelegt hatte, um sie zu Putzlappen zurechtzuschneiden. Frau Mehler war nicht auf das Frauenmagazin abonniert, das Fräulein Dahl den ersten Preis verliehen hatte, und wollte, da sie nichts von den Nähkünsten der Kollegin ihres Mannes wußte, kein Risiko eingehen; sie hatte darum die besseren, wenn auch zu kleinen Kleidungsstücke vorsichtshalber im Schrank gelassen.

Wie überrascht war sie, als Fräulein Dahl einige Tage später mit einem neu erscheinenden Spielanzug zurückkehrte. Begeistert fragte sie die junge Frau aus.

Schon bald trafen sich beiden Frauen regelmäßig bei Frau Mehler oder in einer Konditorei, die für ihre Cremetorten bekannt war, und tauschten, während die Kinder von einer entfernten Cousine gehütet wurden, ihre Gedanken aus.

Obwohl Fräulein Dahl sieben Jahre jünger war, fühlte sie sich für das Schicksal ihrer neuen Freundin verantwortlich. Da die Ersparnisse Herrn Mehlers, der vor über acht Jahren ein Sparkonto in einer Bank eröffnet hatte, auf das er jeden Monat ein Fünftel seines Gehalts einzahlte – er hatte es noch vor der Verhaftung auf den Namen seiner Frau überschrieben –, in der Zwischenzeit beträchtlich geschrumpft waren und auch Fräulein Dahls bescheidene Unterstützung die Unkosten nicht mehr decken konnte, verschaffte Fräulein Dahl ihrer Freundin, die vor der Heirat Sekretärin in einem mittelständischen Betrieb gewesen war, eine Halbtagsstellung in der Großbäckerei.

Nun sahen sich die Freundinnen täglich bei der Arbeit und kamen auch nach Feierabend zusammen. Auf den Rat Frau Mehlers, die es in diesen unsicheren Zeiten nicht für weise hielt, das Glück täglich herauszufordern und sich allabendlich Sorgen machte, wenn die junge Freundin sie verließ, um sich in ihre Wohnung zu begeben, zog Fräulein Dahl in eine zehn Quadratmeter größere Dachwohnung, die zwei Etagen über Frau Mehlers Heim frei wurde, als der Mieter starb, ein alleinstehender Witwer, der Frau Mehler, sehr zu ihrem Verdruß, seine zwei Wellensittiche vermacht hatte.

Dies war die glücklichste Periode im Leben Fräulein Dahls, die sich schon mit dem Gedanken abgefunden hatte, für immer auf Gesellschaft verzichten zu müssen. Dies war auch, weil sie nun endlich nach all den Jahren restlos zufrieden war und ihrer Phantasie und ihrem Talent ungestört freien Lauf ließ – Frau Mehler übernahm die Wirtschaft und die hausfraulichen Pflichten –, die schöpferischste. In ihr schuf sie, was als Höhepunkt ihrer Schneiderinnenkarriere gelten muß: ein von allen gepriesenes schwarzes Schoßkleid, das sie für Frau Mehler aus einem Smoking und einem weißen Hemd ihres ehemaligen Gatten nähte. Frau Mehler sollte es von nun an immer zum sonntäglichen Kaffeeklatsch tragen, während der Mann einige hundert Kilometer weiter mit einem Spaten Löcher in die Erde eines Feldes grub.

Zwei Eheringe (Gold)

Das Ehepaar Recktenwald war seit fünfunddreißig Jahren verheiratet, als Kriminalbeamter Reinhold Mehring ihm bei der Leibesvisitation, die jeder Häftling vor der Überführung in die Schutzhaft über sich ergehen lassen mußte, die goldenen Eheringe abnahm.

Obwohl die Leibesvisitation und die darauffolgende Bestandsaufnahme der persönlichen Habseligkeiten der Häftlinge schon seit über fünf Jahren zu Mehrings Aufgabenbereich zählte und er sich eine Routine angeeignet hatte, die ihm und den Häftlingen half, so schnell und reibungslos wie möglich über diesen unerfreulichen Moment hinwegzukommen, war er diesmal irritiert.

Er begriff nicht, was die Ruhe und Zuversicht zu bedeuten hatten, die das vor ihm stehende Paar ausstrahlte, den für sie doch eigentlich unerfreulich zu nennenden Umständen zum Trotz, auch wußte er nicht, wie er sich ihnen gegenüber verhalten sollte.

In seiner langen Praxis – Mehring zählte im Kommissariat zu den alten Füchsen und wurde von allen wegen seiner Zuverlässigkeit geachtet – hatte er zwei Typen zu unterscheiden gelernt, die er den Sturen und (nach seinem Lieblingsautor) den bleichen Mörder nannte.

Um die sich in seiner Obhut befindlichen Häftlinge schnell und reibungslos abfertigen zu können, hatte er für beide Typen verschiedene Vorgehensweisen erarbeitet. Während Mehrings Kollegen bei dem sturen Typ, der alles mit gleichgültiger Miene über sich ergehen ließ, als handle es sich um das Schicksal eines anderen, das in diesem Zimmer seinen schmerzhaften Lauf nehmen sollte, ihre Autorität zur Geltung brachten, redete er mit kläglicher Stimme auf ihn ein, seufzte wiederholt und tat alles, was seiner Ansicht nach Mitleid mit dem Häftling bekunden konnte; er folgte hierin ganz seiner Eingebung. Mehring tat dies, weil er bemerkt hatte, daß selbst der widerspenstigste Fall dem sich langsam und hinterlistig einschleichenden Selbstmitleid nicht gewachsen war und daß selbst der Sture angesichts eines mitfühlenden Herzens am Ende zusammenbrechen mußte, während die rohe Ausübung der Macht diesen Typus in seiner uneinsichtigen Ablehnung der Tatsachen noch bestärkte.

Wenn aber bei einem Häftling schon im voraus alle äußeren Anzeichen der Einschüchterung zu erkennen waren, der Augenkontakt und die Haltung der Hände verrieten hier viel, schaute Mehring ihn streng an und erstickte die aufkommende Gefühlswallung schon im Keim.

Nichts berührte ihn peinlicher als ein aufgelöster, in seiner Trauer selbstvergessener Mensch. Er konnte den Anblick einer schluchzenden Frau kaum ertragen, und der eines Mannes, der vor ihm seine Haltung verlor, war ihm einfach zuwider.

Mehring blickte auf die feine graue Mine seines Drehbleistiftes und dann auf das Paar, das vor ihm stand, und wartete. Widerwillig mußte er sich eingestehen, daß ihm die Frau und der ältere Mann, die ja, wie aus der vor ihm liegenden Akte zu ersehen war, zu den Volksfeinden zählten, ganz einfach gefielen. Und hätte er sie unter anderen Umständen kennengelernt, auf einer Familienfeier oder am Stammtisch, wäre ihm ohne Zögern das Wort eingefallen, das die ihn jetzt so irritierende Haltung der Eheleute beschreibt.

Doch Kriminalbeamter Mehring konnte in seinem Büro einfach nicht an die menschliche Würde denken, und schon gar nicht an die Würde zweier Schutzhäftlinge. Denn er wußte wie jedes Kind im Reich, daß ein Volksfeind hinterlistig war, frech, feige und ehrlos, ja, daß die Begriffe Volksfeind und Würde niemals in Verbindung gebracht werden konnten, schon gar nicht von einem Kri-

minalbeamten, der mit der Leibesvisitation der Schutzhäftlinge beauftragt war.

Ach was, dachte Mehring, schüttelte energisch den Kopf,
forderte Herrn Recktenwald auf, sich gegenüber auf den
Stuhl zu setzen, und wurde durch die Weise, in der der
alte Mann den Stuhl beseite schob – ein Schieben, das eher
einem Stoß glich, bei dem die Stuhlbeine vom Boden ab-
hoben –, an seine Jugendjahre erinnert, an seinen Vater,
der den Stuhl nach dem Essen mit dem gleichen ungeduldigen Ruck von sich geschoben hatte, damit er, Mehring,
vor ihn treten könne.

Mehring spürte, wie der gleiche Unwille und ohnmäch-
tige Zorn in ihm wach wurde, den er Jahre zuvor immer
dann empfunden hatte, sobald er die weißen und ineinan-
der verschränkten Hände seines Vaters auf dem Küchentisch sah, die für ihn zu Vorboten der kommenden Erniedrigung geworden waren, weil sie, obwohl noch ruhig
auf dem sauberen Tischtuch liegend, in jedem Augenblick zum Sprung ansetzen konnten wie ein beutewit-
terndes Raubtier, um mit einem klatschenden Schlag in
seinem Gesicht zu landen; er haßte sie um so mehr, als es
ihm undenkbar gewesen wäre, sich gegen seinen Vater zu
wehren. Mehring stand auf und ging zum Fenster hinüber.

»Lesen Sie das bitte durch«, sagte er und deutete auf die
Bestandsaufnahme, die über dem zu einem Hügel aufge-
häuften Besitz des Ehepaares Recktenwald lag.

»Wenn alles übereinstimmt, unterschreiben Sie.«

Er blickte auf die gegenüberliegende Häuserfront. Eine
Frau lehnte ihren üppigen Oberkörper weit aus dem Fenster und putzte mit kreisenden Bewegungen das Glas.
Wie ein Gruß, dachte Mehring und sah, während er die
dunkelgrün glänzende Eingangstür des Hauses musterte,
den Vater in der Wolljacke, die er abends über sein Hemd
zog, weil sie angenehmer war als die Weste, die er tags-
über trug, aber ordentlicher als der Morgenmantel, den er
später kurz vor dem Schlafengehen anziehen würde; sah

die weißen Manschetten, die unter der vom vielen Waschen filzig gewordenen Jacke hervorlugten, und die geäderten Hände des Vaters. Und es kam ihm mit einem Mal seltsam vor, daß er sich an diese unerheblichen Details erinnern konnte, aber nicht daran, wie er zu dieser Zeit als Jüngling ausgesehen hatte, denn wenn er in Gedanken vor den Vater trat, war dies immer in der Gestalt des Mannes, der er heute nach all den Jahren geworden war.

»Wie bitte?« Mehring drehte sich um und ging auf Frau Recktenwald zu.

»Kann ich nicht?« fragte sie. »Es liegt mir viel daran. Ich hab ihn noch nie abgenommen.«

Mehring blickte in ihr zaghaft lächelndes Gesicht und dann auf ihre Hände. Mit Daumen und Zeigefinger der linken Hand drehte sie den Ring. Eine nervöse Geste, dachte Mehring, die sie nicht mehr bemerkt. Er setzte sich.

»Nein«, sagte er, »das geht leider nicht«, und fügte, als er ihr enttäuschtes Gesicht sah, hinzu, daß es ihm leid täte.

Er verstand die Beweggründe der Frau. Trotzdem konnte solch eine Entscheidung unmöglich von ihm gefällt werden.

»Laß mal.« Der Mann streifte seiner Frau den Ring ab und warf ihn auf den Tisch.

»Begreifen Sie doch …«, sagte Mehring, hielt aber inne, als er die gebückte Körperhaltung des Mannes sah, eine in sich gewölbte Masse Wut.

Es hatte keinen Sinn. Er würde sich nicht verständlich machen können. Sie würden seine Vorgehensweise nicht verstehen. Sie kannten das Amt nicht. Kannten die Regeln des Amtes nicht. Sie wußten nicht, was es bedeutete, diese Arbeit zu verrichten, und daß man keine Ausnahme machen durfte, weil sonst alles, was tausend Jahre halten sollte, was für alle Ewigkeiten hier auch von ihm aufgebaut wurde, wie ein Kartenhaus in sich zusammenfallen würde. Er drückte auf den Klingelknopf.

»Bitte«, sagte er, als der Polizist eintrat, und machte den beiden ein Zeichen zu gehen.

Für den Vormittag hatte er genug. Ungeduldig strich er sich über das Haar und starrte auf die sich hinter dem Paar schließende Tür; sie klinkte mit einer gleitenden Bewegung in das Schloß, die ihn aufbrachte, weil sie etwas Unanständiges hatte, als säße er nicht in einem Amtsraum. Das ist nun der Lohn, dachte Mehring, seufzte, ging zum Waschbecken.

Er wurde nicht oft rot, eigentlich kaum noch, und dann nur, wenn sich ein freudiges Ereignis einstellte. Nun aber spürte er, als er mit der Hand über das Gesicht fuhr, die Hitze. Er kehrte zum Schreibtisch zurück, rückte die Schreibutensilien zurecht, das Tintenfaß, das Löschblatt und den Füllfederhalter, den er zu Weihnachten geschenkt bekommen hatte und der eine Feder aus echtem Silber besaß, die schwingend nachgab, wenn er mit ihr das Blatt berührte. Dann nahm er die Erklärung des Paares Recktenwald. Die verbleibenden Formalitäten würde er nach dem Mittagessen erledigen. Da waren der Verhaftungsgrund, der Verhaftungsort, die Codenummer am Kopf des Formulars und die besonderen Merkmale, die er noch anzugeben hatte. Keine, dachte Mehring, nicht einmal ein Leberfleck, und legte das Formular auf die rechte Seite zu den zu erledigenden Papieren. Er zog seine Weste an, zupfte die Ärmel zurecht und schritt zur Tür. Als er die Klinke schon in der Hand hatte, drehte er sich um und ging zu seinem Schreibtisch zurück.

Man konnte nicht vorsichtig genug sein. Er kannte zwar das ganze Büro, aber die Frau des Wachtmeisters war schwerkrank. Eine langwierige Geschichte. Der arme Mann, dachte Mehring, ich will ihn nicht in Versuchung führen. Er nahm einen Karton, schrieb den Namen des Paares auf ein Stück Papier, das er zuvor in der Mitte durchgeschnitten hatte, und klebte es mit geübten Handgriffen auf den Deckel. Dann nahm er die Bestandsaufnahme, nannte den ersten Gegenstand auf der Liste laut bei seinem Namen, holte ihn aus dem Haufen heraus und legte ihn, das Wort mit einem Bleistift durchstreichend, in die Schachtel. Er arbeitete schnell und konzentriert.

Bei der Damenarmbanduhr, deren Lederband vom langen Tragen schon schwarz geworden war, hielt er inne und fügte, nachdem er prüfend ans Fenster getreten war, hinzu, daß es sich um eine Uhr mit vergoldetem Gehäuse handle.

Zuletzt griff er nach den Ringen. Er hatte sie, obwohl sie ganz oben auf dem Haufen lagen, immer wieder beiseite geschoben. Zwei Eheringe (Gold). Langsam strich er die drei Worte durch. Als er die Ringe in den Karton legen wollte, bemerkte er, daß auf ihrer Innenseite etwas eingraviert war.

Mehring kniff die Augen zusammen und las die geschwungenen Worte, die ihn nachdenklich stimmten. Zögernd legte er die Ringe in den Karton, verschloß ihn mit einem Siegel, fischte aus der Schreibschale ein Gummiband hervor, streifte es über den Karton und schob die Erklärung samt Liste darunter.

Er würde die Liste später gegenzeichnen und auch den Federhalter auffüllen, der kaum noch schrieb. Er öffnete das Fach in seinem Schreibtisch und zog die Zeitung heraus, die er am Morgen nicht zu Ende gelesen hatte, da besonders viele Vorladungen eingetroffen waren. Vor allen Dingen die tragische Geschichte der Schauspielerin interessierte ihn, er hatte sie sich absichtlich bis zum Schluß aufgehoben. Mehring rollte die Zeitung zu einer Röhre zusammen, schlug mit ihr ein paarmal aufmunternd auf den Tisch und ging in sein Stammlokal. Langsam stellte sich auch der Hunger ein.

Nachdem er zwei Stammgäste begrüßt und einige Worte mit der Kellnerin gewechselt hatte, bestellte er das Tagesgericht und ein kleines Bier. Während er auf sein Essen wartete, schlug er den Kulturteil auf.

»Ach ja«, sagte Mehring und lächelte die Kellnerin an, als sie das Bier auf den runden Kartondeckel stellte, »so ein Bier ist doch was Schönes.«

Und dann mußte er wieder daran denken: an die Ringe, zwei Eheringe aus Gold, die nun vom Reich in Gewahrsam genommen wurden, und auch an das Paar Recktenwald, das er fachgemäß weitergeleitet hatte und das nun abgeführt wurde, und an den Mann, und an seine Eltern, die sich damals wohl dasselbe in ihre Ringe hatten gravieren lassen, dasselbe oder etwas Ähnliches, weil die Generation seiner Eltern an solche nun befremdlich klingenden und ganz und gar ihren Zweck verfehlenden Worte noch geglaubt hatte.

Ach ja, dachte er, und dann kam das Essen.

Eine grundsätzlich falsche Einstellung
(Die Puderdose)

In der Berliner Rechts- und Gerichtszeitschrift vom 27. Februar wird ein Urteil des Berliner Landgerichts vom 19. Januar 1937 bekanntgegeben, das den Kauf einer versilberten Puderdose in einem jüdischen Geschäft als Eheverfehlung erklärte.

Die Ehe der betreffenden Parteien, Dieter und Vicki Walter, die noch sehr jung waren, nur fünf Monate zusammengelebt und einander auch vorher nicht lange gekannt hatten, wurde durch beiderseitige Schuld als zerrüttet angesehen. Das Gericht bemerkte, daß die grundsätzlich falsche Einstellung der Beklagten zum Kläger sich in dem Kauf einer Puderdose in einem jüdischen Geschäft offenbart habe.

Vicki Walter hätte wissen müssen, daß ihr Mann mit dem Kauf nicht einverstanden sein konnte, weil ihm diese Handlung als Parteigenosse und Ortsgruppenleiter Schwierigkeiten bereiten würde; der Kauf wäre weder mit seinem Lebenswandel noch mit seiner Weltanschauung in Einklang zu bringen.

Ganz spontan, gab Frau Walter an, sei sie in das Geschäft getreten. (Es handelte sich um das Warenhaus OB, das seit seiner Gründung im Besitz der jüdischen Familien Oppenheimer und Baum war; ein Sachverhalt, der der Beklagten wegen der Aufklärungsarbeit ihres Gatten bekannt gewesen sein mußte; Herr Walter hatte mit Hilfe zweier anderer Parteigenossen eine Liste aller jüdischen Geschäfte angefertigt, die er an strategisch günstigen Plätzen der Stadt aushängen ließ. Eine dieser Listen befand sich auch vor eben diesem Kaufhaus.)

Sie habe den Kauf nicht mutwillig geplant. Sie sei, so erklarte sie, mit der Einkaufstasche vom Markt gekommen, in der sich Zutaten für das Mittagessen befanden, das noch gekocht werden mußte. Sie wollte Kartoffelsalat machen und hatte der gewohnten Menge Lebensmittel zwei Kilo Kartoffeln und sechs Flaschen Bier hinzugefügt, wodurch die Tasche sehr schwer wurde. Dies zwang sie, mehrmals zu halten und zu verschnaufen. Auch schnitten die Henkel der Tasche in ihre Hand.

»Ich bin nicht absichtlich vor dem Kaufhaus stehengeblieben«, sagte sie, »ich ging so weit ich konnte, aber die Hände taten mir weh.«

Die Puderdose, sagte sie, sei ihr aufgefallen, als sie kurz um sich blickte.

»Ich kann ja nicht den ganzen Tag auf den Boden starren, nur weil hier alles voll von jüdischen Waren ist«, gab sie auf die Frage ihres Gatten an, warum sie gerade in die Auslage dieses Geschäftes geschaut habe.

Die Puderdose befand sich im Schaufenster des Kaufhauses. Frau Walter habe die betreffende Puderdose sofort gesehen. Sie habe sich schon immer solch eine Dose gewünscht, was ihr Gatte wußte. Sie habe den Wunsch, eine solche Dose zu besitzen, mehrmals geäußert, das letzte Mal an ihrem Geburtstag, was ihr Gatte aber ignoriert habe. Er habe ihr weder die Dose noch etwas anderes geschenkt.

Sie habe sich dann gedacht, daß es ihr gutes Recht sei, sich die Puderdose, die ihr auf Anhieb gefiel, selbst zu schenken, und sei unverzüglich ins Warenhaus getreten.

Auf die Frage, womit sie diesen Kauf zu bewerkstelligen gedachte, antwortete sie, daß sie dazu den Restbetrag des Haushaltsgeldes genutzt habe, den sie durch wirtschaftliches Haushalten innerhalb der letzten zwei Wochen zusammengespart habe, und daß es ihr auch als Belohnung für ihre Sparsamkeit zukomme.

»Das Haushaltsgeld gehört mir«, sagte sie, »ich bin die Hausfrau«, und verärgerte damit ihren Mann, der der

Ansicht war, daß sie ihm das überschüssige Geld von Rechts wegen zurückzugeben hätte.

»Wir hätten ja gemeinsam beschließen können, was damit geschehen soll«, meinte er.

Der Kläger gab an, daß ihn die Bemerkung: »Das ist mein Geld, nicht deins«, besonders verbittert habe.

»Sie hat sich mir gegenüber nichts herauszunehmen, wo sie doch weder für meine politische Tätigkeit Interesse aufbringt, noch sich Gedanken über die Folgen ihrer Handlung macht. Damit war dann das Maß für mich voll«, sagte er.

Auf die Frage, warum sie denn so eilig aus dem Warenhaus hinausgegangen sei, antwortete die Beklagte, daß sie das Kaufhaus keinesfalls, wie ihr Gatte glaube, aus Schuldbewußtsein schnell verlassen habe; sie habe, als sie auf die Uhr über dem Ausgang des Kaufhauses blickte, erschrocken festgestellt, daß schon eine halbe Stunde vergangen sei, und sich daher gesagt, daß sie sich sputen müsse, weil sie das Mittagessen noch nicht gekocht hatte.

»Der hätte ein Gesicht gemacht«, sagte sie, auf Herrn Walter deutend, »wenn er sein Essen nicht pünktlich um eins auf dem Tisch gehabt hätte«, und versetzte damit den Saal in Heiterkeit.

»Das kann so einfach nicht sein«, erwiderte der Kläger. Wenn sie sich ihrer Schuld nicht bewußt gewesen wäre, hätte sie ihm doch die Puderdose, auf deren Kauf sie so stolz war, gezeigt oder ihm wenigstens vom Kauf erzählt.

Frau Walter antwortete, daß sie ihm nicht davon erzählt habe, weil sie gewußt habe, er würde das Haushaltsgeld zurückverlangen, um damit seine politischen Tätigkeiten zu finanzieren, obwohl es sich um ihre Ersparnisse handelte. Ihr sei auch zu Hause nicht eingefallen, daß das Kaufhaus, das sie betreten hatte, jüdisch sei und daß sie im Besitz einer jüdischen Puderdose sei.

Herr Walter gab an, seines Erachtens bestehe genau darin ihre Verfehlung.

»Sie ist die Frau eines Ortsgruppenleiters«, sagte er aufgebracht. »Ich habe mit zwei Kameraden mindestens vier Abende in unserer Küche damit verbracht, eine Liste der jüdischen Geschäfte anzufertigen.«

»Ich durfte die Küche doch nie betreten.«

Sie hätte ja vom Wohnzimmer aus zuhören können, erwiderte der Mann. Sie hätte sich das nötige Wissen außerdem später jederzeit aneignen können, da die Liste und anderes Material auf dem Wohnzimmertisch, also auch für sie erreichbar, gelegen habe.

»Ich habe keine Zeit zu lesen, ich muß Kartoffelsalat machen«, sagte die Frau und erheiterte damit erneut den Saal.

Er solle doch einmal sagen, woher er das alles so genau wisse, forderte die Beklagte den Kläger auf und äußerte die Vermutung, bespitzelt worden zu sein.

Er habe zufällig von dem Kauf der Puderdose erfahren.

»Sie«, sagte Herr Walter und deutete auf seine Frau, »wurde von einem Wachposten gesehen, der vor dem Kaufhaus stand, um arische Käufer davon abzuhalten, ins Geschäft zu gehen.«

Der Wachposten war gerade auf dem Weg in die Mittagspause, drehte sich aber grundlos noch einmal um und sah die Angeklagte ins Geschäft treten. Die Angeklagte, so der Kläger, habe sich den Zeitpunkt gut ausgewählt. Sie habe jedoch nicht mit der Wachsamkeit des Postens gerechnet und sei somit trotz der von ihr getroffenen Vorkehrungen auf frischer Tat ertappt worden.

Der Posten, der Herrn Walter sehr ergeben sei, habe es als Ehrensache angesehen, auf seine Mittagspause zu verzichten und vor dem Kaufhaus stehenzubleiben, um alles genau verfolgen zu können. Die Angeklagte sei nach zwanzig Minuten wieder herausgekommen: zufrieden lächelnd und mit einer Tüte mit dem Warenzeichen OB. Frau Walter sei dann direkt in ihre gemeinsame Wohnung gegangen, wobei sie die Tüte während des ganzen Nachhauseweges deutlich in der Hand gehalten habe.

»Dies«, sagte Herr Walter, »hat mich besonders erschüttert. Sie hat es nicht einmal für nötig gehalten, die Tüte diskret in die Einkaufstasche zu stecken. Jeder Nachbar hat sehen können, wo die Frau eines Ortsgruppenleiters ihre Vormittage verbringt.«

Jeder, fügte er hinzu, kenne das Zeichen, das auf der Tüte mit roten Buchstaben aufgedruckt sei.

»Sie hat sich schon lange über meine politische Tätigkeit lustig gemacht«, sagte der Kläger, der seiner Frau keinen Glauben schenken wollte, als sie ihn fragte, ob ihr unbefangenes Verhalten ihn nicht von ihrer Unschuld überzeuge.

»Sie wurde von einer Freundin gegen mich aufgehetzt.« Der Kläger nannte den Namen einer Nachbarin, die einen Stock tiefer im gleichen Haus wohnte. Diese habe auch, als sie die Hilfeschreie der Frau vernahm, die Polizei verständigt, die nach einer dreiviertel Stunde eintraf.

Herr Walter sagte, er habe nach der Versammlung von dem Kauf erfahren. Der Posten sei aus Rücksicht auf seine Stellung später, nachdem die Mitglieder gegangen waren, auf ihn zugetreten und habe damit mehr Mitgefühl und Feinsinn bewiesen als seine eigene Frau.

Frau Walter habe, unverzüglich von ihm ausgefragt, zuerst abgestritten und habe ihn dann, als er ihr sagte, daß sie beim Kauf beobachtet worden sei, einen dreckigen Schnüffler genannt.

Auch nach mehreren Warnungen habe sie sich nicht bereit erklärt, den Gegenstand, den sie im Kaufhaus OB erstanden hatte, auszuhändigen.

»Ich mußte die Wohnung durchsuchen.«

Er habe, nachdem er kurz die Küche und das Wohnzimmer gemustert hatte, ihren Kleiderschrank in Angriff genommen und nach wenigen Sekunden im Wäschefach eine Puderdose entdeckt, deren Herkunft sie ihm nicht erklären konnte und die er noch nie zuvor gesehen hatte. Weil ihm auch ihr Aufbewahrungsort mehr als fragwürdig erschienen sei, habe er sie beiseite gelegt.

Nur nach der Auseinandersetzung, die sich um die Dose

entspann, habe er sie geschlagen. Er habe sie einmal, vielleicht auch zweimal, aber auf keinen Fall öfter, hart ins Gesicht geschlagen. Er habe dies nicht in wilder Wut, sondern als Züchtigung getan. Sie habe ihn am Arm gepackt und die Dose zurückverlangt.

»Sie hat die Dose gewollt und nur von der Dose gesprochen und gar nicht gehört, was ich ihr gesagt habe«, erwiderte Herr Walter, als seine Frau dem Saal die Stellen im Gesicht zeigte, wo die Blutergüsse gewesen waren, und er fügte hinzu: »Sie fing an zu schreien, gib mir meine Puderdose zurück, gib mir meine Puderdose zurück, da mußte ich sie doch schlagen.«

Sie habe, so Herr Walter, auch hierbei wenig Feingefühl bewiesen, weil die Nachbarn durch das Geschrei auf sie aufmerksam wurden.

Er habe dann sofort die Scheidung eingereicht. Sie habe sich, so der Kläger, nachdem die Polizei die Wohnung verlassen hatte, geweigert, auch nur zehn Minuten mit ihm unter einem Dach zu bleiben, und sei zu ihrer Mutter gegangen. Sie habe am folgenden Tag ihre Mutter zu ihm geschickt, die ihn gebeten hätte, sich mit der Tochter wieder zu versöhnen. Er habe ihr gesagt, daß er einverstanden sei, es noch einmal zu versuchen. Er habe seiner Gattin die Rückkehr so leicht wie möglich gemacht, sei sogar bereit gewesen, den Vorfall zu vergessen.

Sie sei dann am folgenden Tag zurückgekommen, habe sich aber weiterhin geweigert, mit ihm zu sprechen. Sie hätten eine Woche so zusammen gelebt, und er sei so oft wie möglich zur Partei gegangen, da er die drückende Atmosphäre nicht ertragen habe.

»Nach einer Woche hat sie dann endlich den Mund aufgemacht. Ich war sehr aufgeregt, weil wir gerade an dem Abend eine Arbeit beendet hatten, an der wir seit zwei Wochen gesessen hatten.«

Es handelte sich um hundert Aufrufe, die er mit einem anderen Parteigenossen, einem Lehrer, verfaßt hatte und die nun im ganzen Reich gelesen werden sollten.

»Wir haben uns nach dem Abendbrot gemeinsam ins Wohnzimmer gesetzt. Ich habe eine Kerze angezündet und ihr den Text vorgelesen. Sie hat teilnahmslos zugehört und immerzu mit den Fransen der Tischdecke gespielt, was ich zu übersehen versuchte. Als ich den letzten Abschnitt vorlas, hat sie gelächelt. Ich habe sie gefragt, was sie daran so komisch findet, und ihr verboten zu lächeln, worauf sie sich, wie ein verstocktes Kind, den Mund zuhielt und in dieser Position zuhörte, ohne sich zu bewegen.«

Er habe sich nicht provozieren lassen wollen und zu Ende gelesen, ohne sich seine Verstimmung anmerken zu lassen. Dann habe er sie gefragt, ob sie sich dazu äußern wolle.

»Was glauben Sie wohl, was sie gesagt hat, als ich sie fragte, was sie von dem Text halte?«

Sie habe, so der Kläger, gefragt, wo ihre Puderdose sei.

»Das war ihr einziger Kommentar. Ich habe dann verstanden, daß zwischen uns nichts mehr zu machen war.«

Herr Walter gab an, daß er nicht mehr wütend auf seine Frau sei und daß er ihr Verhalten ihrer Jugend zurechne.

»Vicki ist an und für sich kein schlechter Mensch«, sagte er und wünschte ihr, nachdem die Begründung des Urteils vorgelesen worden war, das die grundsätzlich falsche Einstellung der Gattin hervorhob, die nötige Reife, sich bald zu ändern.

50 Kilo Zahngold

1.

Mein Name ist Ernst Fuchs. Ich kam 1908 in einem ver-
schlafenen Städtchen an der polnischen Grenze zur Welt,
das einen schönen gotischen Kirchturm und einen Markt-
platz besaß, auf dem zweimal wöchentlich die Bauern der
Umgebung ihre Waren feilboten, und ein Gasthaus, in
dem sich die bessere Gesellschaft am Sonntag zum Früh-
schoppen traf, um dort allerlei zu besprechen.

Mein Vater hatte einen Krämerladen, in dem er von Rosinen, Schnaps und geräuchertem Fisch bis zum Nähgarn
fast alles führte, was in unserer Stadt gebraucht wurde.

Auf dem Ladentisch lagen große Kataloge, die wir zweimal im Jahr erhielten und in denen abgebildet war, was
man per Post inklusive Porto bestellen konnte. Suchte
man etwas ganz Spezielles – ein Geschenk für eine Taufe
oder eine Hochzeit –, kam man zu meinem Vater, blät-
terte in den Broschüren und ließ sich von ihm beraten.

Mein Vater war der Verbindungsmann zur großen
Welt. Er liebte es, auf dem laufenden zu sein, und fuhr
deshalb öfter als nötig nach Danzig oder Berlin, und wir
hörten ihm voller Aufregung zu, wenn er uns nach solch
einer Reise am Abend vor dem Schlafengehen seine Geschichten erzählte, die uns phantastischer vorkamen als
die Hausmärchen der Brüder Grimm, weil in ihnen elektrische Teekessel, Straßenbahnen und allerlei Automaten
auftauchten. Wir konnten seine Rückkehr auch deshalb
kaum erwarten, weil er uns ein Geschenk mitbrachte.

Meine Mutter half selten im Geschäft aus. Sie war von
Natur aus nicht sehr robust, die vier Schwangerschaften
– ein Jahr nach meiner Geburt hatte sie ein totes Kind zur
Welt gebracht – hatten sie körperlich sehr mitgenommen,

und ich vermute, daß sie die Totgeburt auch seelisch nie verwunden hat.

Obwohl mein Vater meine Mutter vergötterte, so sah es jedenfalls aus unserer kindlichen Perspektive aus, wollte er sie nicht bei sich im Geschäft haben und sonderte sich auch sonst von uns ab, sobald er dazu Gelegenheit hatte.

Ich glaube, daß mein Vater nur aus diesem Grund am Wochenende angeln ging, denn Fisch aß er nicht gern. Als ich noch kurze Hosen trug, nahm er mich einige Male mit, ließ es dann aber sein, weil ich nicht stillhalten konnte – welches Kind kann das schon.

An die Geburt meiner zwei Schwestern – Katharina, die zwei Jahre jünger war, und Charlotte, Otta genannt, die ihr ein Jahr später folgte – habe ich so gut wie keine Erinnerung. Aus einem mir heute nicht mehr nachvollziehbaren Grund ist jedoch die Geburt Käthes mit dem Bild einer rotlackierten Spielzeuglokomotive verbunden, die dröhnend ihre Kreise drehte, und einer kleinen, eisernen Schranke, die ich aufgeregt hochhob, sobald die Lok sich näherte. Ob ich sie zur Geburt meiner Schwester, dieses kleinen, zerknautschten Kätzchens, das plötzlich in einer Wiege in mein Zimmer gebracht wurde, als eine Art Schmerzensgeld erhielt oder ob ich sie in einer der Broschüren meines Vaters abgebildet sah und sie mir wünschte, wohl merkend, daß meine Eltern im Moment verhandlungsbereiter waren als gewöhnlich, kann ich mit Gewißheit nicht mehr sagen. Es spielt wohl auch keine große Rolle.

Als ich ungefähr vier Jahre alt war, nahmen meine Eltern eine Hilfe ins Haus. Sie hatte braunes Haar, das sie zu zwei dicken Zöpfen flocht und über den Ohren zu Schnecken aufsteckte. Ich liebte sie. Sie kochte, machte sauber und paßte manchmal, wenn sich meine Mutter in ihr Schlafzimmer zurückzog oder mit Freundinnen Tee trank, auf uns Kinder auf. Von ihr habe ich das Arsenal von Feen, Riesen und Hexen geerbt, aus dem ich auch heute noch schöpfe, wenn ich auf der Bettkante meines Patenkindes sitze.

Unser Hausmädchen, das ich bei seinem Nachnamen nannte, kam aus sehr einfachen Verhältnissen: ihre Mutter und Großmutter waren Mägde, und sie wäre es wohl auch geworden, hätte sie nicht das Glück gehabt, von meinem Vater eines Tages angestellt zu werden, um dann unsere Jugend zu verzaubern.

Jeden Freitag buk sie uns einen Orangenkuchen und vermittelte uns so, ohne daß sie in der Lage gewesen wäre, sich darüber Rechenschaft abzulegen, einen Sinn für die Zeit. Der Kuchen leitete nicht nur das Wochenende ein, er schuf es geradezu, denn ohne diese dunkelbraune Masse hätten wir nie etwas von der Wichtigkeit, ja, ich wage zu sagen, von dem Vorhandensein eines heiligen Tages gewußt.

Ich sollte später noch oft die Gelegenheit bekommen, Orangenkuchen zu essen – er zählt zu den wenigen kulinarischen Spezialitäten der Stadt, in der ich heute meinen Wohnsitz habe –, aber nie mehr, selbst im Ausland nicht, habe ich einen von dieser Sorte genossen: nach Sonne duftend, locker, so leicht, daß er schon in der Hand zerbröselte, der Boden ein wenig feucht von der flüssigen, noch warmen Butter und dem Saft der Orangen und bestreut mit einer Mischung aus Mandelsplittern und Puderzucker, die wie der Schnee der ersten Wintertage aussah und bei uns Kindern einen kurzen, aber köstlichen Husten auslöste, der eine Art wöchentlicher Familienbrauch wurde, weil jeder das ihm zugeteilte Stück hastig verschlang, um ein zweites zu ergattern.

Zweimal jährlich wurden wir Kinder zurechtgemacht und zum Photographen geschickt. Diese Sitzungen, die Ewigkeiten dauerten, während derer man sich nicht bewegen durfte und mit allerlei kindischen und der Situation nicht angepaßten Bemerkungen zum Lachen gebracht wurde, was man dann eher aus Mitleid und Ungeduld als aus wirklicher Lust tat: sie waren eine Tortur.

Tags zuvor ging ich zum Friseur, oder genauer: Ich wurde von meinem Vater zum Friseur gezerrt, denn ich haßte und fürchtete ihn, weil er sich einen Spaß daraus machte, mir zu sagen, er würde mir mit dem Haar auch die Ohren abschneiden, wenn ich nicht still säße.

Meine Schwestern bekamen die Haare vom Dienstmädchen geschnitten, das den beiden ohne viel Aufwand zwei feste Zöpfe flocht und sie dann mit einem Ruck um einige erhebliche Zentimeter verkürzte. Bei langem Haar wird der Sorgfalt des Schnittes keine allzugroße Bedeutung beigemessen.

Ich glaube, daß ich in diesen Augenblicken – denn ich war sonst eigentlich ganz glücklich, so zu sein, wie ich war – meine beiden Schwestern um ihr Mädchentum beneidete. Obwohl ich schon sehr bald verstand, daß sich der Friseur einen dummen Scherz mit mir erlaubte, konnte ich doch bis in späte Jugendjahre das Unbehagen nicht unterdrücken, das sich meiner bemächtigte, sobald ich eine Schere sah.

Von den vielen Photographien, die vor immer wechselnden Kulissen von uns gemacht wurden – sie könnten einem Historiker, würde er sie nur heranziehen, weitaus mehr über den Geschmack, die Ängste und Träume unserer Epoche sagen als die albernen Statistiken, die heute so in Mode gekommen sind und einem weismachen wollen, daß Zahlen imstande wären, unsere Realität zu beschreiben –, sind natürlich keine erhalten geblieben. Ich weiß nicht, wer sie an sich nahm, als man die Meinen eines Nachts aus dem Haus trieb. Ich erlaube mir aber zu hoffen, daß ich meinen Vater, meine Mutter und meine etwas unbeholfen lächelnden Schwestern irgendwann einmal ganz unerwartet bei einem sonntäglichen Spaziergang auf einem Flohmarkt wiederfinden werde, zwischen allerlei verwaisten Tassen ohne Henkel, kopflosen Puppen und sonstigen alten und wertlosen Sachen. Für wen, außer für mich, könnten sie schon etwas bedeuten.

An ein Bild erinnere ich mich besonders genau, weil es eins der wenigen war, an denen ich meine Freude hatte. Ich stehe in einem sommerlichen Matrosenanzug mit kurzen Hosen vor einem tropischen Hintergrund, auf dem eine Palme, einige Sträucher und ein strahlender Himmel abgebildet sind. Ich bin gerade sechs geworden, und dies ist mein offizielles Geburtstagsbild. In meiner linken, leicht angewinkelten Hand halte ich einen Hut, in meiner rechten einen Spazierstock oder eine Reitpeitsche. Diesmal muß ich nicht lächeln, sondern darf ernst und wichtig schauen. Ich blicke in das schwarze Loch des Objektivs und stelle mir vor, ein Plantagenbesitzer in Amerika zu sein. Wir hatten damals gerade einen Brief vom Bruder meines Vaters erhalten, der Anfang des Jahrhunderts nach Amerika ausgewandert war, und meine Eltern pflegten das Schicksal dieses Onkels, der zu einigem Reichtum gekommen war, oft bei Tisch zu besprechen.

Mein Onkel hatte sein Geld nicht, wie ich es mir in meiner regen Knabenphantasie vorstellte, mit dem Anbau von Zuckerrohr, sondern mit einer florierenden Kette von Schnellreinigungen gemacht. Er war der Erfinder eines komplizierten, später vereinfachten chemischen Verfahrens, mit dessen Hilfe man in nur einer Stunde selbst hartnäckigste Flecken aus Kleidungsstücken entfernen konnte, ohne daß es nötig gewesen wäre, sie mit Wasser und Seife zu waschen.

Heute hat jeder etwas von Trockenreinigung gehört, aber als sie von meinem Onkel eingeführt wurde, erzielte sie den zu erwartenden Effekt.

Mein Onkel schickte uns eine glänzende Postkarte, die er zu Werbezwecken angefertigt hatte und auf der er vor einer Reihe adrett uniformierter Angestellter abgebildet war. Obwohl die Komposition des Bildes etwas unglücklich geraten war, muß doch lobend erwähnt werden, daß mein Onkel es verstanden hatte, ein altes Vorurteil verkaufsfördernd auszuwerten. Denn der Spruch, der in Form einer Girlande die obere Hälfte der Karte schmückte: *Was ist denn das? The death to dust!*, spielte ohne Zweifel ganz bewußt auf den irrigen Glauben an, daß wir Deutschen sauberkeitsliebender als andere Völker wären.

Über meine Schulzeit gibt es nicht viel zu berichten. Ich besuchte die Volksschule und nach einigen ereignislosen Jahren das Gymnasium. Es lag mehrere Kilometer von unserem Haus entfernt in einem Provinzstädtchen; mein Vater fuhr mich tagtäglich hin.

Was haben mich diese Fahrten in Verlegenheit gebracht. Meine ganze Jugend über waren sie eine unerschöpfliche Quelle mir damals unlösbar scheinender Probleme.

Ich wollte nicht, daß meine Klassenkameraden sahen, wie mich mein Vater bis ans Schultor begleitete. Die meisten Schüler, die ja in der Stadt wohnten, gingen zu Fuß, und ich wünschte nichts sehnlicher, als – im wahrsten Sinne des Wortes – Mitläufer und nicht Ausnahme zu sein.

Ich habe mehrmals zu hören bekommen, daß Erwachsene Kinder um ihre Phantasie, ihren Mut und ihre Eigenständigkeit beneiden, die sie durch die Zwänge der Gesellschaft verlieren würden. Ich halte diese Auffassung für romantisches Geschwätz.

Wie oft bat mein Patenkind – ein charmantes, wenn auch gewöhnliches Exemplar seiner Gattung – seine Mutter, ihr doch die gleiche Puppe zu kaufen, die auch ihre Freundin besaß. Wie oft ist bei einem Streitgespräch zwischen Mutter und Kind als letzte Geheimwaffe, die dann mit der schweren Artillerie – den großen, kullernden Tränen – aufgefahren wurde, erwähnt worden, daß die X. das auch darf und es daher keinen Grund auf der Welt geben kann, es ihr zu verbieten; und wer kümmert sich da um die Gesetze der Logik, wer um das natürliche Anrecht des Wissens und der Erfahrung? Die Mutter kann noch so darauf bestehen, daß das, was die Tochter verlangt, ungesund ist, gefährlich, irrsinnig oder teuer, sie muß doch nachgeben, denn wenn die Freundin es darf, kann es der Tochter nicht schaden.

Ja, ich glaube wirklich, daß man sich erst mit den Jahren findet, daß man im Laufe eines Menschenlebens nicht nur seine Vorurteile, sondern auch die seiner Eltern, Tanten, Onkel und natürlich auch die seiner Zeit ablegen muß, und es zählt für mich zu den größten und vielleicht schönsten Paradoxien dieser Schöpfung, daß man erst dann anfängt zu begreifen, wer man ist und worauf es im Leben ankommt, wenn man kurz vor dem Tod steht.

Mein Vater ließ sich diese Fahrt nicht nehmen, und weil ich nie gewagt hätte, ihm die Wahrheit zu sagen, die ihn verletzt hätte, verlegte ich mich aufs Lügen. Ich habe damals viele Lügen erfunden: das Wetter, mögliche Unterkühlungen oder Überhitzungen, war mein liebstes Thema.

Ich war ein eher mittelmäßiger Schüler. In meinen Beurteilungen wiederholte sich alljährlich, als eine Art Leitmotiv, derselbe Satz: Ist recht fleißig, aber zu verträumt.

Ich langweilte mich im Deutschunterricht und haßte Latein. Ich konnte die Namen der verschiedenen Speere, Lanzen und Stangen nicht im Gedächtnis behalten, von denen immerzu die Rede war. Ich sah die Notwendigkeit nicht ein.

Unser Lehrer, ein gewisser Herr Schubert – Namen sind oft täuschend, er war kein Romantiker –, gehörte der ernsten Sorte Lateiner an. Er schritt mit seinen Schülern in den sieben Jahren, die für das große Latinum nötig sind, gemächlich durch die Schlachtfelder des Bellum Gallicum, anstatt sich mit einigen schlüpfrigen Gedichten Catulls oder Tibulls zu vergnügen.

Ich erfreute mich bei meinen Mitschülern einiger Sympathie, obwohl sie sicherlich nicht hätten sagen können, worauf dies beruhte. Ich war ein eher unauffälliger Typ, stand mit jedem auf freundschaftlichem Fuß, schloß aber keine wirklich herzlichen Freundschaften und wurde, wenn die zwei Klassenersten vor dem Ballspiel die Spieler zu sich riefen, als Vorletzter in die Mannschaften gewählt.

Zu meinem Glück hatten wir in unserer Klasse einen Jungen, der nicht nur kurzsichtig, sondern auch noch fettleibig war und mir somit all die Schuljahre hindurch die Schmach abnahm, Letzter zu sein.

Ich war nicht unsportlich, bin eigentlich immer ein recht guter Läufer gewesen und hatte auch vor physischem Schmerz keine Angst. Ich konnte für diese Spiele nur einfach keine Begeisterung aufbringen. In meine Gedanken und Träume vertieft, stand ich etwas abseits und erkannte aus dieser Entfernung die ganze Lächerlichkeit, die sich darbietet, wenn man zweiundzwanzig Knaben in fast religiöser Demut und kurzen Hosen einem kleinen Ball nachrennen sieht.

Ja, ich möchte sagen, daß mich diese Stätte des Wissens nicht sonderlich begeisterte, daß ich in meinem Schulaufenthalt eine Pflicht sah, die in den Jugendjahren erfüllt werden muß und von der man, einmal erwachsen geworden, befreit wird. Und es hätte auch bis zu meinem Abitur so bleiben können, hätte die Schulleitung nicht einen neuen Biologielehrer eingestellt. Er weckte meine erste Leidenschaft, die mich all die Jahre hindurch wie ein treuer Freund begleitet hat.

Dieser Biologielehrer war ein religiöser Mensch, der in der Gesetzmäßigkeit und Vielfalt der Schöpfung seinen Glauben an eine höhere Macht bestätigt sah und den daher diese Schöpfung selbst in ihrem kleinsten und banalsten Element begeisterte. Ich habe nie wieder jemanden kennengelernt, der so aufregend und spannend die verschiedenen Möglichkeiten aufzählen konnte, eine Kartoffel zu pflanzen, und der seine jungen Zuhörer ohne jegliche Anstrengung mit sich riß. Er führte uns in vorher nicht gekannte Höhen der Phantasie, und so ergab es sich für mich eigentlich wie von selbst, daß ich mich nach dem Abitur, das ich zu meiner Überraschung besser bestand, als erwartet, der Medizin widmete.

Mittlerweile hatte Katharina geheiratet. Die Sommerferien über waren meine Mutter und Schwestern fiebrig damit beschäftigt gewesen, die Hochzeit vorzubereiten. Ein neuer, größerer Tisch mußte gekauft, das Menü zusammengestellt, die Hochzeitsanzeigen gedruckt und verschickt werden.

Ich erinnere mich noch an den Streit, den die Stoffe und Spitzen auslösten, die bei einem bekannten Berliner Textilhändler für Käthes Kleid bestellt worden waren. Der Fabrikant hatte die Seide »Florentiner Blütenstaub« genannt. Ich kann mich an den Namen noch so genau erinnern, weil ich weder etwas Italienisches an dem Stoff entdecken konnte noch etwas, was mich an Pollen hätte denken lassen. Mit jugendlicher Besserwisserei erklärte ich meinen Schwestern, daß der Staub einer Pflanze nichts anderes sei als kleine Partikelchen männlicher Geschlechtszellen. Meine Schwestern schauten mich mitleidig und wissend an. Wie hätte ich als Vertreter des männlichen Geschlechts auch verstehen können, daß die Wirklichkeit, wenn es auf Gefühle und Impressionen ankommt, keinen interessiert.

Damals tat mir der zukünftige Mann meiner Schwester, der zehn Jahre älter war und bei einer Versicherungsgesellschaft in Danzig arbeitete, herzlich leid.

2.

Wie kann ich beschreiben, was ich empfand, als ich in Berlin eintraf. Die Omnibusse, die roten Lippen der Frauen, die Lichtreklame, die einem wie ein Notruf grelle Namen von Waren entgegenblinkte, alles versetzte mich in Staunen, alles begeisterte mich.

Ich hatte meine Kindheit damit verbracht, von der Großstadt zu träumen, mir auszumalen, was die Geschichten meines Vaters nicht zu sagen vermochten. Doch als ich dann bei einem meiner ausschweifenden Spaziergänge anhielt und um mich blickte und die Bäume sah, die noch in Blüte standen, und die an mir vorbeifahrenden Autos, mußte ich mir eingestehen, daß diese Stadt nicht so war, wie ich sie mir in meiner Kindheit vorgestellt hatte: sie war aufregender, lauter, sie überraschte mich. Das Berlin meiner Einbildung, es glich unverkennbar der Kleinstadt an der polnischen Grenze, in der ich aufgewachsen war, etwas größer vielleicht, schöner, aber doch eine Kleinstadt. Ich hatte nichts anderes gemacht als das, was ich kannte, mit einigen Variationen zu vervielfältigen. Ja, ich stieß plötzlich mit aller Gewalt an die Grenzen meiner Welt, weil das Fremde immer außerhalb der Vorstellung liegt.

Es muß an meiner Jugend gelegen haben, daß die Vergnügungsorte in mir den tiefsten Eindruck hinterließen. Die Cafés. Ich denke auch heute noch mit Wehmut an sie zurück. Sie sind verschwunden.

Natürlich gab es auch in unserem Städtchen Cafés. Aber welch ein Unterschied bestand zwischen den warmen und nach frischem Gebäck duftenden Stuben, in die man nachmittags einkehrte, um Torte zu essen, und diesen großen und lärmenden Häusern.

Während man in den einen die verschiedenen Torten mit ihren feinen Glasuren feierte – denn den Mittelpunkt einer solchen Stube bildete immer die gläserne Anrichte, in der all die Leckerbissen schön ordentlich sortiert zu besichtigen waren –, stellten die Kaffeehäuser in der Stadt nicht ihre Kuchen, sondern die Gäste aus, und wenn überhaupt etwas von dem Kult um den Nachmittagskuchen übriggeblieben war, dann lediglich in Form einer schon leicht verbeulten Schnitte eines gemächlich alt werdenden Apfelstrudels. Aber wen störte das.

Mit meiner mir angeborenen Freundlichkeit und mit dem Taschengeld, das mir mein Vater monatlich schickte, hatte ich es sehr bald schon soweit gebracht, daß mir im Café, das fünf Minuten von meinem Zimmer gelegen war, gleich nach meinem Eintreffen ein Tablett mit einer Tasse Tee, einem kleinen Kännchen Milch, einem Glas Wasser und zwei Butterbroten mit Schinken vorgesetzt wurde, von denen ich später mindestens noch eins bestellte und die ich von ganzem Herzen genoß.

So saß ich dann ungefähr eine Stunde da, las Zeitung und sprach mit einigen anderen Stammgästen oder mit dem Kellner, der gegen elf, wenn die Frühstücksgäste schon gegangen, die Mittagskunden aber noch nicht eingetroffen waren, eine kleine Verschnaufpause einlegte und sich oft zu mir stellte. Danach ging ich entweder nach Hause oder machte einen kurzen Abstecher in die Universität. Wenn mir nichts anderes einfiel, gab es auch die Tageskinos.

Diese Kinos sahen auf den ersten Blick genauso aus wie ihre Artgenossen in jedem beliebigen Städtchen, die ja mit einer Verzögerung von zwei Wochen auch meist das gleiche spielten. Sie hatten Vitrinen mit Photographien, eine Kasse und vor dem Saaleingang einen Wächter, den Platzanweiser; in der Regel handelte es sich um eine Frau in mittlerem Alter, die einem, bevor das Licht endgültig ausging, Rosinen, Nüsse oder Schokolade verkaufte.

Nein, was diese Kinos im wesentlichen von den anderen, den Provinzkinos oder den mit luxuriösem Pomp ausgestatteten Kinos an den Alleen, unterschied, waren nicht irgendwelche architektonischen Einzelheiten, sondern der Ausdruck auf den Gesichtern des Publikums.

Vor diesen Tageskinos habe ich mehr abgehärmte und desillusionierte Gesichter gesehen als in den Wartesälen der Bahnhöfe und Krankenhäuser. Die Menschen, die vormittags ins Kino gingen, taten dies nicht aus Vergnügen, nicht, weil ihnen der Film zusagte – sie wären in jeden beliebigen anderen gegangen –, und man begegnete selten, wie am Wochenende, einem freudig erregten Knaben, der in seiner verschwitzten Faust das wöchentliche Taschengeld an die Kasse trug, um den Lieblingshelden durch die schwarzweiße Prärie reiten zu sehen.

Die Vormittagsvorstellung war den Erwerbslosen reserviert, die sich zu ermäßigtem Preis eine Eintrittskarte kauften, weil sie nichts Besseres zu tun hatten. Sie genossen diesen Zeitvertreib nicht. Sie waren sich ihrer Nutzlosigkeit bewußt. Ich glaube, daß sich in dieser Hinsicht – trotz der großen Fortschritte, die wir heute auf fast allen Gebieten gemacht haben – nicht viel geändert hat und daß man, ohne viel zu wagen, folgende Behauptung aufstellen kann: Will man das Nichtstun genießen, sollte man nicht mittellos sein.

Die Ankunft war nicht so einfach gewesen, wie ich es mir vorgestellt hatte. Zuerst war da der Transport meiner wenigen Habseligkeiten, und dann mußte ich ja auch noch ein möbliertes Zimmer finden. Viele strömten damals nach Berlin. Die Stadt zog nicht nur jugendliche Provinzler wie mich an, sondern auch Polen, Russen und Ostjuden, die hofften, in der Großstadt ihr Glück zu machen. Die Wohnungseigentümer nutzten diesen Umstand aus. Sie waren an kein Gesetz gebunden und verlangten nicht selten unverschämte Preise.

Ich suchte drei Wochen lang. Mit meiner Hoffnung sanken auch meine Ansprüche. Ich sah sogenannte Künstlerateliers in der Größe von Hundehütten, Zimmer, die so feucht waren, daß sich auf der Tapete eine grünlich blühende Flora und Fauna entwickelt hatte, und seltsamerweise viele Kellerräume. Wo waren die luftigen und hellen Brüder dieser dunklen Stiefkinder? Ich sah sie nicht, sah statt dessen die Innereien der Stadt, durchquerte den Dick- und Dünndarm Berlins, das mich mit der Masse anderer Neuankömmlinge aufgesogen hatte.

Am Ende fand ich es. Mein erstes Zimmer. Es wurde von einer respektablen Dame vermietet, die einer rotbäkkigen Frau Holle glich. Ich überstand das Kreuzverhör und zog noch am selben Tag ein. Ich sollte bis kurz nach meinem Studium dort leben, und nicht zu meinem Schaden.

Die Vermieterin, eine Dame mit gestärktem weißen Kragen, war eine altmodische, aber großzügige Person, die keine Kosten scheute, um es der kleinen Familie, für deren Wohl sie die Verantwortung übernommen hatte, so komfortabel wie möglich zu machen. Wir froren nie im Winter, konnten baden, wann wir wollten, es gab den ganzen Tag über warmes Wasser, und auch an der Elektrizität wurde nicht gespart. Einmal wöchentlich wurden unsere Bettwäsche und die Handtücher gewechselt. Wir konnten uns, wenn uns danach zumute war, zu der Hausherrin und ihren zwei Katzen ins Wohnzimmer setzen, und man hätte diesen Ort wohl mit einem bürgerlichen Arkadien vergleichen können, wäre da nicht – wie in allen Paradiesen – dieses eine Verbot gewesen. Wir durften in unseren Zimmern keinen Besuch des anderen Geschlechts empfangen.

Unsere Hausherrin ging kein Risiko ein. Die Wohnung wurde nachts abgeschlossen, und hätten neben mir nicht zwei charmante junge Mädchen gewohnt, eine Studentin und eine Verkäuferin, mit denen ich mich schnell anfreundete und die mich nachts abwechselnd besuchten, dann hätte ich kaum all die wertvollen Erfahrungen sammeln können, die man in der Jugend nicht missen sollte, weil sie für eine gesunde Fortentwicklung aller Sinne überaus wichtig sind.

Ich lebte mich schnell ein, gewöhnte mir das Rauchen an und noch einige andere Laster und begann im Herbst, als sich die ersten Zeichen von Überdruß bei mir bemerkbar machten, die Universität zu besuchen.

3.

Obwohl mir die Materie am Anfang nicht wirklich zusagte – ich hing mit einiger Schwermut meinem Nichtstun nach –, war ich ein gewissenhafter Student, erhielt gute Noten und durfte assistieren. Ich sterilisierte zuerst den Knochenmeißel, die Extraktionszange, den Mundspiegel und all die anderen Instrumente, bei deren Anblick gewisse Patienten zu Unrecht an Folterwerkzeuge denken müssen – rar sind die Zahnärzte, die Gefallen daran finden, hilflose Patienten zu quälen –, hatte aber schon bald soweit das Vertrauen meines Lehrers erworben, daß er mich einfache Kontrollen durchführen ließ.

Ich liebte es, für meinen Professor Zahnbrücken anzufertigen, die er auf das dunkelrote Zahnfleisch der Patienten setzte. Mir gefiel dabei vor allen Dingen die minutiös ausgeführte Detailarbeit, das Anpassen der Farbe und Form des Porzellanzahns.

Nie habe ich Patienten so freudig und erwartungsvoll gesehen wie kurz vor dem Einsetzen des künstlichen Gebisses. Die Qualen waren überstanden, der Zahn zum Stumpf zurechtgeschliffen, andere Zähne gezogen, und nun erreichte der Patient mit dem Öffnen des Mundes den Augenblick, in dem der Arzt ihn aus seiner erniedrigenden Lage befreien würde: gleich würde er nicht mehr aussehen wie ein Greis, gleich konnte er wieder essen, lächeln – jenes Lächeln, das er gewohnt war, breit und strahlend und alle neuen Zähne zeigend.

Ich stand in solchen Momenten hinter meinem Professor, um einen kleinen Ausschnitt des dunklen Rachens zu erhaschen, und etwas von der Dankbarkeit, die den Raum erfüllte, blieb zu Recht auch an mir haften.

Hätte sich der Alltag eines Zahnarztes nur aus solchen Erlebnissen zusammengesetzt, wäre ich mit dem von mir erwählten Beruf vollauf zufrieden gewesen. Aber man mußte auch bohren, ziehen und füllen, und all diese kleinen Handgriffe, die, vom medizinischen Standpunkt aus betrachtet, ein Kinderspiel sind, brachten mich für mehrere Stunden vollkommen aus der Fassung.

Die Beklemmung der Patienten verunsicherte mich. Ich fand die Worte nicht, die sie hätten beruhigen können, wußte nicht, was ich zu tun oder zu sagen hatte, damit sie sich mir ganz und gar anvertrauten. Denn obwohl ich sicher war, daß der Schmerz, den ich ihnen bereiten würde, im Bereich des Erträgbaren lag, konnte ich doch nicht gegen die Wand der Angst ankommen, die sich unüberbrückbar zwischen mir und den Patienten aufrichtete, sobald ich mich über sie beugte, und die sich durch die hochgezogenen Schultern, die um die Lehne verkrampften oder vor der Brust gekreuzten Hände und am unangenehmsten durch den überschüssigen Speichel offenbarte.

Ich war und bin ein Theoretiker, der lieber Artikel über Transplantationen schreibt, als sie durchführt, und bin darum für den Beruf des Zahnarztes vollkommen ungeeignet. Aber ich hatte nun einmal angefangen zu studieren und konnte nicht einfach in der Mitte abbrechen, und so studierte ich weiter, verbrachte einige erfreuliche und interessante Jahre und beendete 1932 mein Studium. Ich sollte, nebenbei bemerkt, nicht viel mit dem Diplom anfangen, ich eröffnete einige Monate später einen antiquarischen Buchhandel.

4.

Um die Ausbildung abschließen zu können, hatte ich, außer das Examen mit Erfolg zu bestehen, drei Zahnbehandlungen durchzuführen. Die zwei Peiniger: Füllungen und Wurzelbehandlung, hatte ich schon hinter mich gebracht. Doch gerade mit meinem Steckenpferd, der Zahnprothese, kam ich nicht vorwärts. Ich fand keinen geeigneten Patienten. Die Menschen, die in die Universität zur Behandlung kamen, schienen ihre alten und meistens schadhaften Zähne dem aus einem neuen und kaum zu beschädigenden Porzellan hergestellten Zahnersatz vorzuziehen. Sie hingen an ihren Zähnen wie ein Kind an seinem zerlumpten, einäugigen Bären, den es um nichts in der Welt gegen die neue Puppe eintauschen will und den die Mutter nur nachts, wenn das Kind schon schläft, unbemerkt und schnell waschen kann, weil das Kind selbst die kürzeste Trennung von dem geliebten Kumpan nicht dulden will.

Aber das war noch nicht alles. Ich studierte ja nicht alleine. Mit mir promovierten einhundert andere Studenten, die wie ich auf der Suche nach dem einen Patienten waren, den sie, einmal gepackt, vor den neidischen Augen der Kommilitonen durch den großen Behandlungssaal zum Stuhl führten und der nicht eher freigelassen wurde, als bis er eine Prothese oder wenigstens eine Brücke angepaßt bekommen hatte, die dann vom Professor begutachtet wurde.

Es hatte sich schon herumgesprochen, daß man in der Universität gerne zog und daß daher Vorsicht geboten war, wenn ein milchgesichtiger Zahnarzt mit weißem Kittel und ernstem Gesicht auf einen zukam.

Was sollte ich machen? Ich hatte keine Tante zur Verfügung, der man den Prämolar hätte zu einem Stumpf schleifen können, keine Schwägerin oder Cousine, die sich, dem Familienfrieden zuliebe, aufgeopfert hätte. Ich war ein alleinstehender Junggeselle, dessen Familie in einem Städtchen an der polnischen Grenze lebte, und mein Bekanntenkreis blieb trotz meiner Kontaktfreudigkeit auf einige Studienfreunde und andere, flüchtige, meist weibliche Bekanntschaften begrenzt. Ich mußte mir etwas einfallen lassen, und da ich mußte, fand ich eine Lösung.

Einer Intuition folgend, ging ich in die Herbert-Gertler-Stiftung. Das war an einem Sonntagnachmittag. Ich wurde nicht sofort empfangen. Die Oberschwester hatte vergessen, meinen Besuch anzukündigen, und so mußte ich, während der Pförtner sie vergebens suchte, in der Eingangshalle warten. Ungeduldig ging ich im Flur spazieren. Als ich schon fast ans Ende des Ganges gelangt war, hörte ich hinter einer massiven Doppeltür Musik. Zögernd machte ich die Tür auf und sah einen grün getünchten Saal. Am hinteren Ende des Saals saßen an einem länglichen Tisch zwanzig Insassen der Stiftung. Sie blickten auf einen Anrichtewagen, auf dem Kuchenteller gestapelt waren. Eine Pflegerin goß Getränke in die Tassen. Sie hatte ein müdes, gelangweiltes Gesicht.

Eine etwa fünfzig Jahre alte Frau mit muskelösem Körper und rot gefärbtem Haar ging tänzelnd durch die leeren Tischreihen und sang Volkslieder, sie hatte eine schöne Stimme. Obwohl sie manchen Alten leutselig auf die Schulter klopfte, wurde ihr keine Aufmerksamkeit geschenkt.

Die Pflegerin teilte den Kuchen aus. Nun wendeten sich auch die letzten zwei Zuhörer von der Sängerin ab und verfolgten gespannt, wie sich der Anrichtewagen leerte. Die Sängerin verstummte und kam achselzuckend auf mich zu. Ich bot ihr eine Zigarette an, und wir schauten rauchend den Insassen beim Essen zu. Ich erinnere mich an diese lehrreiche Szene genau, weil in der gierigen, freudlosen Art, mit der die Alten den Kuchen verschlangen, eine Hoffnungslosigkeit zum Ausdruck kam, die ich nicht nachempfinden konnte.

Nach einer Ewigkeit wurde ich zur diensthabenden Oberschwester gebracht. Sie versprach, meine außergewöhnliche Bitte vorzutragen, und wir gingen in den zweiten Stock. Es gab in der Tat eine rüstige alte Dame von vierundachtzig Jahren, die dringend eine neue Zahnprothese brauchte.

Berta Kurzig war eine äußerst starrsinnige Frau, nicht unsympathisch, aber ermüdend. Sie war der Ansicht, daß einem nichts im Leben geschenkt wird, und empfing mich daher mit Mißtrauen. Sie suchte einen Haken, eine Klausel, die sie übersehen hatte, wartete auf einen Versprecher meinerseits, ein unaufrichtiges Zwinkern in den Augen, das mich verraten würde, und als nach einer Woche nichts kam und ich weiterhin höflich blieb und resolut, schickte sie mir ihre Enkelin vorbei, ein nicht weniger trotzköpfiges junges Fräulein, das mich streng mit grünen Katzenaugen musterte, deren schelmisches Funkeln sie hinter einer großen Hornbrille zu verstecken suchte.

Hätte ich eine andere Patientin gefunden, dann hätte ich Frau Kurzig sicherlich dem Schicksal überlassen; ich war mit meiner Geduld am Ende. Aber ich fand keine andere Patientin, und so brachte ich bei der Enkelin meinen ganzen Charme auf und hatte nach einer schweren Woche die Zustimmung der Enkelin, was das Schicksal des großmütterlichen Mundes betraf, und nach weiteren drei Jahren ihr Jawort.

5

Aber zuerst zogen Klara und ich, obwohl das damals sehr ungewöhnlich war, zusammen. Klara hatte ihre Wohnung aufgeben müssen. Der Besitzer, ein gieriger und auch sonst recht unerfreulicher Mensch, hatte die Miete erhöht. Auch ich wollte nicht länger zur Untermiete wohnen. Wir beschlossen, es auf einen Versuch ankommen zu lassen.

Klaras Onkel, der Opernsänger Werner Kurzig, fand uns eine Dreizimmerwohnung in einem Haus der Jahrhundertwende. Im Parterre war ein Pelzhändler. Den ganzen ersten Stock nahm eine Putzfedernfärberei ein. Dann kamen die Brackmanns, eine freundliche Familie, der Vater war Lehrer, ich spielte öfter Schach mit ihm. Es folgten ein Herr, der Münzen sammelte, und seine kranke Mutter, zwei weitere Mieter, die ich nicht kannte, und zuletzt, unter dem Dach, Klara und ich.

Wir waren gute und ruhige Mieter. Wir grüßten die Hausbewohner, denen wir im Treppenhaus begegneten, trugen diversen erschöpften Hausfrauen die Taschen vor die Tür und beschwerten uns nicht, wenn Brackmanns Tochter die Tonleiter eine Stunde lang in Dur und Moll hinauf und hinunter trottete, weil sie ihr Klavier dafür marterte, daß sie sich mit den Größen der deutschen Tonkunst vertraut machen mußte.

Uns störte nichts, beunruhigte nichts, verärgerte nichts. Wir waren jung, unerfahren und zufrieden. Wir waren die Goldgeneration, Kinder des Glücks. Wir hatten den Krieg nur durch den alles verwischenden Schleier der Kindheit miterlebt, und er beschränkte sich für uns auf das Schwenken von Fahnen, als die Soldaten in die Schlacht zogen, und später, als schon alles verloren war, auf das Erzählen von schlechten Witzen, in denen ein vollkommen verblödeter Jean oder Jacques zum besten gehalten wurde. Selbst die Krüppel, die mit ihren Bauchläden die Straßen Berlins bevölkerten, erschreckten uns nicht, denn wir waren an ihren Anblick gewöhnt. Wir wußten, daß diese Männer im Krieg verstümmelt worden waren, aber sie waren uns keine Warnung.

Wir waren anmaßend genug anzunehmen, daß das Horrorkabinett des Krieges: die Invaliden, der Hunger, die Witwen mit den geschwollenen Augen, alle nun endgültig zur Vernunft gebracht hätte. Wir glaubten an den Fortschritt wie an einen neuen Gott, wir glaubten, daß man aus seinen Fehlern lernen könne und daß wir nun glorreichen Zeiten entgegengingen.

Wir diskutierten begeistert über die Schulung der Arbeiter und die rettende Aufgabe der Kunst, wir verteilten Flugblätter, schrieben Manifeste und sahen die Verrohung nicht, noch die sich langsam in die Herzen schleichende Verbitterung.

Ja, wir waren anmaßend, weil wir uns für unantastbar hielten, weil wir dachten, daß das Glück auf unserer Seite wäre. Und hätte mir damals jemand gesagt, daß mein Leben in weniger als drei Jahren zerstört sein sollte und daß ich alles verlieren würde, was mir am Herzen lag, dann hätte ich ihm ins Gesicht gelacht.

6.

Wir lebten kaum vier Monate zusammen, als ich eines Morgens einen Anruf Ottas erhielt, und an der Art, wie sie mich fragte, ob es mir gutgehe, erriet ich, daß sich etwas Schreckliches ereignet haben mußte.

Mein vor Gesundheit strotzender Vater war nach dem Essen plötzlich zusammengebrochen, während er im Wohnzimmer in einem der Romane las, die er jeden Monat von einem Berliner Verlag bezog. Meine Mutter hatte ihn, als sie mit der Tasse Tee zurückkam, die sie ihm nach der Mittagsmahlzeit aufzubrühen pflegte, in seinem Sessel zusammengesunken vorgefunden und gedacht, daß er eingeschlummert wäre. Doch als sie auf ihn zuging, um ihm das Buch aus der Hand zu nehmen und ihn zuzudecken, weil er immer fröstelte, sah sie, daß seine Augen offen waren.

Zwei Tage später starb mein Vater an den Folgen des Schlaganfalls. Er hatte das Bewußtsein nicht mehr erlangt.

Charlotte kümmerte sich um alles. Sie rief Katharina und mich herbei, bestellte den Sarg, setzte die Todesanzeige auf – ich hatte es nicht fertiggebracht, einen anständigen Text zu verfassen – und betreute meine Mutter, die an Otta hing wie ein kleines Kind und sich von ihr waschen, anziehen und füttern ließ, ohne Widerstand zu leisten.

Wir waren gleich nach dem Anruf gefahren. Der Zug war überfüllt, und wir mußten uns neben eine Gruppe junger Männer setzen, die einander ihre Abenteuer mit einer gewissen Elisabeth erzählten. Klara schaute mich die ganze Fahrt über ängstlich an. Sie muß an meinem Gesicht und an meiner Haltung gemerkt haben, daß ich nahe daran war, meine Beherrschung zu verlieren. Sie wußte nicht – und ich hätte es ihr auch nie gesagt, denn ich kam mir selbst wie ein Ungeheuer vor –, daß mich das Lachen der Männer nicht störte und auch nicht die überschüssige Lebensfreude, die man aus ihren glatten Gesichtern ablesen konnte und die das Abteil zu überfluten drohte. Was mich quälte, war, daß ich nicht ablassen konnte, ihren Geschichten zuzuhören. Ja, ich konnte keine Spur, kein Anzeichen von Trauer bei mir feststellen. Und mich überkam eine unsagbare Angst. Was würde geschehen, was würden die anderen, meine Mutter, Klara, Otta, von mir denken, wenn ich unbeteiligt und unberührt bleiben würde, wenn ich zu keiner Gefühlsregung fähig wäre. Denn mich riß alles, die Männer im Abteil, die grasenden, braungefleckten Kühe, an denen wir vorbeifuhren, der Fluß, die Pappeln, aus meiner Trauer. Ich versuchte mir meinen Vater sterbend vorzustellen, aber ich sah nichts, wurde immer wieder ins Leben zurückgerufen, das um mich herum seinen gewohnten Lauf nahm, und gab es schließlich auf.

Als wir ankamen, ging ich sofort zu Vater ins Zimmer. Die Gardinen waren zugezogen, als würde er noch schlafen. Der wohlbekannte Geruch meiner Eltern, das Licht, das durch die schwere Gardine schimmerte und die Gegenstände im Zimmer rot erscheinen ließ, und der Nachttisch, auf dem noch Vaters Hefte und das halbvolle Wasserglas standen – keiner hatte daran gedacht, die schale Flüssigkeit wegzuschütten –, all dies erinnerte mich an das sonntägliche Ritual meiner Kindheit, als ich drei oder vier war und von meiner Mutter ins Zimmer geholt wurde, um auf Zehenspitzen bis ans Bett zu schleichen, und dort am Bett neben meinem sich schlafend stellenden Vater ausharrte, bis meine Mutter mit dem vollen Frühstückstablett zurückkam, das sie vorsichtig auf ein Tischchen stellte. Und während meine Mutter mit einer ausholenden Geste zuerst die Gardinen und dann das Fenster aufriß, richtete sich mein Vater auf, wirbelte mich lachend durch die Luft, und ich schrie vor Freude und vor Furcht. Ich setzte mich zwischen meine Eltern ins Bett. Kalte Morgenluft strömte ins Schlafzimmer, und wir aßen frisch geröstete und dick mit Butter bestrichene Brote.

Und mit einemmal begriff ich die ganze Ungerechtigkeit, die ganze Anstößigkeit der Lage, mit der ich mich nicht abfinden konnte und die um so ungeheuerlicher war, als sie, welche Kräfte ich auch anstrengen mochte, unabwendbar blieb. Ich würde meinen Vater verlieren. In einigen Stunden würden fremde Menschen in unsere Wohnung kommen und uns eine bewährte Beileidsformel zumurmeln. Dann würden sie ihn waschen, anziehen und mit sich nehmen. Und ich konnte nichts dagegen tun, hatte nicht einmal jemanden, den ich für diese Ungeheuerlichkeit verantwortlich machen konnte, gegen den ich all meinen Haß hätte wenden können, um in der Wut für einige Augenblicke zu vergessen, was nicht zu vergessen war. Ich würde meinen Vater verlieren und dann meine Mutter, und dies war ganz normal so, war das Normalste der Welt. Und obwohl es nichts Offenkundigeres gab als den einen Satz, den ich Hunderte Male aufgesagt hatte: Denn du bist Staub und sollst zu Staub werden, erfaßte ich seine ganze Bedeutung erst in diesem Moment, und dieses Verständnis riß mich endgültig aus meinen Kinderjahren, aus dieser wohlgenährten und pausbäckigen Welt, in der es wie auf einem in schwarze und weiße Felder aufgeteilten Schachbrett Gut und Böse gibt und in der das Gute siegt, immer siegt, und der Tod lediglich als letzte und härteste Bestrafung der Bösewichte gebilligt wird, aber nicht als natürlicher Abschluß eines Lebens.

Und ich begriff, daß ich meinen Vater bald nicht mehr sehen würde, daß dies die letzten Stunden waren, in denen ich sein mir so vertrautes Gesicht, die kleinen, wie eingeritzten Lachfältchen unter den Augen und den strengen Mund, betrachten konnte, und ich nahm seine Hand, die mir plötzlich so weiß und gebrechlich vorkam, und küßte sie und sagte ihm, was er nicht mehr hören konnte und nie von mir hören sollte – ich hatte, wie alle Männer, den zärtlichen Kontakt zu meinem Vater verlernt –, daß ich ihn liebte.

Und obwohl der Schmerz blieb und das Gefühl der Ohnmacht, ließen mich diese mit meinem Vater verbrachten Stunden mit seinem Tod Frieden schließen, weil ich ihn in der Liebe, die ich für ihn empfand und nun an seinem Sterbebett zu empfinden wagte, für immer in mich aufnahm.

7.

Wie habe ich von Hitlers Wahlsieg erfahren, in einer Rundfunkübertragung, aus der Zeitung, oder war es die Hausmeisterin, die aufgeregt an meine Türe klopfte, um mir die frohe Botschaft zu übermitteln? Ich weiß es nicht mehr. Damals maß ich all dem, so unglaublich dies aus der heutigen Perspektive erscheinen mag, wenig Bedeutung zu. Der Tag von Potsdam, Muttertag, Vatertag, der Tag der Arbeit, des deutschen Turnens, was gingen mich diese mit billigen Krachern und Böllern ausstaffierten Feste an, die von der braunen Kanaille inszeniert wurden, um das Volk zu berauschen. Mich konnten sie damit nicht beeindrucken. Ich fand ihr Gehabe einfach lachhaft. Und daß nun plötzlich ein ganzes Volk den rechten Arm in die Luft riß, sobald jemand ein Zimmer betrat oder verließ – der Homo germanicus sollte sich bald nicht nur in seiner disciplina von den anderen Menschenarten unterscheiden, sondern auch durch seinen überentwickelten rechten Bizeps –, verwunderte mich auch nicht. Und obwohl ich doch eigentlich ein weitblickender Mensch war und einige Bekannte plötzlich mit unbekanntem Ziel verzogen, ging zuerst alles so weiter wie vorher auch.

Ich eröffnete eine Buchhandlung in zwei kleinen, von Spinnweben durchzogenen Zimmern in der Großen Hamburger Straße. Das war im Februar, einige Tage nachdem der Reichstag aufgelöst worden war. Ich dachte, daß der Ort mir Glück bringen müsse, weil er neben dem Haus, in dem mein Lieblingsautor seine Schuljahre verbracht hatte, und neben dem alten jüdischen Friedhof gelegen war. Drei Monate später übergab ich den Laden ohne viele Umstände wieder den Spinnen. Weil man die Lüge ausmerzen, den Verrat brandmarken und die deutsche Sprache reinhalten wollte, hatte man mir meinen ganzen Bestand verbrannt – einen bibliophilen Band mit japanischen Holzschnitten und ein mit Aquarellen ausgestattetes Buch über Tagschmetterlinge ausgenommen. Und wer konnte schon einen Buchhandel mit dem Zitronenfalter oder dem herbstlich bemantelten Großen Fuchs führen.

Ich fand eine Stelle im »Kulturbund deutscher Juden«, der im Juni 33 gegründet worden war und entlassenen jüdischen Schauspielern, Regisseuren und Musikern Arbeit verschaffte. Ich war unter Alfred Spira tätig, der vor 1933 am Stuttgarter Landestheater angestellt gewesen war, und, etwas später, unter Dr. Walter Levie, einem kultivierten, sehr reservierten Mann. Levie sprach öfter von einem Manuskript, das er, kurz vor der Zwangsarisierung seines Verlages, lektoriert hatte und das man ihm, noch bevor er es in Druck geben konnte, buchstäblich aus den Händen riß, denn die Mitarbeiter sogenannter »jüdischer Verlage«, also Ullstein, S. Fischer, Reiss und Cassirer, wurden mit Hausdurchsuchungen, Morddrohungen und regelmäßiger Beschlagnahme von Büchern und Manuskripten schikaniert.

Natürlich war diese »spontane Entrüstung über jüdische Hetzschriften« nichts anderes als eine gut durchdachte Aktion, die die Geschäftsinhaber dazu treiben sollte, ihren Verlag zu verkaufen.

Levie behauptete, daß der Roman zu den schönsten und wichtigsten Werken der zeitgenössischen Literatur gezählt werden müsse. Es handelte sich um das letzte Manuskript eines damals unbekannten Schriftstellers, der einige Jahre zuvor an Lungentuberkulose gestorben war. Levie hatte den Text von einer tschechischen Journalistin zugeschickt bekommen, die sehr viel später, wegen einiger an sie gerichteter Briefe, berühmt werden sollte.

Mit Hilfe eines einflußreichen Freundes versuchte Levie, das Manuskript zu retten. Doch obwohl er eine Genehmigung des zuständigen Amtes erhielt, wurde der Roman nie zurückerstattet. Über den Verleger, Dr. Lehmann, erfuhr er einige Wochen später, daß der »Abklatsch des ostjüdischen Kulturbolschewisten« noch am selben Tag verbrannt worden war.

Levie erzählte mir oft von dem Roman – es wurde eine Art Obsession –, doch konnte er, außer einer verworrenen Wiedergabe der Handlung, nicht viel mehr sagen, als daß er 254 Seiten und 12 Kapitel hatte und der Held schon nach 70 Seiten verschied.

Ich tröstete mich – falls es überhaupt möglich ist, sich über solch einen Verlust hinwegzutrösten, aber wir verloren ja in diesen Zeiten nicht nur unsere Meisterwerke –, ich tröstete mich mit dem Gedanken, daß dem Schriftsteller diese technische Beschreibung seines letzten Werkes sicherlich gefallen hätte. Ich hielt und halte ihn, im Gegensatz zu der heute in Akademikerkreisen verbreiteten Meinung, für einen Autor mit unübertreffbarem schwarzen Humor.

8.

Während Alfred Spira und Walter Levie die interne Verwaltung des Theaters übernahmen, wurde mir die Öffentlichkeitsarbeit anvertraut. Ich half bei der Redaktion der »Monatsblätter« mit, meine hauptsächliche Arbeit bestand aber darin, die Aufführungsgenehmigungen vom Büro Hinkel oder, um genauer zu sein, vom »Sonderreferat Reichskulturverwalter Hinkel« zu erhalten. Hinkel, der nach 1945 als »Mindestbelasteter« eingestuft wurde, hatte mehrere Lektoren, die jedes Stück, das von Juden gespielt werden sollte, mit dem Rotstift lasen. So grotesk das aus heutiger Sicht scheinen mag, jüdischen Regisseuren wurde nicht nur die Inszenierung Schillers und anderer Stücke mit reinem deutschen Geist verboten, sondern jüdische Schauspieler durften auch gewisse Worte wie »deutsch«, »blond« oder »rein« nicht aussprechen. Ich erinnere mich an einen Schriftwechsel, den ich mit einem Beamten Hinkels wegen einer Komödie Molnárs führte, in dem wir wegen der mittelmäßigen Replik »Lebe wohl, du ungetreue blonde Aktentasche« zehn Tage verhandeln mußten, bis dann eben derselbe Beamte auf die geniale Idee kam, »blond« durch »hell« zu ersetzen.

Wir übten gerade den »Kaufmann von Venedig«, als ich erfuhr – wer es mir sagte, weiß ich nicht mehr –, daß Klaras Onkel, der Opernsänger Werner Kurzig, von einer Horde SA-Männer zusammengeschlagen worden war. Er war zur Zielscheibe ihres Hasses geworden, weil er seine Homosexualität nicht versteckte. Werner verließ noch im gleichen Jahr das Land. Er bot an, uns bei der Ausreise behilflich zu sein. Er hatte Freunde in Paris und Amsterdam, bei denen ich Anstellung gefunden hätte. Wir verbrachten viele schlaflose Nächte in der Küche, wir wußten nicht, ob wir auswandern sollten. Wir beschlossen, nicht wie Diebe zu fliehen, dies war schließlich unser Land.

Klara fing an, sich über Magenkrämpfe zu beklagen. Auch wurde ihr, vor allem abends, plötzlich übel. Ich machte mir Sorgen und rief, obwohl sie es mir ausdrücklich verboten hatte, meinen Studienfreund Johann Marburg an, der mir befahl, unverzüglich mit ihr vorbeizukommen.

9.

Johann war Gastroenterologe und hatte seine Praxis in unserem Viertel über einem Laden für Elektrozubehör, der so aussah, als habe in seinem Hinterzimmer so manches Familienradio unfreiwillig seinen Besitzer gewechselt.

Mein Gott, war das eine groteske Situation. Ich stand neben der Sprechstundenhilfe meines Freundes und gab mein frischerworbenes Wissen über chronische und akute Magenschleimhautentzündungen zum besten, das aus einem antiquarisch erstandenen Wörterbuch der Medizin stammte. Nebenan untersuchte Johann meine Frau. Ich versuchte, etwas von dem zu erhaschen, was da drinnen vorging, sah aber durch die halboffene Tür nur seinen weißen Rücken. Ich setzte mich hin und rauchte eine Zigarette. Ich muß wohl bei der dritten gewesen sein, als ich hörte, wie Johann Klara sagte, sie könne sich wieder anziehen. Ich stand auf. Johann öffnete die Tür und kam auf mich zu. Er bedeutete mir, ihm ins Sprechzimmer zu folgen. Schweigend setzten wir uns. Ich wollte den Befund hören, wagte aber nicht zu fragen. Johann schaute mich lange an, schüttelte den Kopf und seufzte. Dann holte er

den Rezeptblock aus der Schublade, schrieb mit schwung-
voller Handbewegung etwas darauf und reichte mir, während ich in mich zusammensackte wie ein erkaltetes
Soufflé, das Blatt Papier. Ich muß wohl ein vollkommen
bestürztes Gesicht gemacht haben, als ich den Urteilsspruch meines Freundes las: »Herzlichen Glückwunsch,
du alter Esel.«

Johann brach in schallendes Gelächter aus. Dann schüttelte er mir die Hand, gab meiner sichtlich gerührten
Klara einen Kuß und lud uns zum Mittagessen ein.

10.

Wir feierten unsere Hochzeit im engen Familienkreis
und beschränkten die Festlichkeiten nach der standes-
amtlichen Trauung auf ein Essen in einem kleinen Lokal.

Zu unser beider Verwunderung – wir hatten vor der
Trauung fast drei Jahre zusammengelebt – lernten Klara
und ich uns erst in den Monaten, die der Hochzeit folgten, richtig kennen. Ohne daß ich hätte sagen können,
wann der Wandel eintrat, sah ich mich morgens heiße
Milch und zwei Löffel Zucker in meinen Kaffee schütten,
und als ob der Umstand, daß ich nun verheiratet war,
meinen Geschmackssinn verändert hätte, aß ich statt der
heißen, goldbraunen Bratkartoffeln, die auf dem Teller
eine köstliche Fettlache hinterließen, in die ich eine
Scheibe Weißbrot zu tunken pflegte, gedünstete Karot-
ten und verschiedene andere Gemüsearten, deren Exi-
stenz ich in meiner Jugend geflissentlich übersehen hatte.

Doch nicht nur ich, auch Klara legte alte Gewohnheiten ab, paßte sich mir an, wurde meine Frau, so daß mit
jedem Tag zwischen uns das wuchs, wofür es in der deutschen Sprache kein geeignetes Wort gibt: etwas, das sich
einstellt, wenn man bemerkt, daß die Gesten des anderen,
die Art, wie er das Haar aus dem Gesicht streift oder sich
mit der Serviette über den Mund fährt, einem vertraut ge-

worden sind, wenn man ihn schon von weitem an seinem Gang erkennen kann. Etwas, das einen auch dann überkommt, wenn man, aus dem Schlaf gerissen, neben sich den warmen, regelmäßig atmenden Körper spürt, dessen Anblick das aufgebrachte Herz beruhigt, so daß es immer langsamer schlägt, bis es eins wird mit dem Herz des anderen und sich in seinem Herzschlag auflöst.

11.

Sieben Monate nach unserer Hochzeit kam David zur Welt.

Ich erinnere mich an sein erstes Lächeln, das uns eines Morgens überraschte, als ich ihm unbeholfen die Windeln wechselte. Keiner hatte mir gesagt, wie entzückend dieses erste zaghafte und zahnlose Lächeln sein würde.

Ich erinnere mich an unseren ersten Spaziergang im Park – wir waren so stolz – und an all die kleinen Hemdchen, Mützen und Strümpfe, die plötzlich bei uns im Wäscheschrank lagen.

Ich habe schon von den spektakulären Entlassungen jüdischer Journalisten, Musiker und Schauspieler erzählt. Es folgten die »Juden unerwünscht«-Schilder, die plötzlich auf Bänken im Stadtpark, vor Geschäften und Restaurants auftauchten, das Kennzeichen J auf unseren Pässen, die Hetzlosungen im »Stürmer«, die Morddrohungen, der Ausschluß jüdischer Rechtsanwälte und viele andere Schikanen.

Doch nichts von all dem sollte in seiner Monstrosität und in seinem gut durchorganisierten Wahnsinn den »Nürnberger Rassengesetzen« gleichen. Am 15. November 1936 wurde ich im Namen des deutschen Volkes wegen Verbrechen gegen Paragraph eins und fünf der Blutschutzgesetze zu zwei Jahren kostenpflichtigem Zuchthaus verurteilt. Man beachte das »kostenpflichtig«.

Für den, der vergessen haben sollte, worum es ging: Es

ging natürlich um »Rassenschande«. Ich hatte als sogenannter geborener »Volljude« gegen das Gesetz zum Schutz des deutschen Blutes und der deutschen Ehre verstoßen, weil ich am 15. Dezember 1935 die Staatsangehörige deutschen Blutes Klara Kurzig geheiratet hatte.

An einem regnerischen Tag wurde ich in Haft genommen. Klara war gerade dabei, David zu stillen, als es klopfte. Er gab kleine, zufriedene Gluckslaute von sich und schlief dann, rot vor Anstrengung, an ihrer Brust ein. Ein Beamter trug einen hellen Trenchcoat, der andere, der mir die Handschellen anlegte, als wäre ich ein Schwerverbrecher, hatte einen geschwungenen Schnauzbart, der nicht mehr in Mode war und ihm etwas Achtbares verlieh.

Ich wurde nach genau zwei Jahren entlassen. Der Aufenthalt hatte sich einigermaßen ereignislos hingezogen, wenn man von den Sticheleien eines Mitinsassen absieht, eines kleinen Taschendiebes mit Ambitionen, der sich mit seinen Bemerkungen beim Personal einschmeicheln wollte.

Klara erwartete mich am Ausgang. Ich erkannte David nicht wieder – wie hätte ich auch. Er war ein ernster Junge geworden, hatte seinen blonden Lockenschopf und die Pausbacken verloren. Auch Klara hatte sich verändert.

Ich hatte über einen Freund erfahren, daß man sie gleich nach meiner Verurteilung gezwungen hatte, mit einem Schild um den Hals durch die Straßen zu gehen, auf dem sie sich als dreckige Judenhure anprangerte. Klara war eine sehr stolze Frau. Ich dachte, daß diese Erniedrigung sie gebrochen haben müsse, denn ich fand etwas in der Art, wie sie mich anblickte, das ich nicht verstand. Heute weiß ich, daß sie schon damals verzweifelt gewesen ist. Sie hatte die Ausweglosigkeit unserer Lage mit ihrem angeborenen praktischen Sinn längst erkannt, während ich noch von einem besseren Leben in einem anderen Land träumte.

Unsere finanzielle Lage hatte sich sehr verschlechtert.

Das Geld, das meine Mutter und Klaras Großmutter nach-schoben, reichte nicht. Durch Vermittlung einer Freundin ihrer Mutter hatte Klara eine Halbtagsstelle in einem Amt gefunden. Wir wunderten uns sehr, denn sie war ja mit einem jüdischen Rassenschänder verheiratet. Wir beschlossen nun endgültig auszuwandern. Ich forderte unsere Ausreiseformulare an und arbeitete, während wir warteten und warteten, im Verlag Siegfried Scholem in Berlin-Schöneberg.

Wir zogen in eine möblierte Zweizimmerwohnung im Parterre eines Jugendstilhauses, dessen überbordende Schnörkel und Stuckfronten die kümmerliche Birke, die davor stand, zu erdrücken drohten.

Unbeholfen hatte Klara vor die Fenster gestreifte Gardinen gehängt. Wollte sie David und mich vor den Blicken der Welt schützen oder uns die Aussicht ersparen, ich weiß es nicht. Was immer es war, die Realität holte uns dennoch ein.

Einige Monate später wurde ich erneut in Haft genommen. Diesmal kamen sie gegen sieben, als wir gerade bei Tisch saßen. Ich habe gehört, daß die Gestapo mit Vorliebe zu dieser Tageszeit (und natürlich auch nachts) ihre Verhaftungen vornahm, weil sie so damit rechnen konnte, nicht auf ein leeres Nest zu stoßen. Es gab, was die Verfahrensweise der Gestapo betrifft, immer einen logischen Grund; für den Rest stehe ich nicht ein.

Ich kam zuerst in ein Sammellager, dann, weil ich vorbestraft war, in ein Konzentrationslager, kurz KZ genannt. Dort arbeitete ich zunächst in der Küche, wo ich die Töpfe zu waschen hatte. Ich konnte mich nicht beklagen, denn im Gegensatz zu den anderen Häftlingen hatte ich zu essen.

Wann immer ich konnte – die Wache war sehr streng –, stahl ich eine rohe Kartoffel oder eine Scheibe Brot, die ich auf dem Weg in unsere Baracke verschlang. Irgendwann einmal, ich hatte schon längst aufgehört, die Tage zu zählen, wurde ich nach Osten verfrachtet.

Nichts glich dort dem, was ich zuvor erlebt hatte. Ich arbeitete in einer Munitionsfabrik, dann in der Schreibstube und im Krankenbau. Nach einigen Monaten wurde ich zum Lagerkommandanten gerufen. Ich hatte Angst; er war für seinen gefährlichen Humor bekannt. Ich blickte auf den Totenkopf auf seinem schwarzen Kragenspiegel. Ich glaube, ich habe ihm und den zahlreichen Wächtern während meiner Haft kein einziges Mal in die Augen geschaut. Ich traute es mich erst viele Jahre später, als ich bei einem Prozeß aussagte und gezwungen war, Adolf Vogt, einen Angehörigen der Einsatzgruppe, zu identifizieren, und auch dann kostete es mich ungeheure Überwindung.

Der Kommandant war beim Essen. Ich stand in einer Ecke des Zimmers und wartete. Als er sein Glas ausgetrunken hatte, holte er meine Akte und las mir laut daraus vor. Er fragte mich, warum ich nicht angegeben hätte, daß ich Zahnarzt wäre. Ich verstand seine Frage nicht. Ich konnte das Lager nicht mit meinem Leben in Verbindung bringen.

12.

Das Schicksal spielt einem manchen üblen Streich. Als ich noch ein dummer Bub war, hatte mir mein Vater immer wieder gesagt, daß ich studieren müsse, um es zu etwas zu bringen. Ich war nicht immer seiner Meinung, aber ich studierte dennoch, ihm zuliebe. Und nun sollte mir die Tatsache, daß ich etwas studiert hatte, was mich nicht interessierte, meine Haut retten, sollte mir meine Feigheit gegenüber dem Vater – denn ich hätte nie gewagt, ihm zu widersprechen –, doch noch nützlich sein. Ich erhielt einen neuen Aufgabenbereich und, weil ich als Mediziner im Wert gestiegen war, mehr Brot.

Mit zwei Dutzend anderen Zahnärzten, die wie ich den gelben Stern oder den roten und rosa Winkel trugen, forschte ich nach Gold. Nachdem die Männer vom Arbeitskommando die Türen aufgemacht und die Leichen hinausgeworfen hatten, die aufrecht aneinandergepreßt in den Kammern standen, öffnete ich mit einem Haken die Münder.

Auch im Tod erkannte man die Familien. Sie drückten einander im Sterben die Hände. Mit Zangen und Meißeln brachen wir die Goldzähne und Kronen aus den Kiefern und legten sie in Konservenbüchsen. Pro Tag füllten wir eine Büchse, manchmal auch zwei. Wir arbeiteten schnell, konzentriert, denn während wir brachen, füllten die Ukrainer die Kammern erneut.

Ich sehe die Leichen auch heute noch vor mir. Keine Menschen, Frauen, Kinder, Männer, sondern Kiefer, die aufgebrochen werden müssen. Und auch der süßliche Geruch will nicht weichen, der von der ununterbrochenen Körperverbrennung ausgeht und die ganze Gegend durchdringt und alle, die in den umliegenden Gemeinden leben, wissen läßt, daß Vernichtung im Gange ist.

Das ist also mein Leben. Es hört hier nicht auf, aber der Rest ist nicht der Rede wert. Ich wurde 1945 befreit. Als die russischen Soldaten zu uns ins Lager kamen und sahen, was geschehen war, weinten sie. Wir konnten nicht mehr weinen.

Man brachte mich in ein Sanatorium, ich hatte Tuberkulose. Man dachte, daß ich sterben würde, weil mein Körper zu schwach war. Ich wollte sterben, aber ich überlebte. Dann machte ich mich auf die Suche. Über das Rote Kreuz erfuhr ich, daß meine Mutter, Käthe und Otta in einem anderen Lager umgebracht worden waren. Gott sei ihrer Seele gnädig. Von Klara und dem kleinen David konnte ich nichts in Erfahrung bringen. Sie waren an einem Winternachmittag von der Gestapo abgeholt worden, aber was dann geschah, bleibt ungewiß.

Ich hoffe, daß sie nicht zu sehr gelitten haben, daß der kleine David keine Angst gehabt hat, als er die schwarzen Mäntel sah; daß es schnell ging. Ich hoffe, daß sie in einem Wald voller Fichten und Tannen in eine Reihe gestellt wurden und daß der Soldat sein Handwerk ver-

stand. Ich hoffe, daß sie auf einen weichen Teppich aus
Moos und Blättern fielen, einer neben dem anderen, und
daß der alles bedeckende, alles beschwichtigende Schnee
ihr Leichentuch gewesen ist.

13.

Ich komme nun zum Ende meiner Geschichte. 56 eröffnete ich erneut eine Buchhandlung. Die Leute lesen zwar
nicht mehr soviel wie früher, und es wird auch nichts Anständiges mehr geschrieben, aber Bücher sind und bleiben nun einmal meine Leidenschaft. Ich habe nicht wieder geheiratet, obwohl ich einmal – das muß nun auch
schon zwanzig Jahre her sein – von einer hellblonden
Witwe mit einem Pudel fast dazu verleitet worden bin.
Ich kann mich im nachhinein nur beglückwünschen, daß
ich eine unerklärliche (aber wer will schon alles erklären)
Abneigung gegen überzüchtete Hunde habe.

Ich kümmere mich um mein Patenkind, das nächstes
Jahr in die erste Klasse kommt und mit seinen zwei feh-
lenden Schneidezähnen aussieht wie ein kleiner Vampir,
aber welch ein süßer. Einmal die Woche gehe ich ins
Schwimmbad und führe ansonsten ein recht regelmäßi-
ges und ruhiges Leben.

Berlin habe ich erst letztes Jahr wieder besucht, als der
Bürgermeister ein Treffen der ehemaligen jüdischen Mitbürger veranstaltete. Wir wurden mit einem Bus vom
Flughafen abgeholt und in einen festlich geschmückten
Saal gebracht, in dem uns ein trockener Truthahn mit Bei-
lage erwartete. Die Stadt hat sich sehr verändert. Nicht
zu ihrem Besten. Meinen Geburtsort, das verschlafene
kleine Städtchen, habe ich nie wieder betreten. Was soll
ich dort, es ist ja nichts geblieben von all dem, was ich
kannte.

Vor kurzem las ich in einem Bericht, daß der Sonder-
stab Reinhard während des Krieges 11.730 Kilo Zahn-

gold sicherstellen konnte. Ich habe mir meinen Beitrag dazu ausgerechnet und gedacht, daß die Summe wohl am treffendsten mein Leben zusammenfaßt. Aber was rede ich da. Ich habe viel gesehen, Schreckliches, aber auch Schönes, und wenn ich in meinem Laden sitze und mir ein Kunde mit selbstzufriedener Kennermiene seine Ansichten über Kunst und Literatur darbietet, als handle es sich um eine besonders weiße und reine Naturperle, die er gerade aus einer störrischen Auster herausgebrochen hat (denn jeder Mensch hat heute eine Meinung), dann sehe ich sie wieder vor mir, die wenigen exquisiten Momente meines Lebens. Und so möchte ich mich denn mit solch einem Augenblick von Ihnen verabschieden: als ich Klara fragte, ob sie meine Frau werden wolle, aber gleichzeitig auseinandersetzte, warum sie den Antrag nicht annehmen solle, und sie mich mit ihren grün schillernden Katzenaugen ansah und ich mich in ihrer Pupille spiegelte, die so groß war, so groß, und ich meinen Atem stokken hörte und sie mit einer tiefen Stimme lachte, die rauh war vor Zärtlichkeit.

Hundert Pelze

1.

Gegen Morgen rief er bei ihr an und bat sie um Hilfe. Das Läuten des Telephons hatte sie aus einem Traum gerissen. Sie erkannte seine Stimme nicht sofort. Sie brachte sie mit ihrem Traum in Verbindung, in dem sie mit Vicki, einer alten Schulkameradin, eine Mauer zu erklimmen versuchte. Erst als er sie ungeduldig beim Kosenamen nannte, verstand sie, wovon die Rede war. Er sagte ihr, sie solle sich beeilen.

Hastig zog sie die Kleider an, die auf einem Haufen neben dem Stuhl lagen, und durchquerte den Flur. Weil sie Bettina nicht wecken wollte, die ihr verboten hatte, das Haus zu verlassen, hielt sie die Schuhe in der Hand.

Vor der Tür, auf die mit buntem Papier der Name ihrer kleinen Nichte geklebt war, blieb sie stehen. Während ihre Schwester und ihr Schwager sich im Wohnzimmer stritten, hatte sie mit dem Kind Verstecken gespielt. Immer wieder hatte das Kind sie gefragt, was los sei, es hatte die drückende Stimmung gespürt, jedoch nicht verstanden. Sie hatte es in sein Zimmer getragen und sich zu ihm ins Bett gelegt. Dann hatte sie sich in die Küche gesetzt und hintereinander drei Gläser Cognac getrunken. Wolfgang und Bettina hatten sich zu ihr gesellt. Zusammen hatten sie die Flasche geleert. Nach einer Weile war ihr Schwager ins Schlafzimmer gegangen. Obwohl er die Tür schloß, hatten sie sein Schluchzen gehört. Sein leises Weinen versetzte sie in Schrecken. Er hatte seit der Ermordung seiner Schwester Ella nicht mehr geweint. Er hatte alles, die Aberkennung des Wahlrechts, das J auf ihren Reisepässen und seine Streichung aus der Rechtsanwaltskammer wortlos hingenommen. Sie verstand nicht, warum ihn gerade das Attentat in Paris aus dem Gleichgewicht gebracht hatte.

Sie hörte dem gleichmäßigen Atmen des schlafenden Kindes zu, dessen zerwühlter dunkler Haarschopf unter der Decke hervorlugte, und mußte an Ella denken. Sie hatte sie nur ein paar Mal flüchtig gesehen. Ella hatte Wolfgangs und Bettinas Hochzeitsrede gehalten. Sie war sehr witzig gewesen, alle hatten gelacht, und sie, Eva, hatte die selbstsichere, schöne Frau sehr bewundert. Einige Monate später hatte man sie dann erstochen. Sie gab dem Stoffhund, der vor der Tür ihrer Nichte Wache hielt und sie nun mit seiner heraushängenden Filzzunge hämisch auszulachen schien, einen Stoß, ging zur Wohnungstür und drehte den Schlüssel zweimal um.

Noch schlief alles, nur vereinzelt sah sie aus den einförmig grauen Häuserfassaden einige Fenster aufleuchten.

In diesem Grau, dachte sie, sind die Häuser und alles um sie herum fast schön. Sie hüllte sich enger in ihren Mantel und schloß den Gürtel. Eigentlich hatte sie den Pelzmantel anziehen wollen, das Verlobungsgeschenk, hatte sich dann aber entschlossen, es sein zu lassen, weil sie kein Aufsehen erregen wollte.

Vom Pflaster hallten ihre trippelnden Schritte wider. Sie überquerte die Straße, nahm den rechten Seitenweg und eilte an der noch unbebauten Fläche vorbei, auf der ein Einfamilienhaus errichtet werden sollte.

Sie hatte einmal gelesen – wo, wußte sie nicht mehr, oder hatte Alfred es ihr gesagt? –, daß eine Stadt sich schneller verändert als ein Menschenleben. Es stimmte. Sie hatte das Gefühl, daß in dieser Stadt alles rotierte. Ja, selbst die Dinge waren rastlos geworden.

Die Straßenbahn war fast leer. Nur ein paar Arbeiter saßen mit vor Müdigkeit verschlossenen Gesichtern auf den Holzbänken. Sie setzte sich in die hinterste Reihe an ein Fenster, das sofort von ihrem warmen Atem beschlug. Nun war Bettina wohl wach und las den Zettel, den sie vor die Schlafzimmertür gelegt hatte. Sicherlich würde sie ihn wütend zerknüllen und dann mit der Hand glättend darüberfahren, um ihn noch einmal zu lesen.

Die Straßenbahn hielt an. Zwei Männer sprangen vom Wagen und schlenderten auf eine Gruppe zu, die rauchend vor einem Tor stand. Als die Bahn sich mit einem Ruck in Bewegung setzte, drehte sie sich um und schaute den Männern nach, die lachend ins Fabrikportal gingen. An der nächsten Haltestelle stieg sie aus. Sie kannte diesen Stadtteil nur voller flanierender Menschen, die Ruhe verwirrte sie.

Als sie an dem Café vorbeiging, in dem Alfred und sie zu Mittag aßen, blickte sie der Kellner, der gerade die Stühle von den Tischen hob, lange und eindringlich an. Erschrocken griff sie sich an die Brust und ging weiter. Sie kam bis zur Kantstraße, bog rechts ab und blieb stehen. Ungläubig schaute sie auf den Bürgersteig. Er war voller Glassplitter, Papierfetzen, Holz- und Metallstücke. Sie hatte ihrem Schwager, der den ganzen Abend über behauptet hatte, daß sich nun alles verschlimmern würde und daß die »Reichsbürgergesetze« nur ein kleiner Vorgeschmack des Kommenden waren, keinen Glauben schenken wollen. Nun sah sie es. Sie wollte rennen, zwang sich aber, langsam zu gehen, und las die Parolen, die irgend jemand mit weißer Farbe an die Wände und Fassaden gemalt hatte:

JUDENSAU
JUDEN RAUS
DER JUD IST UNSER UNGLÜCK
JUDA VERRECKE
KAUFT NICHT BEI JUDEN!

Erst als sie vor Alfreds Tür stand, merkte sie, daß ihr Kleid schweißdurchtränkt war. Sie betrat das Geschäft. Der Tisch, die Stühle und auch die Vitrine, die er erst vor drei Wochen hatte einbauen lassen, waren zertrümmert worden. Leise rief sie seinen Namen, erhielt aber keine

Antwort. Sie ging in den Ausstellungsraum und fand ihn in der Umkleidekabine.

»Alfred. Alfred.«

Er stöhnte. Sie setzte sich zu ihm auf den Boden und fing an zu weinen.

2.

Es waren ihrer zehn gewesen. Er hatte sie vorne auf der Straße gesehen und sich nichts dabei gedacht. Er hatte die Tür schon verriegelt und sich in Sicherheit gewähnt, obwohl er das Gitter noch nicht heruntergelassen hatte, und war in den Hinterraum gegangen, um das Fell zu schneiden, das Schröder am Morgen bearbeiten sollte. Schröder hatte vorgeschlagen zu bleiben. Er wußte von den Aktionen, weil sein Schwager bei der SS war. Er hatte Schröder gedankt, aber dennoch energisch abgelehnt. Schröder war ein kranker Mann. Außerdem mußte an seine Frau gedacht werden.

Er hatte geglaubt, daß sie ihm nichts anhaben würden, und verwundert aufgeschaut, als er vor sich einen Mann sah. Wie er hereingekommen sei, hatte er gefragt. Daß man hierfür die Tür aufbrechen mußte, war ihm im ersten Moment gar nicht eingefallen. Als Antwort hatte der Mann ihn mit einem Knüppel geschlagen. Dann kamen die anderen.

Sie traten ihn und schleiften ihn auf die Straße. Er konnte sich noch erinnern, daß das Licht der Straßenlaterne ihm sehr hell vorgekommen war. Auch an die belustigten Gesichter erinnerte er sich genau, die sich über ihn beugten und allerlei sagten, was er aber nicht verstand.

Sie wollten ihn zwingen, sein Geschäft anzuzünden. Er weigerte sich, worauf man ihn wieder schlug. Er schloß die Augen und ließ es über sich ergehen. Man drohte ihm. Ein SS-Mann schnitt ihm mit einem Messer das Hemd auf. Er würde das gleiche mit seiner dreckigen Judenhaut tun, sagte er, wenn er sich weiter weigerte, Befehle entgegenzunehmen. Er stimmte zu. Eine Frau reichte ihm eine Fackel. Er warf sie in die Tür. Sie erlosch sofort.

Sie ließen nach einer Stunde von ihm ab und luden die Pelze auf einen Lastwagen. Mühsam kroch er zum Haus und lehnte sich an die Wand. Während er zusah, wie sie die Pelze aufeinanderstapelten, mußte er an seinen Vater denken, von dem er das Geschäft geerbt hatte. Auch an seine erste Reise nach Rußland dachte er, auf die der Großvater ihn mitgenommen hatte, als er vier oder fünf war, und an die schelmisch lächelnde Alte, die ihm einen Fuchsschwanz geschenkt hatte.

»Laß uns gehen«, sagte Eva, »wir können eine Weile bei Bettina wohnen.«

Sie half ihm hoch.

»Komm jetzt, wir gehen.«

3.

Die Straße hatte sich belebt. Vor dem Geschäft standen etwa zehn Menschen, die sie gespannt anschauten. Keiner sagte etwas. Er stützte sich schwer auf sie. Mühsam gingen sie die Straße entlang.

Zwei Häuser weiter hatte man die Vitrine eines Tabakwarenladens zerstört, gegenüber die einer Papierhandlung: sie wurde von einer Witwe geführt, bei der er seine Visitenkarten in Auftrag zu geben pflegte. Sie hielten an, damit er zu Atem käme.

»Schau dir die an.«

Er deutete auf eine Gruppe, die den Boden vor der Papierwarenhandlung nach Wertsachen absuchte.

Als sie am Café vorbeikamen, half ihnen der Kellner herein und forderte sie auf, so lange sitzen zu bleiben, bis er einen Wagen herbeigeholt hätte. Der Raum roch nach frischen Morgenbrötchen. Die Stammgäste, Inhaber der Läden, die erst in einer guten Stunde öffnen würden, waren noch nicht eingetroffen.

Sie ging zum Telefon neben der Kasse und rief ihre Schwester an. Nachdem sie ihr kurz erklärt hatte, was vorgefallen war, bat sie sie, den Hausarzt zu holen.

»Sag ihm, daß es dringend ist und daß er vor den Krankenvisiten kommen soll«, fügte sie hinzu und hängte ein, bevor Bettina ihr Vorwürfe machen konnte.

Als sie wieder zurückging, sah sie den zweiten Kellner, den sie nicht sofort erkannt hatte, weil er noch in Straßenkleidung dasaß, mit einem Holzlöffel hellrote Marmelade aus einem großen Behälter in mit einer Frucht verzierte Gläser füllen. Heute gibt es endlich Erdbeermarmelade, dachte sie und machte sich sofort Vorwürfe, weil sie in solch einem Moment zu diesem Gedanken fähig war. Sie setzte sich wieder an den Tisch und schaute, um sich zu sammeln, auf ihre Hände. Sie spürte, wie ihr die Tränen kamen.

»Ich habe gerufen, aber ...«

»Sch«, sagte sie, »gleich sind wir zu Hause, und dann leg ich dich ins Bett.«

»Ich habe sie gebeten, mir das Schild zu lassen. Du weißt doch, das Familienschild. Ich habe ihnen gesagt, daß mein Urgroßvater ... Sie können alle Pelze haben ... aber das Schild ... Sie haben nur gelacht.«

»Du darfst jetzt nicht reden«, sagte sie und hielt ihm zart den Mund zu, »du darfst dich nicht aufregen.«

Zusammen mit dem Kellner half sie ihm hoch und brachte ihn an die Tür, vor der das Taxi wartete. Vorsichtig setzte sie ihn auf den Rücksitz, wickelte ihren Mantel zu einem Knäuel zusammen, beugte sich vor und legte ihn unter seinen Kopf.

»Wie ein Tier haben sie mich ausgepeitscht. Wie einen Hund. Dann haben sie die Pelze auf einen Lastwagen geladen. Und gelacht. Sie haben ... grinsend haben sie ... wie einen Hund ...«

»Sch«, sagte sie, »sch«, machte die Tür zu und gab dem Fahrer ihre Adresse an.

Langsam fuhren sie los. Als sie an dem Geschäft vorbeikamen, sah sie aus dem Fenster. Die Glasscherben waren schon weggefegt. Sie betrachtete das Schild, das sein Urgroßvater vor einem Jahrhundert an der Häuserwand hatte anbringen lassen. Alfred Blumenfeld und Söhne. Vier Generationen Kürschner. Sie strich ihm sanft durch das Haar. Jemand hatte eine Bohle quer über den Rahmen der Tür genagelt. Eine Warnung, dachte sie, eine an seine Tür genagelte Warnung, und gab ihm die Hand.

In diesen heil'gen Hallen
kennt man die Rache nicht
(Uhren)

1.

In seiner Abwesenheit hatten sie bei ihm angerufen und ihn auf das Revier bestellt. Er sollte als Zeuge aussagen. Er ging nicht hin, er wußte, daß es sich nur um eine Falle handeln konnte. Seine Frau riet ihm, sich für ein paar Tage bei einem Freund in Stuttgart zu verstecken.

»Und dann?« fragte er und blieb zu Hause, als sei nichts geschehen.

Sie kamen am dritten Tag, an einem Sonntag. Sie sagten ihm nicht, wohin sie ihn bringen würden.

»Das werden Sie schon früh genug selber sehen«, sagten sie und baten ihn nicht unhöflich, sich zu beeilen.

Er zwickte seine Tochter zum Abschied in den Arm und versprach, ihr etwas mitzubringen.

»Eine Puppe«, sagte sie, »mit einem Wagen«, und schaute ihm nach, während sie den verwaschenen Hasen umklammerte, den die Mutter aus Stoffresten genäht hatte.

Er hatte die Synagogen brennen sehen. Noch im Schlaf hatte er gehört, wie die lodernde Kuppel der Synagoge in der Fasanenstraße zusammenbrach. Inmitten einer immer größer werdenden Menschengruppe, die sich um das Gebäude versammelt hatte, um schweigend auf die Flammen zu blicken, hatte er an einen Satz denken müssen, mit dem er die erste Veröffentlichung eines mittlerweile berühmten zeitgenössischen Dramatikers eingeleitet hatte. Dies ist nur ein zaghaftes Vorspiel, hatte er damals geschrieben, was folgt, wird Geschichte. Ein unbeholfener Satz, dachte er, aber sehr passend.

Man brachte ihn auf das Revier und bat ihn, Platz zu nehmen. Ein Betrunkener wurde hereingeführt. Alle kannten ihn und begrüßten ihn mit seinem Namen. Er sang das Lied von dem lustigen Bäckergesellen.

»Er war einmal Bäcker«, erklärte der Polizist, der ihn in eine Zelle führte. Er legte sich auf die Pritsche und schloß die Augen.

Nach einer halben Stunde traten zwei Männer an das Gitter und ließen seine Zelle aufschließen. Sie sagten ihm, sie würden nun das Kommando übernehmen. Er solle sich beeilen, man würde im Wagen schon auf ihn warten, er wäre ein berühmter Mann gewesen. Er strich seine Jacke glatt und folgte. Erst im Wagen fiel ihm auf, daß sie über ihn in der Vergangenheitsform sprachen.

Die Glasscherben, die noch vor einigen Tagen das Pflaster übersät hatten, waren weggefegt worden. Nur an den mit Brettern vernagelten Fenstern konnte man erkennen, daß sich etwas ereignet hatte.

Als sie vor der Festhalle hielten, fragten sie ihn, ob er ein guter Turner sei. Er verstand die Frage nicht und schaute sie an.

»Sie werden jetzt ein paar Turnübungen machen«, sagte einer der Männer und hielt ihm lächelnd die Wagentür auf, »das ist gut für die Gesundheit.«

Er ging wie im Traum, stolperte über die niedrige Stufe einer Treppe, die er nicht wahrgenommen hatte, ging an den Rosenstöcken vorbei und betrat den hellerleuchteten Festsaal. Alles schien unwirklich.

Man bedeutete ihm, er solle beide Hände auf einen Holztisch legen. Er umfaßte die Tischkante, spreizte die Beine und ließ sich von einem SS-Mann in Uniform nach Waffen absuchen.

»Nichts«, sagte der SS-Mann und trat neben einen älteren Herrn. Er kannte ihn vom Sehen. Er hieß Recktenwald und war an derselben Zeitung angestellt wie er. Er hatte unter dem Mantel noch seinen Schlafanzug an und fror.

»Ein schönes Hellblau«, sagte der SS-Mann und lächelte Recktenwald an.

Er wurde nach vorne gestoßen. An einem anderen Tisch nahm man ihm seine Taschenuhr, die Uhrkette und das Kleingeld ab, das er immer in der Hosentasche bei sich trug. Nachdem der SS-Mann das Geld abgezählt und in eine Kasse geworfen hatte, betrachtete er die Uhr.

»Gold?« fragte der SS-Mann.

Er nickte. Er hatte sie von seinem Vater zur Promotion geschenkt bekommen.

Der SS-Mann drehte sich um und legte die Uhr in eine der vier Kisten, die hinter ihm auf einem Tisch standen. Während der SS-Mann ein Formular ausfüllte, schaute er auf die Schilder der Kisten. Er las: Taschenuhren – Gold und vergoldet. Taschenuhren – Silber. Armbanduhren – Gold und vergoldet. Armbanduhren – Silber.

»Unterschreiben.«

Der Mann, der seine Sachen entgegengenommen hatte, hielt ihm ein Blatt Papier und einen Stift hin. Er zuckte zusammen. Dann unterschrieb er.

Vor dem dritten Tisch hatte sich eine Schlange gebildet. Der Rottenführer fragte einen jungen Mann, wie er heiße. Der Mann sagte seinen Namen und wurde geohrfeigt.

»Name«, wiederholte der Rottenführer.

Der Mann beteuerte, nur diesen Namen zu haben. Der Rottenführer machte ein Zeichen. Während der junge Mann abgeführt wurde, schluchzte er still vor sich hin.

Als die Reihe an ihn kam, hatte er schon begriffen, was man von ihm wollte.

»Jud«, antwortete er auf die Frage des Rottenführers, der zufrieden nickte, und auf die Frage: »Was für einer?«

»Jud Justus Bernstein.«

Dann nannte er seine Adresse.

Er wurde in einen kleineren Saal gebracht, der als Konferenzzimmer diente. Man hatte die Stühle an die Wand gestellt, so daß in der Mitte ein rechteckiger Raum frei geworden war. Er stellte sich zu den anderen zehn Männern, die wie er am Abend festgenommen worden waren. Der Journalist Alfred Neumann, der Verleger

Siegfried Scholem und ein Soziologe waren auch darunter.

»Runter«, befahl man ihnen.

Er ging in die Knie.

»Kriech.«

Er robbte auf allen vieren durch das Zimmer, kroch den Raum der Länge nach ab, dann im Kreis und blieb liegen, als man es ihm befahl, auf den Boden blickend und die Hände nach vorne gestreckt. Er schwitzte. Ein Mann kam auf ihn zu. Er sah die Spitze seines Schuhs. Das braune Leder war abgewetzt und an einigen Stellen rissig. Er wollte mit den Händen den Kopf schützen, blieb aber reglos liegen, schloß die Augen und wartete auf den Stoß. Nach einer Weile befahl man ihnen, in den großen Raum zurückzukehren.

Ein Offizier kam in den Saal und ging von Gruppe zu Gruppe. An der Art, wie die anderen ihn grüßten, erkannte man seinen höheren Rang. Der Offizier trat auf sie zu und schaute ihn lange an. Dann erhellte sich sein Gesicht.

»Sie kenn ich doch«, sagte er, »Sie sind doch der …«

Er bejahte.

»Wie alt sind Sie?« fragte der Offizier und nickte, als er ihm sein Alter nannte, anerkennend.

»Sie haben sich gut gehalten.«

Er wandte sich an den Nächsten und drückte ihm den Daumen in den Bauch.

»Sie haben sich in unserem Reich einen dicken Bauch angemästet. Den werden wir ihnen schon abspecken. Was sind Sie von Beruf?«

»Kantor«, antwortete der andere.

Der Offizier lächelte und richtete sich an Bernstein.

»Sie sind doch Musikfreund, das hab ich einmal gelesen.«

»Ja«, sagte er, »ich bin Mitglied des Vereins der Freunde schöner Choräle.«

Der Offizier schüttelte den Kopf.

»War. Sie waren Mitglied. Heute sind Sie nichts.«

Er wandte sich wieder an den Kantor.

»Dann singen Sie Ihren Glaubensbrüdern mal die Arie aus der ›Zauberflöte‹ vor, und singen Sie sich damit frei.«

Der Kantor holte tief Luft und setzte zum Gesang an.

2.

Gegen Morgengrauen wurden sie in den Hof gebracht. Es bildeten sich sofort kleine Gruppen. Man besprach, was nun geschehen würde. Keiner wußte es.

Über eine Mauer reichte jemand ein paar Flaschen Milch und Brot. Er sah rissige, arbeitsgewohnte Hände.

Er trank gierig einige Schlucke und reichte die Flasche weiter. Ein älterer Mann flüsterte dem Mann hinter der Mauer seinen Namen und seine Adresse zu.

»Sagen Sie Inge«, wiederholte der ältere Mann immer wieder, »sie soll die Bilder abhängen. Sie soll das Bild im Schlafzimmer abhängen. Sie soll auch das Wohnzimmer-bild ...«

Er ging zu dem älteren Mann und klopfte ihm leicht auf die Schulter.

»Ist ja gut«, sagte er, »ist ja gut.«

Sie wurden wieder in den Saal geführt. Man befahl ihnen, sich hinzulegen. Er knöpfte seine Jacke auf und ging in die Hocke. Der ältere Mann kroch auf ihn zu, stellte sich vor und fragte, was zu machen sei.

»Ich weiß es doch auch nicht«, sagte er. »Sie wollen uns einschüchtern und werden uns dann entlassen.«

Vielleicht, dachte er, vielleicht stimmt es ja, glaubte aber nicht wirklich daran. Er zog die Jacke aus, rollte sie zum Kopfkissen zusammen. Es hatte keinen Sinn zu spekulieren.

Nach einer knappen Stunde wurden sie zwischen einer gaffenden Menschenmenge hindurch auf die Straße geführt. Eine Frau, die einen Kurzhaardackel an der Leine hinter sich her zog, spuckte, als er an ihr vorbeiging, auf den Boden.

»Pfui«, sagte sie, »Judenpack.«

Am Straßenrand standen zwei Lastwagen. Während er darauf wartete einzusteigen, blickte er auf die gegenüberliegende Häuserwand, sah eine Frau Daunendecken über die Fensterbrüstung hängen und dachte an seine Tochter und an seine Frau, die sicherlich nicht geschlafen hatten.

Vor einigen Wochen hatten sie besprochen, was in einem Notfall zu tun wäre. Er hatte damals mit seiner Verhaftung gerechnet, aber nicht gedacht, daß sie so schnell kommen würde. Er hatte seine Auswanderung beantragt und geglaubt, daß er einige Wochen Zeit zur Verfügung hätte.

Sie ist noch zu Hause und wird auf ein Zeichen warten. Sie ist nicht bei ihnen. Sie hat sich sicherlich nicht an unsere Vereinbarung gehalten. Ach, dachte er, mach, daß sie dennoch gefahren ist, dann ist sie morgen in Holland, dann sind sie in Sicherheit.

Der Fahrer sah verschlafen auf die Straße. Allmählich leerte sich der Gehsteig.

Er setzte sich neben den jungen Mann, der sich sofort an seine Jacke klammerte. Er machte sich sanft von ihm los, nahm seine Hand und sprach leise auf ihn ein. Er wußte selbst nicht, was er sagte, aber das Reden beruhigte auch ihn.

Sie wurden zum Schlesischen Bahnhof gebracht. Er kam nur selten in diese Gegend. Einige Straßen sah er zum ersten Mal. In einem Tunnel hielten sie an. Sie mußten aussteigen.

»Schnell, schnell«, schrien die SS-Männer sie an.

Sie stellten sich in einer Schlange auf und wurden gezählt.

»Dreiundachtzig«, sagte ein SS-Mann und tippte ihm auf die Brust, »merk dir das.«

Man hatte für sie mehrere Sonderwaggons bestimmt, die am Ende des Zuges angekoppelt worden waren. Es war ein gewöhnlicher Personenzug, die Reisenden saßen schon auf ihren Plätzen und warteten. Die Abfahrt des Zuges hatte sich wegen ihnen verzögert.

Am Bahnsteig eilte eine Gruppe Arbeiter an ihnen vorbei. Einer hatte eine große lederne Tasche umgeschnallt. Da ist sein Frühstück drin, dachte er und merkte, daß er Hunger hatte.

Er wurde neben zwei SS-Männer gesetzt, die das Abteil bewachten. Er hörte ihnen zu. Sie sprachen leise darüber, was mit den Gefangenen geschehen sollte. Einer erwähnte Dachau und Sachsenhausen. Ja, dachte er, das wird es wohl sein, denn er hatte schon davon gehört. Der andere, der bei der ersten Station ausstieg, um Wasser zu holen, sagte etwas von einer »Sühneleistung der Juden«.

Als sie mitten auf der Strecke für mehrere Minuten anhielten und von einem Schnellzug überholt wurden, dachte er einen Augenblick daran, was geschehen würde, wenn er einfach aufstünde. Er stellte sich vor, wie er an den zwei Wachmännern vorbei zur Tür ginge, den Hebel hinunterdrückte, die Tür aufstieße und hinausschritt.

Auf der Flucht erschossen, dachte er, oder sie nehmen die Frau und das Kind. Wenn ich es schaffe, nehmen sie die Frau. Ach je, dachte er, mach, daß sie nicht auf ein Zeichen von mir wartet. Mach, daß sie schon gefahren ist, daß sie schon an der Grenze ist. Mach es, bitte. Er verschränkte seine Arme auf dem Schoß und lauschte. Hinter ihm flüsterte eine Stimme:

»Wächter, ist die Nacht bald hin? Wächter, ist die Nacht bald hin? Wenn auch der Morgen kommt, so wird es Nacht bleiben.«

Die Goldmünze

Wie bei fast allen Sammlern war auch bei Blumenfeld der leidenschaftliche Wunsch, Dinge zusammenzutragen, schon in frühester Jugend erwacht. Er konnte sich nicht erinnern, wann und warum er begann. Seine mittlerweile verstorbene Mutter erzählte gerne, daß sie seine Sammlerwut das erste Mal wahrgenommen hatte, als sie an einem Frühlingsmorgen beim vierteljährlichen Großputz mit der Reinemachefrau sein Bett zur Seite schob und dort ungefähr fünfzig Schokoladenpapiere fand.

Blumenfeld war damals sechs und ein melancholisches, zur Dickleibigkeit neigendes Kind, das von seiner Mutter auf strenger Diät gehalten wurde. Er konnte sich auch heute noch an den Taumel der Freude und der Angst erinnern, der ihn packte, sobald er sich auf dem Nachhauseweg dem Feinkostladen näherte, in dem er täglich eine mit Schokolade überzogene Cremewaffel zu kaufen pflegte. Er aß sie nicht sofort. Versteckte sie zwischen seinen Heften in der Schultasche, so daß sich das Schwindelgefühl den ganzen Nachmittag hindurch steigerte, um abends, nachdem die Mutter das Zimmer verlassen hatte, mit dem ersten Biß zu seinem Höhepunkt zu gelangen.

War es nun aus Angst, seine Mutter könne im Abfalleimer auf die Schokoladenhülle stoßen und so hinter sein Geheimnis kommen, oder hatte das stille Kind die Aufregung nötig, in die es das Wissen um seine Schuld versetzte und die es verlängerte, indem es mit schon müden Händen das silberschimmernde Papier glättete und zusammenfaltete und hinter das Bett legte, so daß es sich dort stetig häufte, und mit ihm der Zustand körperlicher und geistiger Anspannung.

Seine Mutter vermutete, daß diese kindliche Episode den in ihm schlummernden Sammeleifer wachgerufen hätte. Blumenfeld hatte sich nie darüber Rechenschaft abgelegt, ob ihn das nach Schokolade riechende Einwikkelpapier auch als Objekt und nicht nur als Nachweis seines Vergehens interessiert hatte, wußte aber, daß er enttäuscht und zugleich erleichtert gewesen war, als er an einem Nachmittag nach Hause kam und seine Mutter ihm vorwurfsvoll das Stanniolpapier entgegenhielt, womit der nächtliche Imbiß wie die Diät mit einem Mal ein jähes Ende nahmen.

An den Gegenstand seiner Sammlung, durch die Blumenfeld einigen Ruhm erwarb, war er ohne sein Zutun gelangt. Er wurde ihm von dem jüngsten Bruder seines Vaters zum zwölften Geburtstag geschenkt. Betrübt darüber, daß er als einziger Sohn nicht studiert hatte – er hatte den Pelzhandel des Vaters übernommen –, versuchte der Onkel mit einer römischen Münze das Interesse seines kleinen Neffen für die Geschichte zu wecken, ein Fach, in dem der junge Blumenfeld noch nie befriedigende Resultate erzielt hatte, und ohne dessen Beherrschung er es, nach Ansicht seiner Mutter und seines Onkels, in studierten Kreisen zu nichts bringen würde.

Blumenfeld bedankte sich höflich und verlegte noch am selben Nachmittag die Münze, auf deren Bildseite man den edlen, feingearbeiteten Kopf eines glorreichen Feldherrn sehen konnte, über den sich die grüne Patina gelegt hatte, die Kenner besonders schätzen.

Erst vier Jahre später, als er eine Bücherei aufsuchte, weil eine Klassenkameradin dort ihre Nachmittage verbrachte, und einen Bildband über Münzkunde durchblätterte, der neben den Wörterbüchern und Enzyklopädien am Eingang stand, kam er mit seinem zukünftigen Sammelgegenstand erneut in Berührung.

Blumenfeld hatte das Buch wahllos herausgegriffen und, während er den Tisch beobachtete, an dem das Mädchen saß, teilnahmslos in der Mitte aufgeschlagen, als sein

Blick plötzlich auf die vergrößerte Ablichtung einer gut erhaltenen Münze fiel. Es handelte sich um den in Silber geprägten Kopf eines Stieres, dessen dunkle, erweiterte Nüstern ihn sonderbar erregten.

Blumenfeld begab sich noch am selben Tag in ein Geschäft, das neben Briefmarken, Siegeln und Medaillen auch zwei Regale mit Münzen führte und das er bis dahin nicht beachtet hatte, und kaufte einen Silbertaler, den er wegen seiner weiten Verbreitung billig erstand.

Innerhalb nur weniger Monate stellte Blumenfeld, dessen Sammeleifer nun endlich den passenden Gegenstand gefunden hatte – er hatte zuvor allerlei, darunter auch einige Skurrilitäten, in seinem Zimmer angehäuft und, wenn er dessen überdrüssig wurde, gegen anderes getauscht –, eine schöne Sammlung zusammen. Er ließ sich dabei vom Inhaber des Ladens beraten, einem erfahrenen Numismatiker, der dem jungen Mann wohlgesinnt war und mit ihm viele Stunden im Hinterzimmer verbrachte.

Schon bald begnügte sich Blumenfeld nicht mehr mit den herkömmlichen Münzen und fügte den zahlreichen Silbertalern und Vogelköpfen aus Bayern und Böhmen Besonderheiten wie Nilpferde, Elefanten und Löwen hinzu, die ihn mit ihren Nickel-, Silber- oder Kupfermäulern angrinsten, wenn er die Münzen abends aus ihrem Fach holte, um sie zu polieren oder einfach nur in den Händen zu halten.

Diese Münzen stellten sein ganzes Glück dar. Fuhr er mit dem Finger über die unebene Oberfläche, glaubte er den Schweiß des Künstlers zu spüren, der vor Hunderten von Jahren im Auftrag eines Fürsten oder Kaisers mit kraftvollem Schlag den Hammer hatte auf das heiße Metall fallen lassen, um durch den so ausgeübten Druck die Erhebungen ins Metall zu pressen.

Nur die Menschenhand konnte solche Unregelmäßigkeiten hervorbringen, um derentwillen Blumenfeld die Münzen sammelte, denn sie ermüdete und schlug am Ende des Tages schwächer. Und er glaubte zu wissen –

und veröffentlichte diese seine Ansicht auch in mehreren stark umstrittenen, aber niemals widerlegten Artikeln in der Zeitschrift für Numismatik –, ob eine Münze abends geprägt worden war oder zur frühen Morgenstunde, weil die Nachtmünzen gewisse technische Mängel aufwiesen, die einem, wie die zu weiße, kränkliche Haut eines jungen Mädchens, ans Herz rührten.

Nur einmal hätte Blumenfeld sich fast verleiten lassen, seine Sammlung zu vernachlässigen. Er hatte sich damals schon einen Namen als Kenner der antiken Münzkunst gemacht, wenn er auch ab und zu nach Münzen aus anderen Epochen griff. Die betreffende Dame – der Gefühlsumschwung wurde von einer Frau ausgelöst – hatte er in einem Anwaltsbüro kennengelernt, das er aufsuchte, um eine Erbschaftsangelegenheit für seine Mutter zu regeln. Blumenfeld ging damals in sein fünfunddreißigstes Lebensjahr.

Die Dame hieß Vicki Walter, war seit kurzer Zeit geschieden, hatte ein schüchternes Lächeln und kleine, trippelnde Füße und war in eben dieser Anwaltskanzlei als Sekretärin angestellt. Seine ersten und letzten Worte an sie sollten eine Entschuldigung sein.

Es war eigentlich eine unerhebliche Geschichte: Mit dem steifen Lodenstoff seines Mantels hatte Blumenfeld im Vorübergehen ein Tintenfaß gestreift und dessen Inhalt über den Tisch der Sekretärin gegossen. Nach einer unbeholfenen Entschuldigung, die den ersten Eindruck, den er auf die Sekretärin gemacht hatte, noch verstärkte – ein unordentlicher, aber liebenswürdiger Mensch –, lud er die junge Frau zum Essen ein.

Er war nicht von ihr angezogen. Fühlte sich vielmehr verpflichtet und traf die Sekretärin, die den Beweis seiner Zerfahrenheit sofort und ohne Kommentar mit einem Schwamm weggewischt hatte, ohne seine gemischten Gefühle zu verbergen.

Obwohl er anfangs ungeduldig auf die Uhr schaute – Blumenfeld wollte sich von niemandem die Zeit rauben lassen, die er bei seinen Münzen hätte verbringen können –, mußte er sich nach drei weiteren Treffen eingestehen, daß ihm die Frau sympathisch geworden war. Da auch sie Gefallen an ihm zu finden schien, kam, was kommen mußte. Und er konnte nachts, wenn sie ihn verlassen hatte und er noch eine Weile wach im Bett lag, nicht umhin zu denken, daß das, was die Griechen Schicksal nannten, auch ihm gewogen war.

In der Tat war die Frau in sein Leben getreten wie die nach einem Sturm aufgewühlte Flut und hatte schon in der ersten zusammen verbrachten Nacht alle Schutzwälle weggerissen, die Blumenfeld sorgfältig errichtet hatte, weil er glaubte, mit dem Leben zufrieden zu sein.

Danach blieb nur noch ein Gefühl der Leere. Blumenfeld gab nicht vor, die Frau zu lieben. Er hatte seine Jugend umsichtig hinter sich gebracht, stand an der Schwelle eines neuen Lebensabschnittes und sah zufrieden einer ruhigen und durch ihr Dasein nun zur Gänze ausgefüllten Zukunft entgegen.

Der Verlobungstermin wurde festgesetzt. Blumenfeld begann sich ohne große Eile nach einer größeren Wohnung umzusehen. Das war zu der Zeit, als er beschloß, seine Sammlung zu katalogisieren, weil sie seit dem zaghaften Beginn beträchtlich gewachsen war.

Blumenfeld bat seine angehende Verlobte, die von Berufs wegen mit einer solchen Arbeit vertraut war, ihm zu helfen. An einem Sonntag fingen sie an. Vorsichtig holte er das erste Papiertütchen aus dem Schrank, machte es auf und ließ eine römische Münze aus rohem Kupfer, auf die der Kopf eines aus den Geschichtsbüchern für seine Völlerei bekannten Kaisers geprägt war, in seine Hand gleiten. Langsam hob er die Münze ans Licht, kniff die Augen zusammen und bestimmte in kurzen und sachlichen Worten Epoche, Land, Einheit und Inschrift der Münze und holte, als die erste verzeichnet und wieder in ihrem Papiertütchen verstaut war, die zweite Münze heraus. So arbeiteten sie den ganzen Nachmittag durch und machten nur eine kurze Pause, um Kaffee zu trinken und sich zu entspannen.

Gegen Abend überkam Blumenfeld ein ungutes Gefühl, das anfänglich kaum merklich an seinen durch den Anblick der Münzen erregten Nerven nagte, aber um so stärker wurde, je weiter sie in der Arbeit voranschritten. Als sie schon ungefähr siebzig Karten vollgeschrieben hatten, drang beim Anblick eines Groschens mit einem Mal in sein Bewußtsein, was ihn während der Arbeit irritiert hatte: er hatte vergessen, den Erhaltungszustand zu erwähnen. Blumenfeld hielt inne und klärte seine Freundin über die Unzulänglichkeit der vollbrachten Arbeit auf.

»Was«, fragte sie, »all die Dinger noch einmal?« Sie meinte damit die Münzen, die sie nun von neuem auswickeln mußte.

Blumenfeld antwortete nicht, nickte nur traurig und sagte sich, als sie ihn nachts wie gewohnt verließ, daß kein Glück vollkommen sei und daß der Ausdruck, den sie gebraucht hatte, um seine Münzen zu beschreiben, sehr wahrscheinlich versehentlich aus ihrem sonst so schüchtern lächelnden Mund gerutscht war. Doch obwohl ihr Blumenfeld sofort verziehen hatte, war etwas von dem an ihrem gemeinsamen Glück haftenden Zauber verflogen.

Danach sah er die Dame immer seltener, sehr zur Zufriedenheit seiner Mutter, und brach die Beziehung im Winter gänzlich ab. Als die ersten Birken zu blühen begannen, kaufte Blumenfeld eine Münze, die er schon lange gesucht hatte und die alle anderen Münzen an Schönheit übertraf. Es handelte sich um ein Exemplar vom Höhepunkt der griechischen Münzkunst, eine Silberdrachme, auf deren Rückseite der feingearbeitete, schöne Kopf der Nymphe Arethusa, der Tochter der Nacht, abgebildet war. Blumenfeld betrachtete die Münze, bevor er sich zur Ruhe begab, und ließ sie auch nachts auf einem Samttuch neben seinem Bett liegen. Damals fand er seinen inneren Frieden wieder. Die Sekretärin hatte er schon vergessen.

Ein Jahr später starb seine Mutter. Mit Hilfe eines Cousins regelte Blumenfeld die Formalitäten und beerdigte sie in größter Stille neben seinem vor zwanzig Jahren an einem Herzinfarkt verstorbenen Vater. Mit dem ererbten Geld – es handelte sich um eine ansehnliche Summe, die von der Mutter sparsam zusammengetragen worden war – kaufte er dreißig Münzen, die ihm gefehlt hatten, um seinen Ruf als wichtiger Sammler und Kenner der Numismatik zu erhärten. Es muß wohl in diesem Augenblick gewesen sein, daß ihn das befiel, was als eine Art momentaner Wahnsinn zu betrachten ist: Trunken von der Vielfalt und dem Ansehen seiner Sammlung, setzte er es sich in den Kopf, von allen antiken Münzen ein Exemplar zu erstehen und so das zu besitzen, wovon jeder Numismatiker nur sehnsüchtig träumt: eine vollständige Sammlung.

Blumenfeld setzte eine Anzeige in der Zeitschrift für Numismatiker auf und äußerte seinen Wunsch, bekannte Stücke der Antike zu erstehen. Innerhalb nur einer Woche erhielt er zwei Antworten. Erfreut schrieb er sofort zurück und meldete seinen baldigen Besuch an.

Auf diese Art machte er die Bekanntschaft von Dr. Heillein, einem ruhigen Mann in fortgeschrittenen Jahren, der ihm auf indirekte Weise das Leben retten sollte.

Dr. Heillein war ebenfalls Junggeselle und lebte in einer kleinen Wohnung, die so unscheinbar zu nennen gewesen wäre wie das Reihenhaus, in dem sie sich befand, hätte seine Sammlung den Eindruck nicht erheblich verbessert.

Seine ihm angeborene Reserve vergessend, ging Blumenfeld, nachdem er sich vorgestellt und seinen Mantel abgelegt hatte, auf die Regale zu und betrachtete, ein Samttuch und eine Lupe aus der Tasche holend, jedes dort ausgestellte Stück. Schritt für Schritt umkreise er das Zimmer und wandte sich dann dem geduldig neben ihm stehenden Mann zu, der ihn mit einer Handbewegung bat, ihm ins Schlafzimmer zu folgen.

Sprachlos setzte sich Blumenfeld aufs Bett. Selbst in

Berlin hatte er solche Schätze nicht gesehen. Da lagen silberne Gratzpfennige neben Wiener Kremsern, römische Münzen aus rohem Kupfer neben Goldgulden und lieblichen griechischen Schildkröten. Die karge Kost, die er in einem Lokal neben dem Bahnhof zu sich genommen hatte, lag ihm wie Blei im Magen; auch die Erklärung des Mannes, der sich verpflichtet fühlte, den Umfang der Sammlung zu rechtfertigen, munterte ihn nicht auf. Langsam stand er auf und folgte der Einladung des Gastgebers, trank ein Glas auf das Wohl und Gedeihen der Numismatik und verabschiedete sich bald darauf, um in einem Hotelzimmer in einen tiefen und traumlosen Schlaf zu fallen.

Wie eine vom Wind verjagte Wolke, welche die klare Sicht verhindert hat, wich nach dieser Begegnung Blumenfelds Wahn, und er begriff, daß es mehr als nur einer Generation bedurfte, um eine Sammlung von Rang zu erlangen, mehr noch sogar als zweier.

Um sich nicht endgültig in den von seiner Mutter prophezeiten Ruin zu stürzen und die ihm noch verbleibenden Jahre ruhig und friedlich zu verbringen, beschloß er, sich von seiner Sammlung zu trennen. Da er seine Willenskraft anzweifelte, setzte er den Entschluß noch in derselben Woche in die Tat um.

Nach zwei Wochen hatte Blumenfeld alle Münzen bis auf die Tochter der Nacht, die nicht von seiner Seite wich, verkauft. Mit dem Erlös erstand er ein kleines Haus in einem Fischerdorf an der französischen Riviera, wo er auf angenehmste Weise in den Tag hineinlebte.

So kam es also, daß Blumenfeld an einem späten Frühlingsmittag sein erstes Glas Rotwein trank, das ihm die halbtags angestellte Haushaltshilfe, eine Witwe in mittleren Jahren, die erst vor kurzem ihre schwarze Kleidung abgelegt hatte, auf einem Holztablett mit einigen Oliven auf die Terrasse gebracht hatte, während fünf seiner Familienangehörigen im Rahmen einer zwei Wochen zuvor geplanten Aktion wegen ihrer Religionszugehörigkeit festgenommen wurden. (Erst einige Wochen später sollte Blumenfeld von der Aktion hören, deren Ausmaß er nie vollkommen begriff.)

Auch sein weiteres Vorgehen – der Verkauf der Tochter der Nacht, mit deren Erlös er versuchte, seinen um etliche Jahre jüngeren Cousin Alfred, dessen Verlobte Eva und Evas Nichte Andrea freizukaufen –, war weder seiner Klarsicht noch seinem Verständnis der politischen Lage zuzurechnen.

So bestimmt und sicher er das Prägungsjahr einer Münze bestimmen konnte, so begrenzt war Blumenfelds Auffassungsgabe, was politische Ereignisse betraf, die er nicht mit seinem eigenen, zurückgezogenen Leben in Verbindung bringen konnte.

Blumenfeld spürte nur, ohne es in Worte fassen zu können, daß ihn die Tochter der Nacht mit ihrer diktatorischen Schönheit vom Leben trennte, das sich ihm in Form seiner schüchtern lächelnden Haushälterin in einem neuen und ungewohnten Licht darbot.

Zukunft
(Ein Kaufhaus)

Die junge Dame heiratete nicht, wie erwartet und allgemein erhofft, Reinhard Lipmann, sondern einen gewissen Karl Schneider, den sie an der Universität kennengelernt hatte: er spielte ausgezeichnet Tennis und machte auch in Reithosen eine gute Figur. Eine Tochter der Oppenheimer von Oppenheimer und Baum war sie. Und der junge Mann? Er war nicht viel mehr als der jungen Dame sehr zugetan. Grund hierfür war, warum es verschweigen, das große O., das in Leuchtschrift neben dem großen B. auf dem Dach des Kaufhauses prangte.

Er war eben diplomierter Betriebswirt und wollte mit den ihm zur Verfügung stehenden Mitteln den höchsten Ertrag erzielten. Stellte daher mit Stichproben die Zahlungsbereitschaft des Vaters fest, erwarb durch einige Dienstleistungen und Güter – ein offenes Ohr, einige Blumensträuße und viel Schokolade – die Zuneigung der Mutter und bekam nach einem Monat, in dem er sich nicht blicken ließ – er wußte, daß das, was Wert hat, nicht nur nützlich sein muß, sondern auch knapp –, als Belohnung für seine richtige Kalkulation eine goldene Uhr geschenkt. Eine schöne Wohnung in der Hölderlinstraße Nummer 5 folgte. Und drei Jahre später entzückende Zwillinge, die ebenso wie er und seine Frau ausschließlich von Oppenheimer und Baum – kurz OB genannt – eingekleidet wurden.

Schneider hieß der neue Mann, der nach vierzehn Jahren, als die zwei entzückenden Söhne seinen Schreibtisch um vier Köpfe überragten und sich von OB heimlich mit Zigaretten, Zeitschriften und anderen Zerstreuungen ausstatten ließen, als Gatte der jungen Dame, die nun zwar noch immer eine Dame, dafür aber nicht mehr jung war, vom Aufsichtsrat und den Hauptaktionären, soll heißen: von ihm selbst und seiner Frau, zum Direktor des Kaufhauses OB bestellt werden sollte, weil der alte Herr gestorben war.

Kurz, er erbte. Er erbte das Kaufhaus nebst dem dazugehörigen Schreibtisch aus Eiche, auf den er es schon lange abgesehen hatte und hinter dem er sich, wenn auch nur für kurze Zeit, rundum wohl fühlte. Und setzte sich also hinter den schweren Eichentisch, den die Jahre geschwärzt hatten, überlegte und ließ sich, obwohl man ihm aus mehreren Gründen davon abriet – man denke nur an die Arisierung, und wer rennt als Deutschstämmiger schon freiwillig ins eigene Verderben? –, von Herr Karl Schneider in Karl Israel Schneider umbenennen – das Herr fiel bei Juden weg.

Denn er wollte sich nicht von seiner Frau, der Volljüdin Liselotte Sara Schneider (geborene Oppenheimer) scheiden lassen. Er hatte sie mit den Jahren liebgewonnen. Wollte sich auch nicht von seinen Söhnen trennen, den zwei Schneiderzwillingen, die nun von den Angestellten des Kaufhauses heimlich die Judensäcke genannt wurden, weil sie Söhne eines Ariers und einer Volljüdin waren, was nach genauer Rechnung zwei Halbjuden ergibt, oder wenn man sie addiert, dividiert, multipliziert – bei Juden spielt das keine Rolle –, einen Volljuden oder vier Vierteljuden oder fünf Fünfteljuden oder acht Achteljuden.

Die Logik befahl es, aber er konnte es nicht. Der Marktpreis des Juden war gesunken. Aber er konnte es nicht. Er wußte, die Zeit für den Verrat war gekommen, wie man es auch betrachtete, es war kein konkreter Nutzen im Juden zu finden, aber sie waren ihm nun einmal lebensnotwendig geworden, wichtiger geworden als das Kaufhaus OB, um dessentwillen er die junge Dame vor fast zwanzig Jahren geheiratet hatte.

Er trat über. 1939 trat er über. Und dann verschleuderte

er das Kaufhaus. Er konnte es ja nicht behalten, er war Jude, zwar nicht von Geburt an, aber immerhin Jude, und so wurde das Kaufhaus zwangsarisiert. Wurde von dem Immobilienmakler Paul Raeder, einem Arier mit lückenlosem Abstammungsnachweis und einer blonden Gattin mit stattlichem Brustumfang, für ein Achtel seines Wertes erstanden.

Und er, was kaufte Schneider vom Erlös? Er erstand bei der Hapag für den Betrag von 1033 Mark und 75 Pfennigen drei Schiffskarten nach Casablanca, drei und nicht vier, da er erst nachzukommen gedachte, wenn er alles anständig abgeschlossen hatte.

Es war ja einmal eine Familie gewesen, die zu den wichtigsten und angesehensten des Landes gezählt hatte. Zahlreiche Minister hatten dort gespeist. Es gab viel zu tun. Denn da war das Kaufhaus, das zwangsarisiert wurde, wie die Warenhauskette Leonard Tietz AG, später Kaufhof genannt, wie die Warenhauskette Hermann Tietz, Hertie genannt, wie die Warenhauskette Gebrüder Alsberg, die vom rein arischen Angestellten Horten aufgekauft und unter seinem Namen weitergeführt wurde, wie die Warenhauskette Rudolf Karstadt, die in die Hände der Didier Werke Wiesbaden, der Versicherungsgruppe Münchmeyer und vier weiterer Banken geriet.

Da war auch die Wohnung, die zwangsarisiert wurde, und die Häuser, zwangsarisiert, und das Sommerhaus, zwangsarisiert, und die drei Wagen und das Familienbankkonto und das Geschäftskonto und die Lebensversicherung und die Aktien und Wertpapiere und Bilder und Teppiche und Skulpturen und alles, was man in einem Leben anhäuft: das, was er angehäuft hatte, das, was seine Frau angehäuft hatte, und ihr Vater, der Kunstsammler gewesen war, und ihr Großvater, ebenfalls Kunstsammler, und ihr Urgroßvater mit den Orden und die Großmütter und Urgroßmütter.

Er nahm es stoisch. Was aus den Schranken des Rechts heraustritt, dachte er, muß eines Tages untergehen. Und er forderte, weil drei Mitglieder der Familie Schneider nach Casablanca flüchteten, die nötigen Auswanderungs-papiere an, drückte dem Beamten einen Geldschein in die Hand, reichte, nachdem die Auswanderungsbehörde keine Hindernisse mehr sah, also nichts gegen die Auswanderung der dreiköpfigen Familie Schneider einzuwenden hatte, das Umzugsgutverzeichnis in doppelter Ausfertigung ein, begab sich, als er auch nach zwei Wochen keine Antwort erhalten hatte, persönlich und zu Fuß zu der Devisenstelle, drückte dem Beamten einen Geldschein in die Hand und erhielt nach weiteren zwei Wochen die devisenrechtliche Genehmigung für:

2 Bündel Waschlappen und Zubehör
20 mathematische Hefte
1 Taschenlampe
1 Kästchen mit unechtem Schmuck
4 Taschentücher
1 Koffer
6 Kleiderbügel
3 Nachthemden
2 Strickwesten
1 Unterrock
4 Unterhosen
1 Decke
7 Paar Strümpfe
3 Büstenhalter
1 Paar Hausschuhe
3 Schals
4 Gürtel
1 Paar Damenschuhe
2 Taschen
2 Paar Strümpfe
5 Kleider
1 Schirm
3 Tischdecken
3 Krawatten

1 Hemd
2 Anzüge
1 Reisedecke

Und erhielt die devisenrechtliche Genehmigung nicht für:

Wintermäntel
25 Damenbinden
1 Schreibzeug
1 Korallenkette
1 Schuhcreme
1 Nähzeug
1 Paket Persil zum Waschen der Wäsche auf der Reise
1 Schachtel »Seesand Mandelkleie« zum Reinigen der Haut
1 Paar Männerschuhe
14 Tafeln Schokolade
1 Schachtel Pralinen
1 Stange Zigaretten
4 Romane, englische Broschur.

Und brachte, nachdem auch dies abgeschlossen war, seine Frau und seine zwei Söhne zum Schiff.

Die Frau weinte. Auch er weinte. Es war nicht weiter schlimm, sie hatten ja die devisenrechtliche Genehmigung für vier Taschentücher erhalten, mit denen sie ihre Tränen trocknen konnten.

Er verabschiedete sich von seiner Familie, drückte die Söhne an sich, küßte die Frau, sagte ihr, daß sie Mut schöpfen solle, und übereichte ihr in einem Umschlag Geld, mit dem sie auszukommen hatte, bis alles vorbei war – es war die Rede von einigen Monaten, vielleicht auch einem Jahr.

Er blieb noch lange stehen und schaute zu, bis der graue Punkt am grauen Horizont der Hansestadt verschwand, dann drehte er sich um und ging. Er hatte noch etwas Geld auf dem Konto. Er hatte noch einige Freunde. Aber Hoffnung hatte er keine mehr.

Er war Betriebswirt und wußte: der Jude war ein gutes Geschäft. Der Raub seines Vermögens war ein fruchtbarer Erwerb. Der geringe Aufwand stand in keinem Verhältnis zum Ertrag, denn viele Mitbürger halfen unentgeltlich beim Plündern mit. Bald würde man die einfache Aktion zu einem regelrechten Geschäftszweig umstrukturieren.

Die Zukunft versprach nichts Schönes. Er seufzte und ging ins Kaufhaus, grüßte die Sekretärin und betrat das Büro, das ihm seit einigen Tagen nicht mehr gehörte. Öffnete die Schreibtischschublade, die ihm ebenfalls nicht mehr gehörte, nahm einen Revolver heraus, den er nicht deklariert hatte, der daher nicht zwangsarisiert worden war und ihm weiterhin gehörte, hielt ihn an seine Schläfe.

Da saß er nun, während draußen alles so weiterging wie zuvor, mit dem Revolver in der Hand und dachte an Herrn Paul Raeder – er hatte ihm nach Vertragsunterzeichnung jovial auf die Schultern geklopft –, dachte daran, daß er es doch auch ihm klarmachen müßte, wie konnte man das Unrecht, das hier begangen wurde, so gutgelaunt übersehen. Schaute aus dem Fenster und stellte sich den von seinem Blut bespritzten Schreibtisch vor, an dem sein Nachfolger Platz nehmen würde – es müßten dem Mann doch spätestens nach seinem Selbstmord Zweifel kommen. Dachte auch an die Sekretärin, die ins Zimmer rennen würde, sobald sie den Knall gehört hatte, an die Putzfrauen, die das Blut mit Seifenwasser wegwischen müßten, und an die zahlreichen Angestellten – sie würden hinter vorgehaltener Hand tuscheln –, und legte, nachdem er so sitzen geblieben war, bis es dämmerte, den Revolver wieder in die Schublade zurück und verließ über den Lieferanteneingang das Kaufhaus.

Auf der Straße blieb er unter einer Laterne stehen. Er zog die goldene Uhr aus der Tasche, die er von seiner Frau geschenkt bekommen hatte, und betrachtete das Zifferblatt.

»Gott im Himmel, Gott im Himmel«, flüsterte er und sah den ersten Verkäufer die Tür aufstoßen und ins Freie gehen.

Nach der Art, wie er auf das Pflaster trat, erkannte er einen Lehrling, dessen Waden nicht schmerzten, weil er noch nicht lange stand.

»In der Schuh-, Kinderspielzeug- oder Tabakwarenabteilung«, sagte er, oder aber – weil in den Abteilungen für Damenbekleidung, Unterwäsche und Haushaltswaren keine Männer angestellt wurden – in der Werkzeugabteilung, die man im Kaufhaus ironisch Papis Jagdrevier nannte.

Ach, wie gerne hätte er mit dem jungen Mann getauscht. Wie gerne würde er nach einem anstrengenden Arbeitstag zur Mutter nach Hause kommen. Oder aber er geht in sein erstes eigenes Zimmer. Ein Zimmer mit Waschbekken, in dem die Freundin wartet. Er war ein strammer Bursche und hatte sicher schon ein Mädchen, das ihm etwas zu essen vorbereiten würde.

Am Wochenende, dachte er, während der junge Mann sich eine Zigarette anzündete, gehen sie ins Kino. Oder sie bleiben einfach nebeneinander auf dem Bett sitzen und schmieden Pläne, so wie ich es ja auch einmal gemacht habe, als ich noch nicht verheiratet war.

Damals war ihm alles möglich erschienen. Er wollte Karriere machen oder zur Not wie sein Vater die Beamtenlaufbahn einschlagen. Und dann hatte er, weil er sich nicht entscheiden konnte und das Studentenleben auskosten wollte, Kurse in Philosophie belegt und vor dem Hörsaal ein junges Fräulein kennengelernt, das ihm vom ersten Augenblick an gut gefiel und das ihm noch besser gefiel, als er erfuhr, daß es die Tocher vom alten O. war. Sie hatten geheiratet. Er hatte geglaubt, daß nun nichts seinen blendenden Aufstieg hindern könne. Damals hatte er viele Träume gehabt.

Er schlug den Kragen seines Mantels hoch und schaute auf die wohlbekannte, noch nicht abgenommene Leuchtschrift des Hauses und auf die Dachreklame: »Der Tempel Ihrer Wünsche«.

Er hatte den Spruch vor vier Jahren, kurz vor Weihnachten, anbringen lassen, gegen den Willen seines Schwiegervaters. Der alte Mann hatte den Spruch für blasphemisch gehalten. Ein Warenhaus, hatte er zornig ins Büro gerufen, während er mit den Vertretern Frühlingsstoffe auswählte, ist kein heiliges Gebäude. Die Wünsche der Menschen können nicht durch Güter zufriedengestellt werden. Schneider lächelte, er hatte sich immer gewundert, wie dieser unbeugsame Mensch zu seinem Vermögen gekommen war.

Er holte sein Notizbuch heraus und suchte die Telefonnummer eines Studienfreundes, bei dem er übernachten wollte. Bald würde er sich zu seiner Familie gesellen. Sie würden warten. Wie lange, wußte er nicht.

»Wären doch alle so wie der Alte«, sagte er und dachte an das Gesicht seines Schwiegervaters, als er ihm auseinandergesetzt hatte, daß die Höhe eines Wertes vom Markt abhänge.

»Es gibt Werte«, hatte der alte Mann wütend erwidert, »die ewig gültig sind.«

Schneider hatte ironisch gelächelt und geantwortet, daß dort, wo kein Gefühl eines Mangels herrsche, auch kein Bestreben vorhanden sein könne, diesen Mangel zu beseitigen. Der alte Mann hatte daraufhin zwei Wochen nicht mit ihm gesprochen. Seine Frau hatte zwischen ihnen vermitteln müssen.

Er ging in ein Café und fragte, ob er kurz telefonieren könne. Die Zukunft würde entscheiden, wer recht behalten sollte.

Die Liebe habt ihr verstoßen

1.

Ich bin ein überflüssiger Mensch. Arbeite ungern, stehe, wenn möglich, spät auf und kann kein Glas abschlagen. Ich trinke nicht, um einen Kummer zu vergessen. Mein Ehrgeiz ist nicht groß genug, als daß mir eine Niederlage Schmerz bereiten könnte. Ich strebe nach keinem Erfolg. Bin weder zufrieden, noch besorgt und nehme mir nicht zu Herzen, von meiner Mutter beschimpft zu werden, weil ich im Schlaf wieder eingenäßt habe.

Meine Mutter sagt, daß sie mit dem Waschen gar nicht mehr nachkommt. Mein Urin würde ihre Gesundheit und ihre weißen Hände ruinieren, auf die sie so stolz ist, weil sie, obwohl sie letztes Jahr siebzig geworden ist, keine Altersflecken aufweisen. Mir tut meine Mutter aufrichtig leid. Aber meine Blase beharrt hartnäckig auf ihrer Autonomie. Trotz verschiedener Überredungsversuche kann ich sie nicht daran hindern, sich allnächtlich zu entleeren.

Nach langem Zögern haben meine Mutter und ich einen zufriedenstellenden Kompromiß gefunden. Der Einfachheit halber haben wir das störende Vorkommnis akzeptiert. Ungern nur, denn ein Organ hat sich nicht so in den Vordergrund zu spielen. Aber wir können ja nicht ganze Abende damit verbringen, meine Blase zu zähmen. Es gibt doch so viele andere Beschäftigungen, die weitaus interessanter sind. Ich könnte mich zum Beispiel mit einem Buch fortbilden. Wenn schon auf eine körperliche Gesundung nicht zu hoffen ist, sollten doch wenigstens die geistigen Kräfte stimuliert werden. Am meisten würde mich und meinen Geist natürlich ein Glas Schnaps erquicken. Welch ein erhabener Anblick ist doch so ein Gläschen Schnaps! Aber kommen wir zurück zum Thema:

Die Eitelkeit meiner Mutter hat über ihre gesellschaftlichen Bedenken gesiegt. Seit einer Woche holt die Hausmeisterin, eine übelriechende, klatschsüchtige Frau die Wäsche ab. Bald werden alle Mieter wissen, daß unsere Laken öfter schmutzig sind, als sich das gehört. Die Hausmeisterin, von niederträchtiger Gesinnung, belastet mich nur zu gerne.

Leider muß ich zahlen. Es geht meiner Mutter nicht um das Geld, sie ist sehr großzügig, sondern um das erzieherische Prinzip. Sie ist der Ansicht, daß eine Kürzung des Taschengeldes meine Blasenfunktion beeinflussen könnte. Sie hat mit dieser von ihr angewandten Strategie, es handelt sich um eine subtile Form der Erpressung, nicht unrecht. Zwar haben Strafmaßnahmen auf mein mit den Jahren entartetes Gewissen keine Wirkung mehr, dennoch habe ich bemerkt, daß der Urinstrom seit einigen Tagen nachläßt, sehr wahrscheinlich, weil ich nun abends aus finanziellen Gründen nicht mehr soviel trinken kann.

Ich trinke also nicht aus Kummer. Warum trink ich dann? Eine tiefe Frage, eine schöne Frage, eine Frage, die es verdient, daß man ihr zu Ehren ein Gläschen hebt.

Ich trinke mittags zu Hause und abends in der Kneipe. Sowohl in Gesellschaft als auch allein. Ich trinke aus Gier oder, wenn Sie wollen, mit Genuß.

Sitze ich an der Theke, proste ich niemandem zu, schaue mich nicht um und suche auch sonst keinen Kontakt. Die Schultern leicht nach vorne gebeugt, konzentriert sich mein ganzes Wesen auf die Sinneszellen, die in der Schleimhaut von Nase und Zunge die Geruchs- und Geschmacksreize des Schnapses empfangen.

Schon der Anblick der klaren Flüssigkeit versetzt mich in Erregung. Noch bevor ich das Glas berühre, empfinde ich ein Prickeln auf der Haut. Schubweise treten Flecken ins Gesicht, und wenn jemand in diesem entscheidenden Moment meine Aufmerksamkeit auf sich lenkt, zum Beispiel durch dauerndes Fragen, was ich denn heute zu Abend essen will, spüre ich eine Beklemmung, als ob die Brust von einem Tier zusammengedrückt würde.

Erst nach dem ersten Schluck legt sich der Schmerz. Und dann breitet es sich aus, in immer größeren Kreisen, es durchdringt mein ganzes Sein, ein Glücksgefühl, das nur wenige kennen und das sofort abebbt, so daß ich mein Glas erneut füllen muß. Ich kehre zum Ausgangspunkt zurück: die Hände zittern vor Verlangen, der Atem stockt, der Puls schlägt unregelmäßig schnell, und dann, nach einer Pause, die ich hinausziehe, indem ich jemandem zuproste, weil in der Qual des Wartens schon die Erlösung mitschwingt, benetze ich die Lippen mit der scharfen Flüssigkeit. Und so trink ich bis zur Ermüdung der Sinne, bis ich den Körper in den Zustand angenehmer Schlaffheit versetzt habe, und dann ist alles gut.

Ach, Schnaps, Schnäpschen, mein liebstes Feuerwasser. Wie kann ich dich rühmen? Wie dich beschreiben? Leben bist du mir. Mutter bist du mir. Meine Heimat.

Sitze und warte. Sitze und warte, bis Magen, Darm und Leber, bis jeder Nerv von dir durchtränkt ist. Bis sich mein Blut mit dir vereint. Hätte dich so gerne im Blut, hätte dich gerne permanent im Blut.

Ach, Schnaps, Schnäpschen, süffiger Schatz. Mein liebster Branntwein, mein Bruder, blasse Romanze.

Hab dich lieb gewonnen. Hab dir mein reuiges Herz geschenkt und gebe hiermit feierlich bekannt: Zu jeder Stunde holt mich der Schnaps aus dem Zustand der Stumpfheit, in den meine Mutter mich geboren hat. Er gib mir ein Ziel und einen Sinn. Mit seiner Hilfe gelange ich zu Erkenntnissen, denen ich den Vorzug vor den nüchternen Einsichten meiner Zeit gebe. Spielend bewältige ich das Pensum Leben, um das ich nicht gebeten habe. Ist das denn nicht genug Beweis für den Profit, den ein kluger Mensch aus dem Alkohol erzielen kann? Wiegen die Möglichkeiten, die einem der Schnaps eröffnet, nicht eine Leberzirrhose auf?

Ich zittere am ganzen Leibe, schwitze und friere, daß das Geld nicht ausgeht. Falte die Hände zum Gebet und bitte still, vom Schnaps erhört zu werden: Darfst mich nicht verlassen. Sollst meiner nie überdrüssig werden. Und am Morgen, wenn ich mit schmerzendem Kopf aufwache, find ich noch ein Fläschchen im Kleiderschrank. Einen letzten Schluck unter dem Nachttisch, den die Mutter übersehen hat.

Darauf trink ich: auf die Entfaltung meiner schöpferischen Initiative unter dem Einfluß von Alkohol. Auf kreatives Planen und Gestalten nach sechs Gläsern Schnaps. Auf meinen Scharfsinn und Einfallsreichtum, was das Finden neuer Verstecke betrifft.

Die Hexe mag dich nicht. Hast ihr ja schon den Mann genommen, sollst ihr den Sohn lassen. Da hat sie dir den Krieg angesagt. Will den Sohn retten. Der Sohn darf keine Säuferleber bekommen und kriegt das Zimmer kontrolliert. Nach all den Jahren.

Dennoch buche ich unzählige Punkte für mich. Bin eben ein studierter Schwindler, ein unumstrittener Meister, was das Kriechen, Heucheln und Verheimlichen angeht. Und findet sie ihn einmal und schüttet ihn weg, meinen Schnaps, dann vergelte ich ihr das brutale Vorgehen, indem ich ins Bett scheiße. Mache einen großen Haufen, da schreit die alte Hexe, und wir haben unsere Ruh.

Ach, Schnaps, Schnäpschen, süffiger Schatz. Mein Obstler, mein liebes Kirschwasser, allerliebstes Zwetschgenwasser. Du füllst mich aus. Du gibst mir Sinn. Formst mich und meinen Körper. Mit den Jahren schwemmt er auf, in die Breite ist er getrieben. Auch die durchsichtige Blässe verdanke ich dir. Das ist mein Adelstitel. Das ist mein Kainsmal, mein ganzer Stolz. Schaue ich morgens meinen nackten, unförmigen Körper an, sehe ich überall dein Werk.

Mit den Lippen küß ich dich, mit der Zunge leck ich dich. Ich atme deinen würzigen Geruch. Vorsichtig koste ich dich, daß du dich in mir entfaltest, daß du dich in mir öffnest, daß du dich gibst. Keiner, hörst du, keiner liebkost mich so wie du, bin doch ein Primus inter pares, habe schon diverse Erfahrungen sammeln können, doch keiner kann es mit dir aufnehmen.

<h2 style="text-align:center">2.</h2>

Sie sagen, eine Entartung der menschlichen Rasse. Sie sagen, ein vom Alkohol zerfressenes Gehirn. Leber, Magen, Darm, Niere, alles kaputt. Was bleibt da noch? Ein menschliches Wrack.

Sie sagen, dem muß man die verhaßte Brut schon im voraus ausrotten. Mit schonungsloser Härte muß hier eingegriffen werden. Der ist für nichts gut. Kostet nur Geld. Kann nicht mehr zurückgeführt werden, und selbst wenn ... wer will ihn schon?

Ich bitte darum, befragt zu werden. Mache gerne Aussagen über mein vergangenes oder zukünftiges Leben. Besitze Fähigkeiten, von denen Sie nichts ahnen – ich kläre Sie auf. Da werden Sie sehen, daß Ihre Vermutungen nicht der Wahrheit entsprechen. Wie manch anderer Mensch weiß ich meine Nachteile auszugleichen. Habe ein schönes Lachen, jedem Zuhörer wird es warm ums Herz, wenn ich einmal loslege. Sogar die Mutter stimmt ein, die arme alte Frau, und kichert mit mir um die Wette. Außerdem muß zu meiner Entschuldigung gesagt werden, daß ich der Gattung Mensch angehöre – ein ganz besonderer, recht komplexer Organismus, mit einem Körper, einer Persönlichkeit und einem Durst.

Sie glauben nicht an die Tugenden meines Lachens, wollen eine überzeugendere Antwort hören. Der Durst, erwidern Sie, hat noch keinen gerettet.

Sie haben Hintergrundinformationen nicht nötig, ich soll nur das beantworten, wonach ich gefragt werde. Belanglos meine Angaben, verwirrend, weil man sie nicht ablegen kann. Gut, ich will mich nach den zur Verfügung stehenden Spalten richten. Ein kurzes Ja, ein kurzes Nein, was dazwischen liegt, interessiert mich nicht. Doch gesetzt den Fall, daß mein Leben nicht hineinpaßt, in ihre Spalte, wenn die vorgegebenen Antworten meine Ansichten verzerren, wie reagiere ich da?

Mutter, mach du's, aber mach's schnell. War doch mal jung, war doch mal schön. Auch treu, fromm und bescheiden bin ich gewesen. Sollte ich nicht frei entscheiden können, bitte ich dich, mich zu beschützen. Sollte aus Zeit- und Kostenersparnis nicht noch einmal nachgefragt werden, fordere ich, daß du es machst.

Mach du's. Sonst geb ich mir den Strang. Ich schluck ein paar Tabletten. Dann hab ich meine Ruh. Oder du schneidest mir die Pulsadern auf. Mein warmes Blut auf dem kühlen Laken. Mein volksgemeinschaftsfremdes Blut auf dem frisch gewaschenen Laken. Mein erblich minderwertiges Blut, was ist das schon. Die Auswertung des Fragebogens hat bewiesen, um mich wird keiner weinen.

Herr Amtsleiter, werte kassenärztliche Vereinigung, hoheitliches Gesundheitsamt. Ich verweigere meine Herausgabe. Ein Arzt ist kein Orakel und kann keine künftigen Entwicklungen erläutern. Ich gebe mich nicht her. So weitblickend können selbst Sie nicht sein. Ich beiß euch in die Hand. Sie müssen mich schon holen kommen. Ich spucke euch ins Gesicht. Ich – ein querulierender Psychopath – weise alle Vorwürfe zurück. Auf unzulässige Weise bin ich selektiert worden. Verstehe die gesetzmäßigen Zusammenhänge nicht, die zwischen meinem Durst und meinem Erbgut bestehen, und bitte Sie daher, Ihren Entschluß noch einmal zu überdenken.

Der Jäger treibt den Hasen aufs Feld. Fürs Vaterland zieht der Soldat in den Krieg. Im Frühling blüht die Wiese: gelbe Blumen. Die Bildung, die man für ein Leben braucht, holt man sich nicht in der Schule. Der Irrtum ist keine Lüge. Das Borgen kein Schenken. Geizt man mit dem Mitleid, ist man ein sparsamer Mensch. Warum und für wen spart man?

Ich habe beschlossen, den Willen des Betroffenen zu respektieren. Das Untersuchungssubjekt bäumt sich auf. Steht mir denn keine Würde zu? Zugegeben, das Problem besteht. Aber läßt es sich lösen, indem man meine Glut erstickt? Wäre es nicht möglich, sich etwas anderes auszudenken? Eine kleine Züchtigung, eine wohldosierte Qual.

Zugegeben, es gibt freundlichere Menschen. Daß ich abends in mein Bett mache, ist nicht nett. Auch die Bäckerei meines Vaters hätte ich zugrunde gewirtschaftet, hätte mein Bruder sie nicht übernommen. Aber sollte sich denn keine humanere Rache dafür finden, daß ich nicht mehr ansatzfähig bin? Das läßt sich doch lernen, das Ansetzen. Sagen Sie mir, wo sie sich versteckt, die Volkswirtschaft, und ich übe im Grundlehrgang, sie zu lieben. Ich bin nicht zu alt für die Liebe. Kann doch in eine Pflichtwerkstatt. Schicken Sie mich ins Arbeitshaus. Werde Leder stanzen, Holz fällen, Geschirr waschen. Lasse mich noch verwerten.

Mutter, hilf mir. Meine Moralvorstellungen sind einwandfrei. Meine sittliche Allgemeinvorstellung sehr, sehr schön. Mein Schulwissen, bitte hier:

$$7 \times 9 = 63$$
$$17 + 32 = 49$$
$$51 - 16 = 35$$

Wer war Bismarck? Ein alter Sack.

Wer war Luther? Ein Hurensohn, vielleicht ein Engel.

Allerheiligste kassenärztliche Vereinigung. Falls Sie es noch nicht wissen sollten: Ich bin nicht das Gotteslamm. Ich eigne mich für diese Rolle nicht. War schon immer wehleidig. Ein weinerlicher, aufgedunsener Mensch. Bin kein Sühner. Wäre kein schöner Anblick: rotzend, heulend, pissend am Kreuz. Das müssen Sie doch verstehen. Ich bringe die notwendigen Qualitäten nicht mit. Nicht einmal meine Mutter würde eine Träne vergießen.

Den Heiland stellt man sich schön und edel vor. Der

muß doch von ganz oben fallen, damit die Zuschauer Zeit haben, seinen Sturz mitzuverfolgen. Ein hohes Tier also, ein Königssohn, wenn es schon kein Gottessohn sein kann. Das auserwählte Volk, aber doch nicht der Sohn eines Bäckers. Glauben Sie mir, ich entspreche den Anforderungen nicht. Ich weiß, was gut für Sie ist. Ich bin es nicht.

Sie haben doch reichlich Vorrat an Opfern anlegen können. Ich schlage daher vor, Sie holen sich jemand anderen. Bin Ihnen bei der Auswahl gerne behilflich. Nehmen Sie den da oder den da oder den.

Und dann, liebstes Gesundheitsamt, möchte ich noch hinzufügen, denken Sie an Ihren Rückstand. An all die eingereichten Fälle.

So viele Frauen, die noch nicht behandelt werden konnten. So viele Frauen, die noch auf eine Einlieferung ins Städtische Krankenhaus, Abteilung Frauenklinik, warten, damit ein Facharzt ihnen die Eierstöcke durchschneidet, damit kein Mann, pfui Teufel, damit kein Mann das kranke Ei dieser kranken Huren befruchtet.

Schnip-schnap, klipp-klapp. Schnip-schnap, klipp-klapp. Hurtig durchkreuzt das Skalpell die Pläne des Schöpfers. Hat uns nach seinem Ebenbild geschaffen. Will, daß wir uns vermehren. War eine rohe Natur. Eine böse Gewalt.

Der Tod liegt auf seinem Hals. Der Tod liegt in seiner Hand. Richter, Henker, Schwert und Galgen. Unser Tod ist euer Opfer. Unser Entsetzen eure Freiheit. Unsere Qual euer Gedenkstein. Mit jedem Schrei errichte ich euch ein luftiges Ehrenmal. Das ist mein Beitrag. Hören Sie? Hören Sie mich?

Was würden Sie tun, wenn Sie zum Beispiel das große Los gewönnen? Ein schöner Gedanke. Weshalb darf man sein eigenes Haus nicht anzünden? Wo geht die Sonne auf? Warum gehen die Kinder in die Schule? Was versteht man unter dem Kochen des Wassers? Was ist das Gegenteil von Tapferkeit? Was ist Treue? Was ist Frömmigkeit? Wozu sind die Gerichte da?

Die Untersuchung, die an mir vorgenommen wird, ist sinnlos. Sie verschwenden mit meiner nichtigen Person nur ihre Zeit. Fragen Sie meine Mutter. Die schimpft. Die weiß es und kann es jederzeit bestätigen: Masturbator sum. Ein armer Sünder. Die Hand ist mir ein treuer Freund. Auch zwischen den Schenkeln verwandle ich ihn zum zuckenden Raubtier und stoße, daß das Bett kracht. Aber, meine Herrn, ein Werk verlangt den ganzen Menschen, nicht nur die Hand.

Freilich lieb ich den Anblick einer schönen Frau. Selbst der Hintern der Hausmeisterin bewegt die Phantasie. Aber den Weg zum fremden Bett finde ich nicht mehr. Und selbst wenn ich ihn fände, ich würde doch nur stöhnend darauf zusammensacken. Ein alter, schnarchender Koloß. Ein bißchen Haut, ein bißchen Fett und all der Alkohol im Blut. Glauben Sie mir, ich befruchte kein Ei mehr. Die in Muße und Wohlstand leben, die können es, ich aber kann nichts mehr leisten, bin durch mannigfache Geschäfte, bin durch Saufen, Schlafen und Essen gehemmt.

Was Sie das Leben nennen, es schloß sich vor mir ab. Das spürbare Klopfen des Herzens als Zeichen der Liebe, ich kenn es nicht. Die Angst, die Gier und ein bißchen Fröhlichkeit, das hab ich zu verzeichnen. Ein Gläschen hier, ein Gläschen dort hat noch keinem geschadet.

Meine Herren, verstehen Sie doch: Das Erbkranke fließt aufs Laken. Da trocknet es. Ein kleiner Fleck ist doch kein Verbrechen. Die Hausmeisterin kommt und nimmt sich meiner Ausscheidungen an. 's wird doch gereinigt. Die Hausmeisterin wäscht es heraus.

Vom Zimmer aus blicke ich in den Hof. Ziehe die Gardine auf und sehe das Laken, es bauscht sich im Wind. Mein weißes Tuch, auf Halbmast gesetzt. Das flatternde Zeichen meiner Kapitulation: feuchte Fahne auf grauer Mauer. Feuchte Fahne weht im Wind. Hin und her, hin und her, hin und her. Summe dazu ein Lied. Soll euer Schlaflied sein.

Versuchen wir, es klar zu fassen. Mit einem einfachen Aussagesatz: Ich will nicht.

Nein, ich will nicht. Ich: nicht weniger durstig als manch deutscher Kaiser. Mein Wille: die Grundkraft meiner Seele und meiner Welt. Treffe Maßnahmen zur Erhaltung meiner Art und flüchte unters Bett. Trotz meines kläglichen Zustands hebe ich die Beine, furze, lasse mich auf den Boden fallen und krieche auf allen vieren durch das Zimmer. Die Mutter holt kreischend die Hausmeisterin herbei und hievt mich wieder aufs Bett. Da sitz ich nun und weine. Ein jämmerlicher Anblick. Ich weiß, die Arbeit muß verrichtet werden, 's is' im Interesse aller. 's is' für eine schönere Zukunft.

Schon höre ich der Lerche Gesang, das Plätschern des Baches, das Zirpen der Grillen und was so dazupaßt. Schon sehe ich schattige Linden, schlängelnde Pfade und dort einen Teppich aus gelbem Moos. Ich armer Tropf. Ich alter Sünder. Schrecklich ist die Zukunft. Nichts hat sie mir zu bieten. Dem Sieger den Lorbeer. Und was krieg ich? Da lieg ich nun im Staub und küsse den Stiefel des Mörders. Da lieg ich nun, ich armer Tropf, und hoffe ein Herz aus Stein zu erweichen.

Daß sich doch einer meiner erbarmt. Daß auch nur einer mit mir fühlt. Ich lasse meinen Stolz hinter mir. Ich komme euch entgegen. Die Reise ist beschwerlich, aber hier bin ich und sag: Nehmt mich. Das Land braucht doch nicht nur junge Männer. Das Land braucht auch jemanden wie mich.

Im Käfig werd ich sitzen und für euch Nüsse essen. Ich kratze mich am Kopf und springe von Ast zu Ast. Als abschreckendes Beispiel, als Warnung will ich dienen. Der abstoßende Aussatz, ein menschliches Restchen. Da können sie sehen, wovor man sie gerettet hat, die erbgesunden Nachfahren eurer erbgesunden Vorfahren. Da haben sie ein lebendes Beispiel und erschaudern.

Nehmt mich. Ich schöpfe mir die Tränen vom Gesicht. Ich gebe euch alles, was ich hab. Hier mein Silberring, hier ein Gläschen – Bruder, trink!

Wenn's vorbei ist, wenn's besiegt ward, wenn sie alle tot sind, da habt ihr keinen mehr, dem ihr eure Nichtigkeit anlasten könnt. Der Jud ist weg, der Kommunist, die schwule Sau, der Landstreicher, stinkende Zigeuner, Neger, Asiat, die deutsche Hure, die sich in artfremdem Eiweiß tummelt, der Pole, Asphaltliterat, Bolschewist, Verräter: ich will euch alle ersetzen. Will euer Feind sein. Lasse mich beschmeißen und bespucken. Bin die Entartung. Bin ein schwindender Prozentsatz, der göttliche Fehler, sittlich und moralisch verfallen, jedoch nicht aus der Art geschlagen: Mutter nordische Schlampe, Vater nordischer Trinker. Ich: ein nordisches Stück Dreck, das sich nun bis zur Kampfunfähigkeit besaufen wird.

Jawohl, ich genehmige mir einen im vaterländischen Interesse. Lasse jeglichen Individualismus weit hinter mir und saufe mich in den Schlaf. Denn der schlafende Feind ist dem wachenden Feind vorzuziehen, wenn er auch den toten Feind nicht ersetzen kann.

Mutter, hättest ihn wegstoßen sollen, den Vater, der deinen Tempel geschändet hat. Unser Heiligtum mit Füßen getreten. Hättest ihn nicht vordringen lassen sollen. Wäre ein Wunsch geblieben, eine Sehnsucht, die dich in stillen Stunden verzehrt.

Mutti, nicht jedem Verlangen darf nachgegeben werden. Hast mich bekommen. Was hast du nun davon? Oder hat er sich den Beischlaf erschlichen? Alter Gauner, jetzt muß ich ernten, was du gesät hast. Ich frage: Warum soll der Sohn für das Vergehen seines Vaters zur Verantwortung gezogen werden? Ich frage: Wer glaubt in diesen fortschrittlichen Zeiten an die Erbsünde?

Nur eine Uhr, ein abgetragener Anzug und ein Meisterbrief, das ist der Nachlaß des Bäckers, dessen Sohn ich bin. Und dieser Durst, dieser übermäßige Durst.

Ich, an meinen Leib gekettet, verletzlich und faul, habe

wenig Hoffnung, was meine Person betrifft. Meinen Mundvorrat verzehrt, stehe ich in der Kälte. Der Suff hat mich zugrunde gerichtet. Was wollt ihr mehr? Schon verfallen die Gesichtszüge, der Körper erkaltet, der Atem rasselt. Ist das der Tod? Lieg ich im Sterben?

Ave, pia anima.

Ave und halt's Maul.

Das Tor ist verschlossen. Ich geh zurück. Ich wart auf keinen Petrus nicht. Wer will die Sendung? Ich übergebe den Auftrag an einen anderen. Soll er zahlen, was ich noch schulde. Hier meine Vollmacht. Die Engel, der Himmel sind nichts für mich. Nein, mein Los ist ein anderes:

Ich bin dazu verdammt, im eigenen Saft zu gären. In meinen Ausscheidungen will ich gerne kochen und singe aus vollem Halse dem Teufel ein Lied. Hört ihr, ich nehme eure Botschaft nicht entgegen. An meinem Körper prallt sie ab, und sollte sie noch so lange an mir brechen, ich weiche nicht.

Hört ihr, ich laß mir den Teufel nicht austreiben. Denn eure grausamen Engel sind von Fäulnis befallen. Feierlich heb ich den Arm. Hier habt ihr meinen deutschen Gruß:

Heil dem Verräter.

Heil dem Mörder.

Wohlergehen und Glück den Todesengeln.

Nacht breitet sich über das Land. Der Mensch wird in Menschenhände gelegt. Sie verspotten ihn, sie geißeln ihn, sie töten ihn. Und ihr schweigt, und niemand sagt etwas von dem, was er sieht.

Und der Vater liefert seinen Sohn aus, und der Sohn verrät die Mutter, und die Mutter lebt in Unzucht. Entzweit sind die Häuser. Und die Barmherzigkeit, die man euch lehrte, sie wird den Hunden zum Fraß vorgeworfen.

Sie hetzen die Rüden. Sie pfeifen die Rüden herbei. Damit sie den Menschen fassen. Sie reißen ihm die Zunge aus dem Mund, sie verschlingen seine Hoden, und ihr schweigt.

Haltlos auf all euren Wegen, gebt ihr denjenigen preis, der die Rede abweist. Und laßt ihn im Stich in seiner Not. Die Stimme glaubt ihr gehört zu haben, von dem, der sich vom Himmel her kundtat. Er will euch die Verheißung geben. Ich zittre vor Furcht. Er will euch erlösen und trägt die Sünde.

Ach, ihr seid eine leichte Beute. Voll Raub und Bosheit die Herzen, steht ihr schon gierig an der Schwelle und teilt euch das Gut des Bruders, dessen Blut noch warm ist. Haß, Verachtung und Mord ist eure Dreieinigkeit. Haß, Verachtung und Mord euer Bekenntnis.

Hier steh ich und spreche mir selbst mein Urteil.

Hier steh ich und warte, daß ihr mich fortschafft aus eurem Kreis.

4.

Lassen Sie uns beenden, was wir begonnen haben: Ich bin dazu auserkoren worden, die rassenbiologischen Punkte des Programmes zu verwirklichen. Und helfe dem Arzt, seine Pflicht zu erfüllen.

Der Arzt ist ein gewissenhafter Mensch, er wird es weit bringen. Er weiß, auch er spielt eine entscheidene Rolle. Mit seiner Hilfe wird die Welt einmal schöner. Das macht er für seine Kinder. Denen soll es besser gehen. Und die paar Bedenken, die ihm nachts kommen, es könnte doch sein, daß sich die Herrn vom Rassenpolitischen Amt geirrt haben, die werden mit der Gehaltserhöhung verscheucht.

Ich bin ein rassisch äußerst ungünstiges Erscheinungsbild. Erbkrank der Vater. Erbkrank die siebzigjährige Mutter, und ich: ein wehleidiger Sack. Wer will mich zum Gatten?

Meine Damen und Herren, mit diesem Stück Fleisch, ich meine mich, versuche ich Sie zu locken. Schenken Sie mir Ihr Unbehagen, wenn es das Mitleid nicht sein kann. Drei Tage noch, ich hab die Vorladung in der Hand, dann muß ich mich melden. Und melde ich mich nicht, dann werd ich polizeilich zugeführt. Meinen Schleim, meine Milch wollen sie mir nehmen. Ist das denn gerecht?

Meine Damen und Herrn, mein Hodensack: obwohl er seine Pflichten vernachlässigt hat, hänge ich an ihm. Er hat dem Vaterland nie gedient. Genoß kein Ansehen bei den Frauen. Und machte seine geringe Funktionsfähigkeit nie durch großen Eifer wett. Dennoch mag ich ihn. Schönere, größere, jüngere gibt's, aber ich begnüge mich mit ihm.

Kann man ihn mir nicht zur weiteren Nutzung überlassen? Zur Linderung meiner Not? Als Zeitvertreib in Mußestunden. Was hab ich denn sonst? Er schadet doch keinem. Ich kann doch nichts dafür, daß ich ihn ins Herz geschlossen habe?

Mein alter Freund, schlecht haben wir gewirtschaftet. Sparsam bist du mit meinem Schleim umgegangen. Und nun? Jahre, die wir zusammen verbracht haben, soll es so enden?

Meine Damen und Herrn, verzeihen Sie mir, daß ich mich und mein Geschlechtsorgan so in den Vordergrund dränge. Ich weiß, während ich rede, spielt sich Trauriges ab. Die Zeit ist nicht für Klagen, wo doch überall gemordet wird. Ich weiß, ich bin ein wehleidiger Lump. Glauben Sie mir, ich bin ein sittlicher Mensch, scheue großes Aufsehen und vermeide Reden, die meine Mitmenschen empören könnten. Dennoch muß ich noch einmal einfügen, mein Hodensack ist kein überflüssiges Organ.

Sie haben genug gehört. Ihnen reißt die Geduld. Versuchen Sie sich doch einmal in meine Lage zu versetzen. Würden Sie nicht das gleiche tun? Mit dem gleichen Eifer um die Erhaltung ihres besten Freundes kämpfen? Freilich, der Anstand verlangt, daß man sich nicht allzu lange mit dem Hodensack beschäftigt. Es muß ja noch viel erzählt werden, da darf man sich nicht in unwichtigen Details verlieren. Doch kann ich einen Freund nicht einfach so den Henkern übergeben. Auch möchte ich seinen Wert nicht öffentlich verringern. Ganz oben steht er auf der Liste meiner Sehenswürdigkeiten. Ich schlage daher vor, nehmen Sie mit meinem Schließmuskel vorlieb. Auch die Harnröhre opfere ich, ohne mit der Wimper zu zucken.

Meine Damen und Herrn, ich gebe ihn nicht freiwillig her. Ich sperre mich in die Speisekammer der Küche ein. Da findet mich keiner. Und wenn Sie mich finden, dann schrei ich. Kommt, stopft mir das Maul. Die Nachbarn schauen aus den Fenstern. Ich geb euch statt dessen den Grimmdarm, den Blinddarm, den Dickdarm. Die Nachbarn tuscheln. Geschieht's mir altem Säufer recht? Die Mutter schämt sich. Den Pfarrer hat sie gebeten, ihr beizustehen, und schlägt über mir das Kreuz. Die Prüfung kam vom Himmel. In einem Brief hat sie gefordert, man solle mich erlösen. Jetzt werd ich gerettet. Die Mutter weint, die alte Hure. Ein kleiner Schnitt, das kann so schlimm nicht sein. Ich soll mich benehmen. Soll an den guten Ruf der Familie denken. Vernünftig bin ich und gehe, wie ein Mann so geht. Kennt er die Angst? Kann auch er nachts nicht schlafen? Ich fange an zu jammern. Der Polizist schlägt dem alten Hurensohn, der ich bin, aufmunternd auf den Rücken. Das kann so schlimm nicht sein. Es rinnt auf den Boden. Auch geschissen hab ich in meiner Not. Nun schlägt er ordentlich zu. Ich falle vor seine Füße. Da schimpft der Polizist und tritt mir in die Milz. Ich schreie: Warum kannst du mich nicht lieben? Warum kannst du dich nicht lieben? Warum kannst du mich in dir nicht lieben? Warum kannst du dich in mir nicht lieben?

Sieht er die Ähnlichkeiten nicht. Meine Lebenslinie reicht bis zum Handgelenk. Meine Herzlinie ist durchbrochen – kein Glück bei den Frauen –, meine Kopflinie ausgeprägt. Hab ich kein Recht zu träumen? Hab ich kein Recht?

Beim Tier geschieht das Verschneiden aus wirtschaftlichen Zwecken. Zur Bändigung und zur besseren Mast. Ich werde gewaschen. Der Schwamm ist kalt. Bald krieg ich jeden Tag ein warmes Essen. Der Arzt spendet Trost.

Es tut auch gar nicht weh. Auch ein paar Zigaretten krieg ich später, wenn ich will. Ich will lieber reden, muß aber schweigen. Er hat zu tun. Er hört mir nachher gerne zu. Was mach ich nachher mit seinem Verständnis? Ich weine. Ein jämmerlicher Mensch. Die Krankenschwester streicht mir über den Kopf. Gleich schlaf ich ein. Ich hab noch so viel zu sagen. So viele Worte – hab ich denn alle erschöpft? Sie hält das Tuch. Gib mir die Rede. Sie hält das Tuch über meinem Kopf. Jetzt muß ich still sein, und schweig ich nicht, dann werd ich um das Herz gebracht. Ich laß mich nicht beirren. Mir ist die Rede vom Vaterland. Ich singe ein Lied. Gleich bin ich im Chor des heiligen Geistes und seiner Vertreter auf Erden. Ich singe ein Lied.

Ein Loblied den Hoden
Und meinen Kindern:
Die Liebe habt ihr verstoßen,
Nun muß sie irren.
Will sie denn keiner?
So muß sie irren.
Mir ist die Rede.
Will mich denn keiner hören?
Der Tod wird mich erhören.
Er strich mir über den Kopf.
Er stand meinen Kindern Pate.
Dann mußte er gehn.
Er lehnte sich an mein Bett.
Er hielt das weiße Tuch.
Der Tod singt mir ein Lied.
Mutter, sollte sich wirklich Schreckliches,
Spielt sich Schreckliches in mir ab?
Bin ich der Herd,
Bin ich der Herd der Krankheit?
Sitzt die Gefahr in meinem Inneren?
Mutter,
Mit dem Messer,
Mit dem Weidmesser,

Stößt der Mann in mich hinein.
Hier lieg ich und höre dem Tod zu.
Er singt meinen Hoden ein Lied.
Mir ist die Rede vom Vaterland.
Es hält das Tuch über mich.
Will mich denn keiner hören?
So muß ich wandern.
Und höre dem Tod zu.

Das Feuerzeug

1.

Er kam gegen acht Uhr. Wir hatten gerade zu Ende gegessen, meine Mutter räumte den Tisch ab. Ich saß neben meinem Vater, der einen Schnaps trank. Weil meine Ohren einwandfrei sind, hörte ich das Klopfen zuerst. Es war eher ein Kratzen, so als versuchte eine von Hunger geschwächte Katze, mit den Krallen das Gitter ihres Käfigs aufzuschürfen. Ich sagte meinem Vater, daß es geklopft habe, und folgte ihm in den Flur, trotz des Fettfleckes, den ich bei dem Versuch, ihn mit der Serviette zu entfernen, über mein rechtes Hosenbein verteilt hatte.

Er rannte an uns vorbei in die Küche. Er hatte die Jacke falsch zugeknöpft, so daß ein brauner Zipfel über seinem Hosenbund hing.

»Sie kommen heute«, sagte er und ignorierte den dampfenden Ersatzkaffee, den meine Mutter ihm mit der Zuckerdose vor die Nase stellte, weil das bei uns so Brauch ist. Mein Vater fragte, woher er das wisse.

»Das kann ich dir nicht sagen.«

»Was wissen?« wollte ich wissen und schaute meinen Vater an, der mir ein Zeichen machte zu schweigen. Ich rückte die Kaffeetasse von Herrn Rößner zu mir herüber und hörte aufmerksam zu.

»Hat dich jemand gesehen?«

Der Nachbar schüttelte den Kopf. Ich nahm vorsichtshalber drei Zuckerwürfel aus der Dose und ließ den ersten Würfel in die Tasse fallen.

»Aber sicher kann man ja nie sein«, sagte er.

Mit einem dumpfen Plumps ging der Zucker in der braunen Flüssigkeit unter. Ich fischte ihn mit dem Löffel wieder heraus und sog ihn mit einem schlürfenden Geräusch ein.

Mein Vater holte sein Pfeifenetui hervor. Entweder er trinkt jetzt seinen Schnaps, oder es wird ernst, dachte ich und entschied, als ich sein Gesicht sah, daß jetzt nicht die Zeit war, sich zu entspannen: er würde die Pfeife zwar säubern und stopfen, aber nicht rauchen.

»Wir dürfen kein Risiko eingehen«, sagte Vater.

Ich ließ den zweiten Zuckerwürfel in die Tasse fallen. Der Kaffee schwappte über und hinterließ einen Ring auf der Untertasse.

»Du bringst sie hierher.«

Mutter sah mich böse an und nahm die Zuckerdose vom Tisch, was mich nicht weiter störte, weil ich noch einen Würfel in der Faust hatte, die nun, weil der Zucker sich in ihr aufzulösen begann, klebrig wurde.

Mein Vater kratzte seine Pfeife aus, klopfte zweimal mit ihr auf die Hand, öffnete den Beutel und fing an, sie zu stopfen.

»Nur für ein paar Nächte«, sagte der Nachbar, »bis ich alles organisiert habe.«

»So lange du willst«, sagte Vater und machte den Beutel wieder zu, »auf mich kannst du voll und ganz rechnen.«

Ich stand auf und ging zum Regal, wo das Benzinfeuerzeug lag, das ich erst gestern gefüllt hatte. Auch den Docht hatte ich gewechselt und das Silber poliert.

Herr Rößner gab meinem Vater die Hand.

»Das vergeß ich dir nie, Gerhard«, sagte er, »das werd ich dir mein Lebtag nicht vergessen.«

Mein Vater schüttelte den Kopf.

»Laß nur, laß nur«, sagte er und suchte in seiner Hosentasche nach dem Feuerzeug, das ich endlich unter der Obstschale hervorfischte.

Nachdem ich die Tür hinter dem Nachbarn geschlossen hatte, der eilig die Treppen hinunterrannte, setzte ich mich wieder auf meinen Platz, trank den Kaffee aus, der nun lauwarm und bitter geworden war, und bat meine

Mutter um ein Stück von dem Kuchen, den sie für die Gäste gebacken hatte, die morgen zum Kaffee kommen sollten und denen man nun würde absagen müssen, weil mein Vater beschlossen hatte, dem Nachbarn aus der Klemme zu helfen.

»Man kann ihn ja genausogut heute anschneiden, statt ihn im Ofen zu lassen«, sagte ich.

Mutter schüttelte den Kopf wie eine mürrische Hauskatze.

»Den Kuchen kriegst du nicht«, sagte sie, »und dein Vater kriegt ihn auch nicht, und zu feiern gibt's schon lange nichts«, und fügte hinzu, während sie wütend an dem Topf herumkratzte, in dem sie die Kartoffeln hatte anbrennen lassen, die wir mit dem Fleisch zu Abend gegessen hatten: daß nichts gut werden würde, daß der Vater uns ins Unglück stürzen würde, daß man in diesem Haushalt auch einmal sie um ihre Meinung fragen könnte, weil sie ja immerhin nicht nur putzte und kochte, sondern auch ein Drittel des Haushaltsgeldes anschaffen täte ... Leise ging ich in mein Zimmer.

Ich hatte mir gerade die klebrigen Hände gewaschen und mich, so erfrischt, aufs Bett gelegt, als Vater in mein Zimmer kam. Ich rückte ein bißchen zur Seite, um ihm Platz zu machen. Er setzte sich auf die Bettkante und zog an seiner Pfeife.

»Wir kriegen Besuch«, sagte er.

Ich nickte und schaute auf seinen Pfeifenkopf.

»Nur für ein paar Tage«, sagte er.

»Ja, ja«, sagte ich, »ich weiß schon.« Ich war nicht blöde und verstand nicht, warum er wiederholte, was ich eben in der Küche mit eigenen Ohren gehört hatte.

Er zog noch einmal an seiner Pfeife und blies den blauen Rauch zu dem Regal hin, das er über dem Schreibtisch mit vier zusätzlichen Dübeln in der Wand verankert hatte und auf dem nun die Modellflugzeuge standen, die ich mit ihm gebastelt und nach einer Bildvorlage naturgetreu angemalt hatte.

»Deine Mutter will sie nicht im Wohnzimmer ...«

»O nein«, sagte ich, »o nein.«

»Ihr Schicksal liegt nun in deinen Händen«, sagte Vater, und obwohl ich wußte, daß er mir damit nur schmeicheln wollte und daß dies ein billiger Trick war, um meine Zustimmung zu erhaschen – ein Trick, auf den ich nicht hereinfallen würde –, war ich doch geschmeichelt und stimmte zu.

»Nur für ein paar Tage?« fragte ich.

»Ehrenwort«, sagte Vater.

Und dann schauten wir uns gemeinsam den Prospekt an, den ich zufällig in meiner Hosentasche hatte und in dem ein zweimotoriges Geschäfts- und Reiseflugzeug abgebildet war, dessen Bestandteile man im Modelladen erstehen konnte.

Ich trug mein Bettzeug ins Wohnzimmer. Die Wolldecke glitt mir aus den Händen und blieb wie eine kleine, blumige Anhöhe im Flur liegen. Mutter, die mich während meines emsigen Treibens von der Küchentür aus fixiert hatte, rief mir zu, ich solle keine Unordnung machen, weil gleich Gäste kommen würden.

»Wenn sie nicht kommen würden«, erwiderte ich, »müßte ich nicht aus meinem Zimmer, und dann läge die Decke jetzt nicht auf dem Boden.«

»Ach was«, sagte Mutter, zuckte die Achseln und ging wieder zu ihrem Topf zurück, den sie nun mit einem Lappen trockenwischte.

Ich war stolz, einen Satz mit drei Konjunktiven gemeistert zu haben, holte mein Heft aus der Schreibtischschublade hervor und wollte ihn niederschreiben, entschied mich dann aber doch, es zu lassen, weil ich ja versprochen hatte, verschwiegen wie ein Grab zu bleiben. Dieser Satz enthielt alles, was nötig war, um die Neugierde meiner Klassenkameraden zu wecken. Ich hätte auf jeden Fall gefragt, wer kommen solle und von welcher Decke die Rede sei.

Wie gewonnen, so zerronnen, dachte ich, las die fünf-

zehn Sätze noch einmal durch, die ich schon niedergeschrieben hatte, radierte den letzten Satz mit meinem
Spezialgummi aus, mit dem ich so lange die Holzbank be-
rubbelt hatte, bis er rund geworden war, klappte das Heft
zu und beschloß, die Strafarbeit tapfer entgegenzunehmen, die über meinem Kopf schwebte wie das Schwert
des Damokles. Ich würde keine Zeit haben, die restlichen
fünfunddreißig Konjunktivsätze in dieser Nacht niederzuschreiben, die aufregend zu werden versprach. Und
eine gute Entschuldigung hatte ich für dieses Defizit auch
nicht parat. Die Wahrheit wäre wie so oft die beste Aus-
rede gewesen, aber Verrat an meinem Vater konnte ich
deshalb nicht begehen, denn ich war hart, schweigsam
und treu.

Es klopfte.

»Mach die Gardinen zu«, sagte Vater und eilte in den Flur.

Aus der Küche kam ein Grummeln. Ich zog am Stolz
meiner Mutter, der eigentlich nur als Schmuck gedacht
war und sich daher nicht ganz zuziehen ließ.

»In der Mitte bleibt ein Schlitz«, ich maß ihn mit den
Fingern ab, »ungefähr fünfzehn Zentimeter.«

Mein Vater führte die Gäste ins Wohnzimmer.

»Setz dich«, sagte er zur Tochter des Nachbarn, die ihn
einfältig anstierte.

»Es ist vielleicht besser, wenn du ein Weilchen bleibst,
damit sie sich an uns gewöhnen kann.«

Herr Rößner nickte. »Siehst du, Anna«, sagte er, »das
sind Papis Freunde, bei denen bleibst du jetzt ein paar
Tage, damit Papi alles für die Ferien vorbereiten kann.«

Sie klatschte in die Hände. »Pony, Pony.«

»Ja«, sagte Herr Rößner, »wie macht das Pony?«

»Hühott, hühott.«

»Die Anna macht hühott«, sagte der Nachbar und fuhr
seiner Tochter übers Haar, »weil sie auf dem Pony sitzt.
Das Pony wiehert.« Er wieherte.

»Glaubst du, auf dem Land ist es sicher?« fragte Vater,
während Anna am Hemdsärmel des Nachbarn zog.

»Brr, brr«, sagte er und versuchte noch einmal nachzuahmen, was er für das Gewieher eines Pferdes hielt. »Sicherer als in der Stadt.«

Anna lachte und klatschte in die Hände. »Brr, brr«, sagte nun auch sie, »brr, brr.«

Nun kam meine Mutter aus der Küche. Sie hatte die Schürze abgebunden. Endlich, dachte ich, denn ich hielt es nicht mehr aus, jetzt wird sie ihnen die Leviten lesen.

Mutter krempelte die Blusenärmel herunter, knöpfte die Manschetten zu, blickte meinem Vater und den Nachbarn mit dem Allesunterkontrollleblick an, den sie immer aufsetzte, wenn sie einen besonders gelungenen Apfelstrudel gebacken hatte, und wandte sich lächelnd an die Tochter des Nachbarn.

»Da gibt's auch Entchen«, sagte sie, »quak, quak, und Kühe, muh, muh …«

Waren denn hier alle verrückt geworden? Ich ließ mich auf das Sofa fallen und starrte verstört meine Eltern an.

»Das ist Peter«, sagte Vater und deutete mit der Pfeife auf mich.

Anna nickte mir zu. Sie hatte große, schwere Brüste, die, während sie vorgab, auf einem Pony zu reiten, auf und nieder wippten. Ich nickte zurück.

»Peter«, sagte mein Vater, »zeig Anna ihr Zimmer.«

Meins, dachte ich, nicht ihres, meins, meins und noch einmal meins, und nahm die Hand, die sie mir reichte; sie war weich und warm und erinnerte mich an einen Topf Vanillepudding, der auf dem Fenstersims steht, um abzukühlen und auf dessen Oberfläche sich eine Haut gebildet hat. Ich führte Anna ins Zimmer.

»Oh, fein«, sagte sie und klappte ihre Augenlider mehrmals auf und zu.

»Wenn du die anfaßt«, sagte ich und zeigte auf meine Modellflugzeuge, »dann schlag ich dich zu Brei.«

»Anna, Aannaa«, tönte es aus dem Wohnzimmer. Sie ließ meine Hand los und trampelte davon. Eher wie ein Waschbär, dachte ich und schaute auf ihre Pobacken, die unter dem Rock ein sportliches Eigenleben führten. Ich ging ihr gemächlich nach.

Anna weinte.

»Mein Mädchen«, sagte der Nachbar und schaute hilflos meine Mutter an, die versuchte, die Hände der Tochter vom Mantelkragen ihres Vaters loszumachen, »ich komm ja morgen wieder, und dann nehm ich dich auf den Bauernhof mit, und du reitest das kleine Pony.«

»Komm«, sagte Mutter und blickte mich warnend an, »Peter zeigt dir seine Flugzeuge.«

Ich tippte mir mit dem Zeigefinger mehrmals an die Stirn. Anna schluchzte. Ich stellte erleichtert fest, daß sie Mutters Bemerkung überhört hatte.

Der Nachbar drückte sie fest an sich. »Mein kleines, liebes Mädchen«, sagte er, »der Papi paßt auf dich auf.«

Nun hatte auch meine Mutter Tränen in den Augen. Diese Flennliesen, dachte ich, und meinte damit das weibliche Geschlecht überhaupt.

»Laß nur, laß nur.«

Vater klopfte Herrn Rößner beruhigend auf die Schulter und sagte ihm, daß er sich keine Sorgen zu machen brauche und nun besser gehen solle, weil gleich Dr. Heillein vom ersten Stock, der Schnüffler, nach Hause kommen würde, der nicht unbedingt sehen mußte, wie Herr Rößner aus unserer Tür kam.

Der Nachbar nickte und nahm Vaters Hand.

»Das vergeß ich dir nie.«

»Ist ja gut.«

Mein Vater schwenkte seine mittlerweile erloschene Pfeife durch die Luft und ließ etwas Asche und einige Fädchen Tabak auf den Flurboden fallen, was Mutter in Raserei versetzt hätte, wäre sie nicht in diesem Moment in die Küche gegangen, wo sie die Ofentür aufmachte, die ein stöhnendes Geräusch von sich gab, weil Vater wieder vergessen hatte, sie zu ölen. Als sich die Tür hinter dem Nachbarn geschlossen hatte, kam Mutter mit einem Tablett ins Wohnzimmer, auf dem neben den Tellern, Gabeln und den Servietten auf einem runden noch warmen Blech die Apfeltorte stand, die mit ihrem süßen Duft unsere Aufmerksamkeit in Anspruch nahm.

»Na, etwas Gutes hat der Besuch doch«, sagte ich und setzte mich, während Mutter mich böse ansah, zu Anna an den Tisch.

Wir bezogen gemeinsam das Bett. Mutter hatte ein frisches Laken herausgeholt, das nach Lavendel roch. Weil wir ja nicht den ganzen Abend vor dem Bezug stehen konnten, schloß ich die Knöpfe. Dann zeigte ich Anna meine Bücher, die sie nicht besonders interessierten. Sie ließ sich auf das Bett fallen, zerknautschte dabei das Kopfkissen und starrte traurig auf meinen flauschigen Bettvorleger aus Wolle. Ich sagte ihr, daß sie ihren Vater morgen wiedersehen würde und daß ich wisse, wie sie sich fühle. Vor zwei Jahren hatte man mir den Blinddarm herausoperiert, die fünf Zentimeter lange Narbe war immer noch zu sehen.

»Hier«, sagte ich und zog ein wenig die Unterhose hinunter. »Eine Woche ganz alleine, und dazu noch die Schmerzen.«

Anna war beeindruckt.

»Jetzt tut es nicht mehr weh.« Ich strich an der Narbe entlang, die durchsichtig rosa schimmerte.

»Du kannst mich dort sogar zwicken. Ich spüre nichts, die Haut ist zwar dünner, aber unempfindlich.«

Sie berührte die Narbe, zog ihre Hand aber schnell wieder zurück. Statt hervortretender Knöchel hatte sie fünf kleine Mulden.

Mein Vater kam ins Zimmer.

»Ich sehe, daß ihr euch versteht«, sagte er und versetzte mich damit in Verlegenheit.

Ich zog die Unterhose hoch und knöpfte die Hose zu, auf der am Schenkel der große runde Fettfleck prangte.

Nun kam auch Mutter ins Zimmer.

»Na, Anna«, fragte sie, »gefällt's dir bei uns?«

Anna schaute mich an. Ich nickte. Meine Mutter gähnte

und kratzte sich mit kurzen, kreisenden Bewegungen am Arm. Eine zufriedene Hauskatze, dachte ich.

»Ich leg mich dann mal hin«, sagte sie und trabte, nachdem sie uns allen gute Nacht gewünscht hatte, in Richtung Bad, aus dem wir bald danach das Rauschen der Leitung hörten, die wegen der schlechten Isolierung hallte wie die Niagarafälle. Einige Sekunden später gesellte sich das Gurgeln meiner Mutter dazu.

»Wollen wir noch eine heiße Schokolade trinken?« fragte Vater und machte uns ein verschwörerisches Zeichen, damit wir uns wieder beruhigten. Ich war jubelnd aufgesprungen und hatte Anna mit meiner augenscheinlichen Freude angesteckt, so daß sie mit den Füßen meinen Wollvorleger bearbeitete. Leise gingen wir in die Küche. Mutter schaltete die Nachttischlampe an. Ich hörte, wie sie die Zeitung vom Tisch nahm.

»Sie liest«, sagte ich zu Vater, der nickte und einen Topf herausholte.

Ich brachte ihm die Milch. Vater schüttete den Inhalt der ganzen Flasche in den Topf. Mutter hätte die Milch mit Wasser verdünnt, dachte ich und gab Anna den Kakao, den sie meinem Vater weiterreichte. Ich holte das Feuerzeug vom Regal und zündete die Flamme an. Sie leuchtete in der dunklen Küche wie ein Komet.

»Nein«, sagte ich, »das ist nichts für dich.«

Anna rempelte mich an und griff erneut nach dem Feuerzeug.

»Gib's ihr doch«, sagte Vater.

»Sie hat mir aber in die Rippen gehauen.«

Es tat wirklich weh. Ich reichte ihr widerwillig das Feuerzeug.

Die Nachbarstochter ließ das Gas aufflammen. Zu dritt warteten wir, bis die Milch hochging und den Rand des Topfes berührte, und wärmten uns über dem Herd die Hände.

Mein Vater hatte Kerzen aus dem Wohnzimmerschrank geholt, die nun in der Mitte des Küchentisches auf einem

Holzbrett niederbrannten. Auch die Keksdose hatte er auf den Tisch gestellt. Sie leerte sich stetig.

»Erzähl uns von deiner Kugel«, sagte ich und meinte damit das Geschoß, das während des Krieges das Bein meines Vaters gestreift hatte.

»Ein andermal«, antwortete er.

Ich schüttete die Krümel aus der Dose in meine Hand und saugte sie auf.

»Oder die Geschichte mit dem Diebstahl.«

Vater zog den Tabakbeutel hervor und stopfte seine Pfeife.

»Es ist schon spät«, sagte er, »ihr geht jetzt ins Bett. Bring Anna in ihr Zimmer.«

Ich nahm ihre Hand und ging in mein Zimmer. Sie wollte noch einmal meine Narbe sehen und riß an meinem Hosenbund.

»Schlafen«, sagte ich, »schlaa-feen«, legte, weil sie nicht zu begreifen schien oder so tat, als würde sie nicht begreifen, wovon die Rede war, meinen Kopf auf das frischbezogene Kissen und schnarchte ein paarmal.

Anna lachte.

»Nein«, sagte ich, »nicht lachen«, und schaute auf ihre Brüste, die im Takt wippten und die mir sehr hinderlich erschienen, weil es doch unangenehm sein mußte, zwei Wippen am Brustkorb hängen zu haben.

»Nicht lachen, schlaa-feen.«

Ich ging aus dem Zimmer und legte mich auf das Wohnzimmersofa. Die Zähne, dachte ich, putzt du dir morgen. Ich strampelte mich von der Wolldecke frei, die mein Vater und ich Bernhard nannten, weil das Schaf, das zur Anfertigung der Decke geschoren worden war, statt Haaren Borsten gehabt haben mußte wie Bernhard, der Freund meiner Tante, der Hypothekenmakler war und ein Toupet trug, das aussah wie ein verfärbter Kuhfladen, dem über Nacht Borsten gewachsen waren. Sie kratzte selbst durch den Bezug hindurch. Ich schmiß die Decke zur Seite und dachte an mein neues Modellflugzeug. Dann schlummerte ich ein.

Ich mußte ungefähr eine halbe Stunde geschlafen haben, als mir eine Hand übers Gesicht fuhr.

»Noch fünf Minuten.«

Zuerst glaubte ich, es sei schon Zeit aufzustehen, dann aber sah ich, daß ich nicht in meinem Zimmer lag, daß es noch dunkel war, und schreckte auf. Anna setzte sich zu mir auf das Sofa. Ich nahm den Wecker in die Hand, den ich aufgezogen auf den Tisch gestellt hatte. Das Zifferblatt schien mir leuchtend entgegen. Halb zwölf.

»Du dumme Kuh«, sagte ich, »weißt du, wieviel Uhr es ist?«

Anna riß mir den Wecker aus der Hand und warf ihn auf den Boden. Er fiel auf den Teppich und fing dort an zu läuten.

»Zeig!« sagte Anna und tippte an meinen Bauch.

»Du Rindvieh.« Ich bückte mich, um dem Wecker, der um das Tischbein rotierte, das Maul zu stopfen. Seine zwei dünnen Stahlbeine stachen zittrig in die Luft. Er sah aus wie ein hilfloser Käfer.

»Pst«, sagte ich, »wenn du die Hauskatze aufweckst, gibt's Saures.«

Ich ging zum Fenster und zog die Gardine um gute zehn Zentimeter auf.

»Aber nur einmal, und dann gehst du ins Bett.«

Anna nickte. Sie hatte ein gestreiftes Nachthemd an, dessen obere Knöpfe offenstanden. Ich sagte ihr, daß sie rücken solle, legte mich flach auf den Rücken und zog den Gummizug meiner Pyjamahose ein wenig nach unten. Anna hatte kalte Hände. Ich ließ den Gummi wieder hinaufflutschen.

»Das reicht!« Ich drehte mich zur Seite, zog die Decke über die Ohren und wartete.

»Was gibt's denn noch?« fragte ich nach einer Weile, weil sie sich nicht bewegte und ich ihr Hinterteil spürte, das mir den Platz wegnahm, so daß ich mich an die Rückenlehne des Sofas drücken mußte und fast an dem Mief erstickte.

»Was willst du?« Ich setzte mich auf und schaute sie an. Sie weinte.

Das hatte mir gefehlt. Ich schielte auf den großen Zeiger der Uhr, der erbarmungslos weiterrückte. Auf meine Mutter war kein Verlaß. Ich würde Vater abfangen müssen, bevor er zum Frühstückstisch ging, um ihn zu überreden, mir eine Entschuldigung für die Schule zu schreiben.

Ich stand auf und ging in die Küche. Das Geräusch, das sie machte, wenn sie den Rotz hochzog, war nicht mehr auszuhalten.

»Hier.« Ich reichte ihr eine Serviette.

Sie schneuzte sich mehrmals und gab sie mir zurück. Widerlich, dachte ich, nahm das vollgerotzte Tuch mit zwei Fingern entgegen und ließ es auf den Tisch fallen.

»So«, sagte ich, »jetzt gehst du wieder ins Bett.«

Ich führte sie in mein Zimmer, schlug die Decke zurück und klopfte zweimal einladend auf die Matratze. Sie legte sich ins Bett, zog meine Decke hoch und sah mich mit großen, traurigen Hundeaugen an.

»Nun gut, aber nur eine kurze Weile.«

Ich setzte mich zu ihr, hielt ihre Hand und schaute auf meine fünfzehn Modellflugzeuge, die ich bald zusammenrücken würde, um Platz für ein Geschäfts- und Reiseflugzeug zu machen.

Im Morgengrauen wachte ich auf. Mein Körper schmerzte. Ich setzte mich auf und stampfte mit dem linken Fuß, der eingeschlafen war, weil Anna daraufgelegen hatte, auf den wollenen Bettvorleger. Er fühlte sich an wie ein Nadelkissen. Anna schnarchte. Ich ging ins Bad. An Schlaf war nun nicht mehr zu denken.

Als ich gewaschen wieder herauskam, schlurfte mir mein Vater entgegen. Er fragte mich, ob ich gut geschlafen hätte. Ich lachte höhnisch und ging in die Küche. Mutter stand über den Herd gebeugt. Ich reichte ihr meine Tasse und bestrich einen Zwieback mit Butter, ließ Honig darauf träufeln und aß ihn mit zwei großen Bissen auf.

Vater räusperte sich und setzte sich zu mir auf die Bank. Ich sagte ihm, ich hätte kein Auge zugetan, weil ich die Nacht bei Anna habe verbringen müssen, die unter Heimweh leide, was ich ja verstehen könne, was mich aber um meinen Schlaf gebracht habe, der in einem fremden Bett ohnehin nicht famos hätte ausfallen können. Wieder ein Konjunktivsatz der besten Art, dachte ich stolz, da ich nun auch die Vergangenheitsform eingefügt hatte, welche, wußte ich nicht genau. Ich griff in den Brotkorb und nahm mir den letzten Zwieback, der an der Ecke angeknabbert war. Widerlich, dachte ich, biß aber trotzdem hinein.

Sie stand in der Türöffnung, Dativ, oder hatte sich in die Türöffnung gepflanzt, Akkusativ, denn nun kennzeichnete die Türöffnung keine Lage, sondern eine Bewegung. Ich bekam langsam Übung.

Meine Mutter sah sie, wen oder was, Akkusativ, als erste und rief sie herbei. Anna blieb wie angewurzelt stehen. Ich stand auf und holte sie und setzte sie neben mich, was nun zwei Akkusative ergab, die nebeneinander saßen. Ich gab ihr meinen Zwieback, den sie sofort zerkrümelte. Meine Mutter füllte den Brotkorb nach.

Als wir beim vierten Zwieback angelangt waren und sich mein aufgebrachter Magen langsam zu beruhigen begann, klingelte es an der Tür.

»Wer kann das so früh schon sein?« fragte Mutter und blickte besorgt auf den Herd.

»Bring sie ins Zimmer und keinen Pieps«, sagte Vater und ging langsam zur Wohnungstür.

Ich nahm Anna an der Hand und eilte mit ihr in mein Zimmer. Hastig schaute ich mich um. Es kam mir plötzlich zu klein vor.

»Hier«, flüsterte ich, hob die Decke etwas hoch und bedeutete ihr, unter das Bett zu kriechen.

Sie ging in die Knie.

»Mach schon«, zischte ich und half mit dem Fuß nach. Mühselig wand sie sich unter das Bett. Ich legte mich auf die Matratze und zog die Decke bis übers Kinn, damit man nicht sehen konnte, daß ich schon angezogen war.

Die Tür öffnete sich, und Vater kam herein. An seinem Gesicht war nicht abzulesen, was geschehen würde. Hinter ihm hörte ich eine Männerstimme. Komme, was da kommen soll, dachte ich und schluckte. Mein Herz hämmerte wild. Vater ging einen Schritt zur Seite. Ich spürte, wie der Zwieback hoch wollte, schloß die Augen, riß sie aber gleich wieder auf. Im Türrahmen erschien eine Männerhand. Du Trottel, dachte ich, du hast das dümmste Versteck ausgewählt, jeder schaut zuerst unters Bett. Ich machte Vater ein Zeichen. Und dann sah ich den Nachbarn und fing an zu weinen.

Nachdem wir Anna gemeinsam unter dem Bett hervorgezogen hatten, gingen wir in die Küche zurück. Vater strich mir über den Kopf und sagte, daß er stolz auf mich sei. Ich schämte mich, weil ich geweint hatte.

Der Nachbar schlug den Kaffee, den Mutter ihm anbot, zum zweiten Mal aus; er habe keine Zeit zu verlieren, sagte er und bat Mutter, Anna beim Anziehen zu helfen. Sie gingen gemeinsam ins Bad und kamen nach zehn Minuten zurück. Mutter hatte ihr ein frisches Kleid mit einem weißen, gestärkten Kragen angezogen und ihr das Haar zu einem Pferdeschwanz zurückgekämmt.

»Seit sie tot ist«, sagte der Nachbar und meinte damit seine Frau, die im vergangenen Jahr gestorben war, »hat ihr keiner mehr diese Frisur gemacht.«

Er bedankte sich bei meiner Mutter und bei Vater und kam dann auf mich zu.

»Das war anständig von dir.«

Er holte sein Portemonnaie hervor und zog einen Geldschein heraus.

Vier Modellflugzeuge, dachte ich, allererster Klasse, und schüttelte den Kopf.

»Ich würd dir ja lieber was kaufen«, sagte der Nachbar, »aber ich habe keine Zeit.«

Ich nahm den Schein entgegen, betrachtete das Wasserzeichen, faltete ihn in der Mitte zusammen und bedankte mich. Herr Rößner lächelte.

»So ist's recht«, sagte er.

Er hob seine Tasche hoch und streifte den Riemen über die Schulter.

»Wir müssen gehen.«

Anna war neben dem Herd stehengeblieben und wich nicht von der Stelle.

»Komm«, sagte er.

»Sie will das Feuerzeug«, ich zeigte auf das Regal.

»Weil wir gestern Schokolade getrunken haben.«

Ich schaute meinen Vater an; er nickte. Ich ging zum Regal, nahm das Feuerzeug, das ich vorgestern erst gereinigt und gefüllt hatte, weil mein Vater solche Sachen vernachlässigt, und reichte es Anna, die mich anlächelte, es einige Male aufflammen ließ und dann in ihre Jackentasche steckte.

2.

Meine Eltern hatten mir ausnahmsweise erlaubt, nicht in die Schule zu gehen. Ich hatte es dafür übernommen, den Frühstückstisch abzuräumen, was mir ganz recht war, weil ich vorhatte, auch noch den Zwieback wegzumöbeln, den die Nachbarstochter halb angekaut als Andenken zurückgelassen hatte. Harte Zeiten machen harte Maßnahmen notwendig.

Ich döste etwas vor mich hin, räumte dann, als ich sah, wieviel Uhr es schon war, schnell auf, spülte das Geschirr, legte es zum Trocknen auf das Handtuch – obwohl meine Mutter das nicht mochte, weil das Geschirr ihrer Meinung nach mit dieser Methode fleckig wurde – und machte mich, bevor Mutter mit den Einkäufen zurückkam und mir andere häusliche Verpflichtungen übertragen konnte, aus dem Staub. Ich hatte den Geldschein in der Tasche und ging in Richtung Modellladen.

Sie standen an einer Ampel. Ich erkannte Annas Kleid,

dessen weißer Kragen mir im klaren Morgenlicht ent-
gegenschien. So, so, dachte ich, und bei uns hat er sich beeilt, und ging auf die kleine Gruppe zu, die aus Herrn
Rößner, seiner Tochter, zwei Männern und einer Frau
bestand.

Erst als ich schon fast neben ihnen war, sah ich, daß
Herr Rößner an der Lippe blutete. Er weinte und versuchte sich von dem Griff des einen Mannes loszumachen,
während Anna teilnahmslos auf das Feuerzeug blickte,
das ich ihr geschenkt hatte und das sie nun in den Händen
hielt.

Ich ging an ihnen vorbei. Als ich die Straßenecke erreicht hatte, drehte ich mich um. Die Frau, die ein blaues
Kostüm trug, das ihr lose am Körper hing, hatte einen
Arm um die Schulter Annas gelegt und führte sie, leise
auf sie einredend, zu einem Wagen, der am Straßenrand
geparkt war. Geh nicht mit, wollte ich schreien, geh nicht
mit, und stolperte über eine volle Tüte Äpfel, die jemand
mitten auf dem Bürgersteig hatte liegenlassen. Bitte,
bitte, bitte, dachte ich, geh nicht mit, jeder Idiot weiß es
doch, jeder Arsch weiß es doch, daß sie die Leute dort ab-
murksen, weil sie so dumm sind wie du, daß sie die Dep-
pen kaltmachen, das weiß man doch, mein Vater hat es
mir gesagt, und der hat's doch von deinem, du dumme
Sau, du blöde Kuh, geh nicht mit, dachte ich und sah,
während ich die roten Äpfel aufhob, die auf die Straße
gerollt waren, und sie der Frau reichte, die ihre Arme aufgeregt in der Luft kreisen ließ, als wären sie der Propeller
eines Geschäftsflugzeuges, wie Anna in den Wagen stieg.

Drei Taschenmesser

Erlauben Sie mir, mich kurz vorzustellen. Ich bin Hausfrau und Mutter von vier strammen Buben, die ich für Führer, Volk und Vaterland in der rechten Haltung, will heißen: streng deutsch, zu erziehen versuche. Dieser Aufgabe habe ich mich mit Leib und Seele verschrieben.

Sowohl mein Mann, der bei der Versicherungsgesellschaft Altona angestellt ist und ein mittleres Gehalt bezieht, als auch ich traten 1933 der Partei bei; wir sind seit nunmehr sieben Jahren aktive Mitglieder. Neben meinen hausfraulichen Pflichten, die durch die täglichen Hürden erschwert werden, die das Leben einer Mutter dreier heranwachsender Knaben und eines Sohnes im Mannesalter in den Weg legt, arbeite ich viermal wöchentlich unentgeltlich beim Reichsmütterdienst des deutschen Frauenwerks, wo ich unverheiratete Frauen in speziellen Lehrgängen von den hohen Pflichten der Mutterschaft oder, wie es unser Kreispropagandaleiter Strammerle in der monatlichen Müttersitzung so schön ausgedrückt hat, »von der Notwendigkeit des Kinderreichtums für die ewige Sicherung des gewaltigen Werkes des Führers« überzeuge.

Letztes Jahr wurde mir hierfür und natürlich auch für unseren Kindersegen das bronzene Mutterkreuz verliehen.

Von unserem Nachbarn, Herrn Krause, habe ich erfahren, daß Soldaten oder Einberufene beschlagnahmte Gegenstände zu reduzierten Preisen erwerben können. Herr Krause forderte vor ungefähr zwei Wochen bei der Ghettoverwaltung eine Armbanduhr für seinen Jungen an, die er acht Tage darauf in einem Wertpaket erhielt.

Auch mein Ältester wird nächste Woche einberufen. Er

geht zur Luftwaffe. Er hat seine Aufnahmeprüfungen in München, Frankfurt und Wiesbaden schon hinter sich, mit einigem Erfolg, wie ich mir von mehreren vertrauenswürdigen Personen habe sagen lassen.

Nun hat er aber schon eine Armbanduhr; mein Mann und ich haben sie ihm zu Weihnachten geschenkt. Da es sich bei ihr um ein deutsches Qualitätsprodukt handelt, ist nicht anzunehmen, daß die Uhr in näherer Zukunft defekt wird.

Wäre es deshalb ausnahmsweise gestattet, anstelle der Uhr drei Taschenmesser zu erhalten? Unter der Voraussetzung natürlich, daß solche Gegenstände von den verantwortlichen Behörden für wert erachtet worden sind, eingezogen zu werden.

Ich belästige Sie mit dieser Ihnen sehr wahrscheinlich unwichtig scheinenden Bitte, da es zur Zeit nicht möglich ist, im Altreich preisgünstige Qualitätsprodukte zu erwerben. Ich kann Ihnen versichern, daß ich schon seit mehreren Wochen am Suchen bin. Ich habe hierfür mehrere Nachmittage opfern müssen, die ich anderwärtig gut zu nützen wüßte, zum Beispiel beim Reichsmütterdienst.

Ich wäre Ihnen sehr dankbar, wenn Sie mir behilflich sein könnten. Sie würden damit einer Mutter und ihren drei Knaben einen Herzenswunsch erfüllen.

Für eine baldige Antwort wäre ich Ihnen sehr verbunden
und grüße Sie mit
Heil Hitler!
Ihre
Helga Pfeifer

Die goldene Halskette

1.

»Später, später«, sagte er, »immer später.«

Ludwig setzte sich auf und suchte unter dem Bett nach seinen Schuhen.

»In zwei Tagen gehe ich an die Front. Manche kommen nicht zurück, oder sie kommen so zurück, daß sie sich wünschen, nicht zurückgekommen zu sein.«

»Leise«, sagte Marianne und wollte ihn wieder zu sich hinunterziehen.

Er schüttelte sie ab, stellte sich hin und verschränkte beide Hände vor der Brust.

»Guten Tag, Herr Pfeifer. Guten Tag, Herr Brackmann. Nicht wahr, Herr Pfeifer, die Musik, das ist doch was Schönes. Ja, Herr Brackmann.«

»Laß meinen Vater aus dem Spiel.«

»Sie bringen mir doch meine Marianne rechtzeitig zurück, damit sie sich das Konzert im Radio anhören …«

»Er hat gar nichts damit zu tun.«

»Früher sind wir ja in Konzerte gegangen.«

Sie richtete sich auf und versuchte, ihn zu fassen, griff aber in die Luft.

»Ich hab dir gesagt, du sollst damit aufhören.«

»Aber heute, wissen Sie, in diesen schweren Zeiten.«

»Hör auf, sag ich.« Sie schlug ihn.

»Mach das nicht noch einmal.« Ludwig drehte ihr den Arm um.

»Du tust mir weh.«

Er ließ sie los, setzte sich in den Sessel, der in einer Ecke des Zimmers stand, und zog ungeduldig an den Schnürsenkeln.

»Verdammte …« Er warf das zerrissene Schuhband auf den Boden.

Sie setzte sich zu ihm auf die Lehne.

»Warum bist du nur immer so wütend.«

Sie fuhr ihm mit der Hand durch das Haar.

»Du mußt mir eine Locke schicken, wenn sie dich kurz scheren.«

Ludwig rieb seinen Kopf an ihrem Oberkörper.

»Ich heb sie dann auf, und wenn du zurückkommst, verbrennen wir sie gemeinsam.«

Er öffnete den ersten Knopf ihrer Bluse und ließ seine Hand hineingleiten. Marianne wich zurück.

»Doch«, sagte er und öffnete auch die restlichen Knöpfe.

Sie sah auf die Tür.

»Der kommt nicht, der hört Musik.«

Marianne schüttelte den Kopf.

»Doch«, sagte er, »doch.«

Sie drehte ihren Oberkörper von ihm weg, knöpfte die Bluse zu und ging zur Tür.

»Komm«, sagte Ludwig und ließ sich aufs Bett fallen, »Erna hat auch schon.«

Sie blieb stehen und schaute ihn verblüfft an.

»Eckstein hat's mir gesagt.«

Marianne runzelte die Stirn und lächelte ihn an, nachdem sie einen Augenblick konzentriert nachgedacht hatte.

»Werner hatte keine Zeit, es dir zu sagen.«

Sie öffnete die Tür.

»Als du mit Erna Karussell gefahren bist, als ihr oben wart und uns zugewinkt habt und wir uns eine Flasche Bier gekauft haben. Nach der ollen Turnerin mit ihrem Mann.«

Ludwig verschränkte die Arme hinter dem Kopf.

»Nachher haben sie das Bettlaken gewaschen, und seine Mutter hat's gesehen. Weil sie zu früh nach Hause gekommen ist, hat sie es sofort gewußt.«

»Du lügst.«

Marianne ging ins Wohnzimmer, wo ihr Vater auf dem Sofa neben dem Radio saß und ihr, als sie ihn umarmen wollte, ein Zeichen machte, still zu sein.

Mürrisch stopfte Ludwig das Hemd, das sich über seinem flachen Bauch wellte, in die Hose, dann folgte er Marianne und setzte sich zu ihrem Vater auf das Sofa.

2.

Ich geb's ihr sofort, dachte Ludwig, ich geb's ihr sofort, und dann hab ich noch zwei Stunden Zeit, und sie kann nicht nein sagen. Eine Stunde langt, dachte er, und dann hab ich, wenn ich direkt zum Verein gehe, immer noch Zeit für den Kegelabend. Oder ich bring sie nach Hause und komm erst später hin, um mich zu verabschieden, wenn alle schon beim Bier sitzen. Er reichte Marianne das kleine Kästchen aus schwarzer Pappe.

»Hier«, sagte er und schaute auf ihren Busen, während sie den Deckel hob und vorsichtig das Seidenpapier auffaltete.

»Oh«, Marianne stellte sich auf die Zehenspitzen, »bist du aber süß«, und gab ihm einen Kuß.

»Siehst du, ein P. L.« Ludwig deutete auf das flache Herz. »Mein Monogramm.«

Sie hielt den Anhänger in den Händen und küßte ihn.

»Damit du mich nicht vergißt.« Ludwig lächelte verlegen, verschränkte dann die Hände hinter dem Rücken.

Sie drehte sich um und raffte das Haar in die Höhe. Ludwig nahm das Goldkettchen und legte es ihr um.

Er hatte es einem ehemaligen Schulkameraden abgekauft, der es mit einigen anderen Schmuckstücken von der Front mitgebracht hatte. Da könne man alles viel billiger kriegen, hatte der Freund ihm erzählt, man müsse nur zur Ghettoverwaltung gehen und seine Bestellung aufgeben. Wie im Schlaraffenland sei er sich vorgekommen, bei so vielen schönen Sachen und so billig.

Eigentlich hatte Ludwig etwas Preisgünstigeres gesucht, etwas aus Silber oder vernickelt – es sollte ja kein Verlobungsgeschenk sein, er wollte dem Mädchen keine falschen Hoffnungen machen –, hatte sich dann aber wegen der Buchstaben, die jemand in die Mitte des flachen Herzens hatte eingravieren lassen, zu dem Kauf entschlossen.

Er fingerte an dem winzigen goldenen Verschluß herum, der ihm aus den Händen glitt, und fluchte leise vor sich hin. Nach dem dritten Versuch schaffte er es. Marianne drehte sich um und zeigte ihm die Kette. Er nickte zufrieden. Das Herz lag zwischen ihren Schlüsselbeinen.

»Schön«, sagte er, »paßt sehr gut.«

Ludwig umfaßte Mariannes Hüften und führte sie einen kleinen Pfad zur Lichtung hinauf. Da ist nie jemand, dachte er und sah, als sie sich an ihn schmiegte, auf die Uhr.

Als sie oben angekommen waren, setzte er sich auf den feuchten Boden, der mit Blättern bedeckt war. Zur rechten Seite umsäumten niedrige Nadelhölzer die Lichtung. Hinter ihm lagen lange dunkle Baumstämme. Ludwig rutschte zurück und lehnte sich an die Stämme. Er klopfte auf den Boden.

»Komm«, sagte er, »setz dich zu mir.«

Er zog seine Jacke aus und breitete sie auf den Boden.

»Komm, ich tue dir nichts.«

Marianne kicherte, setzte sich dann zu ihm und berührte das Herz. Es hing kühl an ihrem Hals.

»Siebzehn«, sagte Ludwig und deutete auf die Zahl, die der Holzfäller auf den Stamm geschrieben hatte.

»Wirst du mir auch schreiben?«

»Ja.« Ludwig küßte ihr Ohr.

»Jeden Tag?«

»Ja.«

Er schaute auf ihr Knie. Er würde nun Dampf machen müssen, wenn er den Kegelabend nicht verpassen wollte. Er umarmte Marianne und schob, während sie redete, den Rock etwas weiter hoch.

»Ja«, sagte er, »ja, doch, jeden Samstag.« Er umfaßte das Knie.

Kein schlechtes Knie, dachte er und ließ seine Hand

dort. Wenn ich zu schnell mach, dachte er, läßt sie mich nicht mehr. Vorsichtig tastete er sich bis zum Schenkel hinauf und spürte, wie er zwischen den Beinen hart wurde.

»Mein Herz«, sagte er, »gehört nun dir.«

»Ich schreibe dir auch, dann sind wir uns nah und können alles teilen, und wenn du zurückkommst …«

Ludwig glitt zu Boden, bis sein Rücken die Erde berührte, drehte sich zur Seite und legte sich auf Marianne.

»Und wenn ich zurückkomme«, sagte er und rieb seinen Unterkörper an ihrem Schenkel, »dann heiraten wir.«

»Ja«, sagte Marianne und schob seine Hand zur Seite, weil sie ihre Brust so fest umklammerte, daß es schmerzte.

3.

Jetzt nimmt er mich den Pfad hinauf, dachte Marianne, damit er's noch einmal probieren kann. Da oben ist nie jemand, jetzt muß ich ihn lassen. In der Klasse haben sie alle schon, und Erna hat auch schon, und jetzt muß ich auch. Sie gab ihm einen Kuß.

»Das ist aber süß von dir«, sagte sie und ließ ihn das Kettchen umhängen.

Nun war sie wer. Hatte auch sie einen Mann, um den sie sich Sorgen machen konnte – er zog ja in den Krieg – und dem sie, wie alle anderen Frauen, Kuchen mitbringen würde, weil man beim Militär nicht genug aß. Gerührt würde sie ihn anblicken, während er ihn verschlang. Das war das beste Kompliment, das man einem Kuchen machen konnte.

Sie berührte das Kettchen. Ein schönes Kettchen. Morgen würde sie es ihren Klassenkameradinnen zeigen, während er seine ersten Befehle erteilt bekam. Ich zeig's natürlich auch Erna, dachte sie. Erna hatte einen hellblauen Stoffhund und ein Lebkuchenherz bekommen, was nun im Vergleich zu ihrem Abschiedsgeschenk lächerlich wirkte und selbst Erna ungenügend erscheinen mußte.

»Hier«, sagte er und klopfte auf den Boden.

Sie hatte gehört, daß man sich beim Turnen entjungfern konnte, wenn man ein Rad schlug. Sie hatte es versucht, glaubte aber, daß es nicht geklappt hatte, weil man danach Schmerz empfinden mußte.

Selbst wenn es weh tut, dachte sie, ist es nicht weiter schlimm. Dann hab ich es endlich hinter mir.

»Komm schon«, sagte er und breitete seine Jacke aus.

Sie setzte sich neben ihm auf den Boden und betrachtete sein Profil. Er hatte eine kleine Nase, die sich nach oben wölbte. Wie ein Schwein, dachte Marianne. Sie lächelte.

»Das sind die Jahresringe«, sagte er und rutschte zu ihr herüber. »Und das hier ist die Markierung.«

Jetzt wird er gleich. Sie zerrupfte ein trockenes Blatt. Daß er mir nur nicht den Rock zerknittert. Oder sollte sie den Rock ausziehen? Nein, dann war sie ja splitternackt.

»Aha«, sagte sie und schaute auf ihren Rock, der nun doch zerknautscht war, weil er sich über sie beugte, um ihr die Zahl auf dem Baumstamm zu zeigen. So ein Pech, dachte sie. Nun würde nichts mehr daraus werden. Sie hatte vorgehabt, den Rock morgen mit derselben Bluse und Wolljacke anzuziehen, damit sie den Klassenkameradinnen am Vormittag und Erna am Nachmittag zeigen konnte, was sie angehabt hatte. Sie sollten sich von der Situation ein vollständiges Bild machen.

»Wirst du mir auch schreiben?«

»Ja.«

»Jeden Tag?«

»Na klar …«

Oder, dachte sie, während er ihr Knie streichelte, ich häng den Rock am Abend ins Bad, vielleicht glättet ihn der Dampf.

»Ich schreibe dir schon morgen aus der Kaserne, und am Samstag kommst du mich besuchen.«

Jetzt wird er sich gleich auf mich legen. Marianne sah eine Schweißperle auf seiner Oberlippe. Warum er nur so schwitzt, dachte sie, das geht viel zu schnell, und fragte ihn, ob er den Film gesehen habe, der im Tivoli gespielt wurde.

»Es ist eine Bergbauerntragödie.«

Sie erzählte ihm von Lona, der Heldin, die zwanzig Jahre jünger war als Thomas, ihr Mann, der Einödbauer war und einen jungen Knecht hatte, Martin, den Lona liebte.

»Sie geht an ihrer unseligen Leidenschaft zugrunde«, sagte Marianne und wiederholte den Satz, während er seinen Unterleib an ihrem Knie rieb, noch einmal leise.

Wie ein wildgewordener Hund, dachte sie und rückte sich unter ihm zurecht.

»Mein Herz«, sagte er, »mein Herz.« Sie spürte sein Herz über ihrem Bauch wild pochen.

Er griff ihr unter den Rock und zog ihr mit einem Ruck die Unterhose herunter, die sie für dieses besondere Ereignis ausgewählt hatte – eine Unterhose mit Blumenmotiv, das zu dem BH paßte, der nun schräg über ihrem Busen hing. Er sah das Motiv nicht, zerknüllte die Hose nur und warf sie in hohem Bogen zur Seite.

Jetzt bin ich seine Frau, dachte sie und blickte auf einen Baumstamm, von dem die Rinde abbröckelte. Sie berührte das Herz. Sollte er fallen, würde sie es als ewiges Andenken an diesen Tag aufbewahren. Auch dem Kind würde sie es zeigen, das sie nun vielleicht gerade zeugten. Das ist ein edles Andenken, dachte sie, eins, das man einem Kind bedenkenlos zeigen konnte, selbst wenn der Vater an der Front gefallen war. Sie seufzte. Sie würde auch den Orden aufheben. Zum dreizehnten Geburtstag würde sie ihn feierlich ihrem Sohn überreichen.

»Jetzt«, sagte er, »jetzt und jetzt und jetzt.«

Und dann war es vorbei. Er rollte von ihr herunter, setzte sich hin, wischte sich mit dem Handrücken über die naßgeschwitzte Stirn, zog die Hose hoch, die ihm in den Kniekehlen hing, und sah auf die Uhr.

Ja, jetzt bin ich seine Frau, dachte sie und tupfte sich, während er die Hose zuknöpfte, mit der Unterhose das Bein ab, an dem die klebrige weiße Flüssigkeit hinunterrann.

Gemeinsam gingen sie den kleinen Pfad hinab. An der
Haltestelle blieben sie stehen. Ludwig bezahlte und setzte
sich zu ihr auf eine Bank. Sie fuhren am Fußballstadion
vorbei, das nun leer war. An der zweiten Haltestelle stiegen ein alter Mann und eine Frau mit drei Kindern ein.
Die Kinder rannten durch den leeren Wagen. Marianne bot
ihnen eine Tüte Bonbons an. Langsam füllte sich die Bahn.

Als sie angekommen waren, ließ Ludwig Marianne zuerst aussteigen, dann sprang er die drei Stufen hinunter.
Eigentlich hatte er sie nur bis zur Straßenecke bringen
wollen, begleitete sie aber bis vor die Haustür und ging,
obwohl sie ihn nicht darum bat, mit ihr hoch.

Oben erwartete sie Mariannes Mutter. Sie hatte gerade
Kaffeewasser aufgesetzt. Es gab Apfelkuchen.

Um fünf war Ludwig immer noch bei Marianne, auch
um sechs, er sah aber nicht mehr auf die Uhr. Um sieben
ging er. Marianne begleitete ihn bis zur Wohnungstür,
die sie leise hinter sich schloß. Im Flur blieben sie noch
eine Weile stehen. Ein Mann kam mit einem Kohlenei-
mer an ihnen vorbei und ging in den dritten Stock. Sie
hörten, wie er seine Wohnungstür aufschloß, den Eimer
mit dem Fuß hineinschob und die Tür zuwarf. Dann war
es wieder still. Sie setzten sich auf die Steintreppe. Er umarmte sie. Sie legte ihren Kopf auf seine Schulter. Draußen gingen die Straßenlaternen an.

5.

Am folgenden Tag zeigte sie Erna das Goldkettchen, das
diese sehr bewunderte, und sah im medizinischen Berater
nach; er hatte im Bücherregal neben dem Atlas, dem
Wörterbuch, »Mein Kampf«, der Bibel und dem farbigen
Bildband der heimischen Pflanzen und Bäume einen Eh-
renplatz. Erna hatte ihn von ihrer Patentante zu Weih-

nachten geschenkt bekommen, weil es erzieherisch richtiger war als das Kleid, das sie sich gewünscht hatte und das einen großen runden Ausschnitt besaß, mit dem sie doch nur auf Männerfang gegangen wäre – was Erna dann auch ohne Kleid und Ausschnitt gemacht hatte, um sich als ersten Mann im Kegelverein an einem Samstagnachmittag den Ecki zu angeln, der eigentlich Werner hieß und ein halbes Jahr älter war.

Dort stand es schwarz auf weiß:

Es hatte sich um eine durch Blutstauung bedingte Versteifung des mit Schwellkörpern versehenen und zwischen den beiden Leistenbeugen seßhaften Körperteils – kurz männliches Geschlechtsorgan genannt – gehandelt, das sie nun im Quer- und Längsschnitt bewundern konnte. Der Versteifung war eine Spannung der Hirnrinde vorangegangen, die über Zwischenhirn und Rückenmark letztendlich bis nach unten gelangt war und durch die Berührung des paarigen, halbkugeligen Drüsenorgans an der Vorderseite des weiblichen Oberkörpers erzeugt wurde, das gegen den Himmel schielte, weil der Blumen-BH verrutscht war, und das er zuerst mit den Fingern abgetastet hatte, um sich dann mit dem fleischigen oberen und unteren Rand der Eingangsöffnung seines Verdauungskanals daran festzusaugen.

Ach so, dachte sie und schaute sich die rot markierten Schwellkörper, die Eichel, die Harnröhre und den Hodensack an, den sie, wenn sie sich nicht täuschte, neben ihrem Damm oder dem Schließmuskel gespürt hatte, als das männliche Geschlechtsorgan in das weibliche Geschlechtsorgan eingedrungen war. Ach so, dachte sie und schaute sich auch das weibliche Geschlechtsorgan an, das ebenfalls abgebildet war und aus einer Scheide, einem Muttermund, zwei Eierstöcken, einem Ei, zwei Eileitern und einer Gebärmutterhöhle bestand, in der nun vielleicht die Frucht ihrer Liebe reifte. Las sich alles genau durch und blickte dann erschrocken auf.

»Du«, sagte sie, »ich glaube, er hat sie nicht.«

»Hat wen nicht?« fragte Erna.

»Na, er hat nichts hochgeschoben.«

»Wen nicht hochgeschoben?«

»Na, die Vorhaut.«

»Das kann nicht sein.«

»Ich hab's aber nicht gesehen.«

»Vielleicht hast du gerade weggeguckt.«

»Hab ich nicht.«

»Dann hast du eben nicht drauf geachtet.«

»Hab ich doch.«

»Dann hat er eben einen Judenpimmel.«

»Hat er nicht.«

»Na, dann hast du's nicht gesehen. Würd mich auch schwer wundern, wenn er einen hätte.«

»Wenn er was hätte?«

»Einen Judenpimmel.«

»Hat er nicht«, sagte sie wütend.

»Mein ich doch«, antwortete Erna.

»Aber woher weißt du, daß er keinen hat?« fragte Marianne.

»Dann würd man ihn doch nicht nehmen.«

»Glaubst du?«

»Na klar«, antwortete Erna, »glaubst du, die wollen Juden in der Wehrmacht?«

Sie schüttelte den Kopf. Ach, die Wehrmacht, dachte sie, die unsere Männer zu Männern macht und unsere Heimat schützt und siegreich die Welt erobert, gut, daß wir sie haben.

Sie griff stolz an das Herz aus Gold, auf dem seine Anfangsbuchstaben eingeritzt waren und das ihr nun am Hals baumelte und sie an ihn erinnern würde, bis er zurückkam, um sie zu heiraten. Sie würde ihm Kuchen backen und Hemden bügeln und Strümpfe stopfen und Braten braten und viele Buben großziehen. Sie würde ihm und dem Führer Söhne schenken, denn der Wille zum Kind war da, und wo ein Wille war, fand sich auch ein Weg.

Und ihr fiel mit einemmal das Gedicht über die Wehrmacht ein, das sie auswendig gelernt hatte: »Wer zur Fahne rennt, wem die Fahne brennt, wer die Fahne kennt, wird zu Eisen« – ein Gedicht, das sie nun endlich voll und ganz verstand. Und sie umfaßte mit einer Hand das Herz, das nicht aus Eisen war, sondern aus vergoldetem Silber, und mit der anderen Hand ihren Unterleib, in dem vielleicht schon die Frucht ihrer Liebe reifte.

Aussage eines Rechnungsführers
(Die Briefmarkensammlung)

Am Tage unserer Ankunft, etwa gegen ein Uhr – ich hatte gerade Quartier gemacht und mein Gepäck fast schon ausgepackt –, kam Vogt, ein Angehöriger unserer Einheit, ins Zimmer und sagte, daß eine Kolonne Juden im Anmarsch sei.

»Sie kommen aus Wilna«, sagte er und fügte hinzu, daß wir sie an uns vorüberziehen sehen könnten, wenn wir uns unverzüglich auf den Weg machten.

Wir hatten uns in der Schule niedergelassen, weil es dort eine Zentralheizung gab und genügend Raum vorhanden war.

Obwohl die Zivilbevölkerung sicherlich nichts dagegen einzuwenden gehabt hätte – ihre tadellose Einstellung war in den Rundschreiben, die wir wöchentlich erhielten, mehrmals lobend hervorgehoben worden –, glaubte ich nicht, daß man die Juden ins Dorf hineintreiben würde.

Vogt, der bekannt ist für seine Meinung, fragte mich, ob ich mir den Transport ansehen wolle.

Wörtlich sagte er: »Das Schauspiel dürfen wir nicht verpassen.«

Da ich keine Lust hatte, meiner Mutter den Brief zu schreiben, der ihr zustand, nahm ich meine Jacke vom Haken und ging mit. Unteroffizier Zink gesellte sich zu uns.

Wir nahmen eine Abkürzung über das Feld, überquerten einen Bach, der an den Ufern schon zugefroren war, und gelangten, weil Vogt uns ansporne, nach einer guten Viertelstunde an die Landstraße, auf der sie vorbeiziehen mußten, da sie von Norden kamen.

Wir erreichten die Straße keine Minute zu früh. Wir

245

hatten gerade noch Zeit, uns locker um den Grenzstein zu gruppieren, der das Feld markierte, als wir schon aus der Ferne die Kolonne sahen, die zügig auf uns zukam.

Es waren schätzungsweise an die dreihundert Personen. Sie gingen zu viert nebeneinander her. Auf den Mänteln und Jacken trugen sie den gelben Stern.

»Ein einwandfreier Judentransport«, sagte Vogt.

Ich nickte, denn er hatte recht. Der Transport bestand nur aus Juden. Er war in konventioneller Weise aufgeteilt, vorne Kinder, danach Frauen mit oder ohne Kleinkinder auf dem Arm, denen Männer jeglichen Alters folgten. Fast alle Juden waren verhältnismäßig gut gekleidet, hatten Schuhe und Mäntel an und kleine Koffer oder Bündel bei sich.

Der Transport wurde von SS-Männern bewacht, die im Abstand von jeweils vier, fünf, manchmal auch sechs Reihen neben der Gruppe mitgingen. Ich kann mich daran so genau erinnern, weil ich den Männern eine gewisse Sachkundigkeit nicht absprechen konnte, die mir manche Arbeit erspart haben würde, hätte sie sich auch in unserer Einheit offenbart.

Die Kolonne wurde von vier SS-Männern beschlossen, die uns mit einem Kopfnicken grüßten und denen Vogt etwas Schlüpfriges über den Bund deutscher Mädel zuschrie, den er »Bubi-drück-mich« nannte, worauf sie herzlich lachten.

Vogt war nun einmal so. Er hatte sich mit seinem Gerede schon mehrmals in Schwierigkeiten gebracht und wäre längst aus unserer Einheit entfernt worden, hätte er nicht ansonsten als ausgezeichneter Soldat gegolten.

Aus Neugierde und um zu erfahren, ob sich im Umkreis ein Lager befand – wir hatten von keinem gehört, wußten aber, daß sie momentan wie Pilze aus der Erde schossen –, gingen wir im Abstand von dreißig Metern hinter der Kolonne her. Nach zehn Minuten schwenkte sie von der Landstraße ab und bog nach links in einen kleinen Weg ein.

Wir waren keinen Kilometer gegangen, als wir zu einem Laubwald kamen. Vogt meinte, es könne sich um kein Lager handeln, da die Fluchtgefahr in einem Terrain, das unübersichtlich und daher unkontrollierbar sei, zu groß wäre.

»Man darf ihnen keine Flausen in den Kopf setzen.«

Solch ein Terrain, sagte Vogt, sei geradezu eine Aufforderung zur Unruhe, weshalb man Lager auch immer nur auf ebenem Land anlege, und selbst dann nur, nachdem die Umgebung abgeholzt worden sei.

»Hast du einen Aufstand«, sagte Vogt, »hast du bald das ganze Pack auf der Pelle, und dann guten Abend.«

Wir kamen an eine Lichtung, die wie eine Baustelle aussah. Ein Kamerad von der SS, der etwas abseits eine Zigarette rauchte, sagte uns, daß es sich um ein Benzinlager handle, das von den Russen angelegt worden sei und das sie uns freundlicherweise abgetreten hätten. Wir lachten. Er hielt uns ein Päckchen Zigaretten hin. Wir lehnten ab; wir wußten, wie schwer es war, Zigaretten zu erstehen. Der SS-Mann erwiderte, daß wir uns nicht zu genieren brauchten.

»Wie die Bubi-drück-mich«, sagte er zu Vogt und forderte uns auf, uns zu bedienen, da er für die Arbeit, die er gleich verrichten würde, eine Sonderration bekäme.

Unteroffizier Zink fragte, was denn hier los sei.

»Sehen Sie sich nur ruhig um«, ermunterte uns der SS-Mann, was wir unverzüglich taten.

Wir durchquerten das Gelände. In der Mitte der Lichtung hatte man eine Grube ausgehoben. Die Judenkolonne stand etwas abseits. Man hatte ihnen befohlen, ihre Bündel beiseite zu legen und sich jeweils in Zehnergruppen aufzustellen. Die Jüdinnen und Kinder wurden in den Wald geführt. Das gab wegen der Familien, die auf diese Weise getrennt wurden – die Männer blieben, wie gesagt, zu zehnt stehen –, einiges Geschrei.

»Wenn sie's nicht sehen«, vertraute uns der SS-Mann an, »geht alles zackiger voran.«

Er meinte damit die Frauen und Kinder.

Vogt, der einen Photoapparat mitgenommen hatte, ging an den Rand der Grube und machte eine Aufnahme vom Grubeninneren mit den sich schon darin befindlichen Leichen und fragte den SS-Mann, nachdem er sich wieder zu uns gesellt hatte, wann sie dies denn vollbracht hätten.

»Die haben wir gestern abgeschossen«, meinte der und fügte hinzu, daß alles reibungslos verlaufen sei und daß er hoffe, auch heute seine Arbeit ohne weitere Vorkommnisse ausführen zu können, was er aber nicht annehme.

»Heute sind Kinder und Frauen dabei«, sagte er, »die werden, sobald der erste Schuß fällt, ganz wild und fangen an zu schreien. Vor allen Dingen die Mütter«, sagte er, »können einen schon mal anfallen.«

Deshalb, erklärte der SS-Mann, der nun seine Zigarette aufgeraucht hatte und zur Grube ging, führe man sie in den Wald; damit sie es nicht mit ansähen.

Die ersten zehn Männer wurden an die Grube gebracht. Da sie ihre Hemden um den Kopf gebunden hatten und nichts sahen, kamen sie nur langsam voran. Der erste Mann hielt sich an einem Knüppel fest, den ihm ein SS-Mann hingestreckt hatte. Die neun anderen Juden – man hatte ältere mit jüngeren gemischt – hielten sich jeweils am Rücken ihres Vordermannes fest.

Als der erste den Rand der Grube erreicht hatte, blieb die Schlange stehen. Der SS-Mann schob den zweiten Juden neben den ersten. So ging das weiter, bis alle nebeneinander standen.

Vogt sagte, daß diese Methode zeitraubend sei – die Juden würden spätestens bei der zweiten Fuhre wissen, daß sie kaltgemacht werden, man könne daher auf das Getue mit den verbundenen Augen verzichten.

»Sie haben recht«, erwiderte Unteroffizier Zink, »aber es besteht immer noch ein Schimmer Hoffnung, so ist nun einmal die menschliche Natur. Sie glauben, daß es ihnen nicht passieren kann, und darum ist diese Methode nicht unklug.«

Ich hatte hierüber keine Meinung und hörte aufmerksam zu.

Die erste Judengruppe wurde abgeschossen. Die Schüsse wurden salvenartig von zehn SS-Männern abgegeben, die zirka zwanzig Meter hinter der Reihe standen. Die Juden fielen in die Grube. Ein SS-Mann trat vor, prüfte, ob sich in der Grube noch jemand bewegte, und half bei einigen mit einem Kopfschuß nach.

Die zweite Reihe wurde an die Grube gestoßen. Vogt machte davon eine Aufnahme und ging, da er alle zehn Juden auf das Bild kriegen wollte, einen Schritt zurück. Nach fünf Minuten war auch diese Gruppe abgeschossen, und die dritte trat an.

Da mir kalt zu werden begann und ich dachte, daß wir nun genug gesehen hätten, fragte ich, ob wir nicht zurückkehren könnten. Vogt erwiderte, daß ich ruhig gehen könne, forderte auch Zink auf zu gehen, sagte aber, daß er für seinen Teil auch die Frauen sehen wolle, weil er dies aufzunehmen gedenke. Da auch Zink nicht gehen wollte, blieb ich bei meinen Kameraden stehen und zündete meine Zigarette an.

Es muß wohl die vierte oder fünfte Gruppe gewesen sein, als ein Mann aus der Reihe rannte, sich das Hemd vom Kopf riß und auf uns zukam. Es war ein älterer Jude. Er blieb vor uns stehen. In einwandfreiem Deutsch, er rollte nur etwas das R, fragte er uns, was wir von ihm wollten.

»Ich bin doch nur ein Uhrmacher«, sagte der Jude. Er zitterte am ganzen Körper.

Vogt machte von ihm ein Photo.

»Jude vor dem Tod«, sagte er und nahm auch auf, wie der SS-Mann ihn mit dem Knüppel zur Grube schlug.

Der Jude fiel kopfüber in die Grube. Vogt fragte, ob er eine Aufnahme machen könne.

»Ja«, sagte man ihm, »wenn Sie sich beeilen.«

Sie waren schon in Verzug und wollten die ganze Kolonne, inklusive Frauen und Kinder, abgefertigt haben, bevor die Nacht anbrach, weil sie keine Scheinwerfer zum Bewachen und zum Zielen zur Verfügung hatten.

»Jetzt hab ich ihn auch tot«, sagte Vogt, als er zurückkam.

Natürlich ging nicht alles so glatt, wie der SS-Mann es sich gewünscht hatte. Einige Juden mußten zur Grube geprügelt werden. Einige versuchten zu flüchten und wurden an Ort und Stelle erschossen. Viele Juden hatten sich weiße Tücher über die Schultern gehängt und gingen betend zur Grube. Diejenigen, die beteten, weigerten sich, die Augen zu verbinden. Der Scharführer gab Befehl, sie gewähren zu lassen, da sie sich anstandslos an den Grubenrand führen ließen. Er bewies dadurch seine Anpassungsfähigkeit, die bei solch einer Aktion unerläßlich ist.

Ein Jude mittleren Alters stürzte sich auf einen SS-Mann und wurde von diesem, nachdem er von zwei anderen SS-Männern mit Knüppeln zurück in die Reihe getrieben worden war, in die Beine und Arme geschossen, die sich gegen den Offizier erhoben hatten: dann, als er zusammenbrach, wurde er durch einen Magenschuß verletzt und lebend in die Grube geworfen.

»Da wird er nun elend verrecken«, sagte Vogt.

Unteroffizier Zink gab ihm recht und fügte hinzu, daß dies töricht gewesen sei, da er ja sowieso sterben müsse.

»Es ist doch gescheiter, so schnell und schmerzlos wie möglich zu sterben, was doch nur der Fall sein kann, wenn die Männer Zeit haben zu zielen.«

»Logik«, antwortete Vogt, der auch diesen Vorfall photographiert hatte, »ist bei denen fehl am Platz.«

Wir hielten uns insgesamt zwei Stunden an der Exekutionsstätte auf. Wie viele Gruppen an den Grubenrand geführt wurden, kann ich nicht mehr sagen. Die Grube war jedoch, als wir den Platz verließen, fast bis zum Rand mit übereinandergehäuften Leichen gefüllt.

Die Kinder kamen vor den Frauen dran. Sie durften ihre Kleider anbehalten und mußten auch nicht die Augen verbinden.

»Das ist ganz zwecklos«, sagte der SS-Mann, der eine Pause machte und sich zu uns gesellte, um noch eine Zigarette zu rauchen, »sie haben Angst vor dem Dunkeln. Wir haben's schon probiert, hatte aber genau den entgegengesetzten Effekt. Die Kinder haben sich weinend auf den Boden gesetzt, und wir mußten sie so abknallen, was eine schöne Sauerei ergab.«

Unteroffizier Zink sagte, daß ihm die Kinder leid täten, denen man die Angst an den Augen ansah, als sie zaghaft an den Grabenrand herantraten.

»Judenkinder«, erwiderte daraufhin Vogt, der für seine Meinung bekannt ist.

Ein etwa elf- oder zwölfjähriger Junge umklammerte mit beiden Händen ein Briefmarkenalbum, so daß es aussah, als halte er sich daran fest. Er wollte nicht gehen und wurde von einem SS-Mann mit einem Stock nach vorne getrieben. Der Junge blickte sich immer wieder um und rief etwas, was ich nicht verstand. Sehr wahrscheinlich ein Kosewort für seine Mutter, weil der Buchstabe M darin vorkam.

Viele kleine Kinder zwischen fünf und zehn Jahren hatten Puppen oder Stofftiere dabei, die sie an ihre dünnen Körper preßten.

»Läßt man sie das einfach so mitnehmen?« fragte Vogt.

»Versuchen Sie mal, ihnen das aus der Hand zu reißen«, antwortete der SS-Mann.

»Das ist ihr Hang zum Besitz«, sagte Vogt und erntete dafür auch von mir einen rügenden Blick.

Die Kinder flogen regelrecht in die Grube hinein, weil der Aufprall der Geschosse ihre leichten Körper in die Höhe warf. Ich hatte danach genug und sagte, daß ich die Jüdinnen nicht mehr abwarten wolle. Unteroffizier Zink schloß sich mir an. Da Vogt nicht alleine ins Dorf zurückgefunden hätte, mußte er sich fügen.

Nach einer Stunde kamen wir wieder in der Schule an. Der Rückweg hatte länger gedauert, da wir uns mehrmals verirrten; die Nacht war unerwartet schnell hereingebrochen.

Ich verabschiedete mich von meinen Kameraden und fand ein Wirtshaus, in dem man mich ohne Zögern bediente und wo ich neben vier Soldaten Platz nahm, die gerade vom Heimaturlaub zurückgekommen waren. Sie hatten viel zu erzählen. Ich trank zwei Glas braunes, bitter schmeckendes Hopfenbier, das in diesen Regionen gebraut wird. Nach etwa drei Stunden begab ich mich wieder in mein Zimmer, wo ich die restlichen Kleidungsstücke in den Stahlschrank hängte, der mir zugewiesen worden war.

Unechte Steine

… und dem Verbrecher
glänzen wie dem Besten
der Mond und die Sterne.

Goethe

»Renn«, sagte der Soldat.

Er sah ihn ungläubig an.

Der Soldat stieß ihn mit dem schwarzen Lauf des Gewehrs in den Bauch.

»Worauf wartest du. Mach schon, bevor ich's mir anders überlege.«

Er wischte sich mit dem Handrücken die Stirn ab. Es war ein außerordentlich heißer Tag. Die Luft flimmerte unruhig und ließ die dunkelroten Dächer des Dorfes zwischen den Pinien und Olivenbäumen wie von zittriger Hand gemalt erscheinen. Der Soldat nahm seine Mütze ab und hielt sie sich als Lichtschild vor die zusammengekniffenen Augen. Er hatte korngelbes, kurzgeschorenes Haar, das die eckige Form seines Schädels betonte, und eine helle, sommersprossige Haut. Seine Nase und die oberen Ränder seiner gewölbten Ohrmuscheln glänzten rot.

Man hatte alle gefaßt. Sogar den Dicken, obwohl er bis zum Wald gerannt war, da wo der Berg begann. Er kannte die Wege, die den Hügel hinaufführten, weil sein Großvater und Vater Hirten gewesen waren.

Er schüttelte den Kopf. Er dachte nicht daran wegzurennen. Er wußte, was geschehen würde, sobald er sich umdrehte.

»Du schau in Augen von Mann, wenn …« Er machte mit Daumen und Zeigefinger das Zeichen des Schießens.

Sie hatten so lange gekämpft, bis keine Munition mehr da war. Er hatte den letzten Karton aufgerissen und die Kugeln verteilt. Sie hatten auch deshalb verloren, weil sie Fischer waren und manche Bauern, aber keine Soldaten.

Nicht einmal eine halbe Stunde hatten sie ihre Stellung halten können und waren immer mehr ins Dorf hineingerückt, das, als sie näher kamen, seine hölzernen Fensterläden schloß, damit sie nicht die angstvollen Gesichter ihrer Frauen und Kinder sehen mußten und die Frauen nicht ihre Niederlage.

Hätte er doch nicht auf Luca gehört, der ihn einen Feigling genannt hatte und der jetzt neben den anderen auf dem Feldweg stand. Er drehte den Kopf zur Seite und sah zu der kleinen Gruppe hinüber. Am hinkenden Schritt erkannte er den alten Mann. Ludvig hielt ihn am Arm fest. Er war der älteste Sohn und hatte nicht geheiratet. Vor einigen Monaten hatte er das Lokal übernommen. Er hatte das Lokal tünchen lassen, als er sich anstelle des Vaters vor die Gläser und die gelb- und bronzeglänzenden Flaschen gesetzt hatte, weil dem Vater, den alle nur den Alten nannten, der Rücken schmerzte.

Er hatte gehofft, aus dem Lokal ein Restaurant machen zu können, in dem sonntags die besseren Familien des Dorfes und nach einiger Zeit auch die Familien des Nachbardorfes und, wer weiß, vielleicht sogar Städter einkehren würden. Doch die Stammkunden hatten seine Speisekarte und die anderen Neuerungen einfach übersehen, und selbst die Wände widersetzten sich seinen Träumen – nach einigen Monaten waren sie, wegen der fettigen Küchendünste und dem Tabakrauch, wieder grau.

Der Soldat folgte seinem Blick. »Die werden erschossen.«

Anton zuckte die Achseln. Jetzt muß er doch noch zurückkommen, dachte er und meinte damit Ludvigs Bruder, seinen Jugendfreund, der ihm, als der Priester ihn schon aus der Schule hinauswerfen wollte, das Lesen beigebracht hatte und der aus dem Dorf geflüchtet war, weil er nicht Fischer oder Wirt werden wollte und weil das Dorf zu klein war für ihn. Er hatte ein Mädchen aus der Stadt geheiratet, bei deren Eltern er nun lebte.

»Du hast wohl Angst, daß ich dir eine kleine Schwarze

in den Rücken drücke?« fragte der Soldat und tippte ihm mit dem Gewehr auf die Schulter. »Oder möchtest du hier Wurzeln schlagen?«

Es ist ja einerlei. Er drehte sich um. Vor ihm schimmerte das tiefblaue Meer. Hätte ich doch nicht auf Luca gehört, dachte er, dann würde ich nun im Schatten der Boote auf den Abend warten und die Flasche herumreichen. Nein, dachte er, die Flasche müßte ich alleine austrinken, weil sie alle hier sind. Und er überlegte, wie seltsam das Schicksal es gefügt hatte, daß sie auf einem staubigen Feldweg sterben mußten.

Er kannte den Weg gut, sie hatten ihn unzählige Male genommen, weil man über ihn am schnellsten ans Meer gelangte. Er hatte den Weg jedoch noch nie beachtet, immer nur auf das Meer geschaut, das sich von dieser Anhöhe in seiner ganzen Pracht darbot, es hatte hierfür bis zum heutigen Tag auch keinen Grund gegeben. Auf diesem Feldweg also und nicht wie die Unglücklichen, die von den Wellen gepackt werden, auf See.

Das ist kein schöner Tod für einen Fischer, dachte er, kam sich aber gleich lächerlich vor, weil es keinen schönen Tod gab.

Ach, was soll's, dachte er. Er wartete. Gleich, jetzt zielt er auf meinen Kopf. Er versuchte das Durchdrücken des Abzuges zu hören, hörte aber nur, wie die Grillen ihre Vorderflügel aneinanderrieben. Langsam schritt er auf den Hügel zu und sah auf das Meer.

Er wollte im Wasser sein und seinen heißen Kopf und den heißen Körper, der ihm zu wuchtig erschien, eine zu große Masse möglicher Ziele, in die salzigen Wellen tauchen und so weit hinausschwimmen, bis alles um ihn herum dunkelblau war und kühl und die Küste, der Strand, der Feldweg und das Dorf nur noch als dünner, ockerfarbener Streifen im Hintergrund wahrgenommen werden konnten.

Er ging einen weiteren Schritt vor und kam an dem Baum vorbei, von dem die alten Frauen im Dorf sagten, daß er verwunschen sei, weil er kaum Blätter trug. Wenn er mich bis ans Gebüsch kommen läßt, bin ich frei. Dann muß er mich suchen. Noch drei Schritte, und ich bin frei.

»Heilige, heilige Mutter Maria.«

Er fing an zu rennen. Die Dornen rissen ihm die Haut an Händen und Beinen auf. Er bahnte sich einen Weg durch das Gestrüpp und stürzte.

Er blieb bewegungslos liegen, wie lange, konnte er nicht sagen, und hörte seinem schnellen Atmen zu. Dann kroch er auf allen vieren weiter und hockte sich hin. Das gelbe Gras stand hoch. Es warf lange, dünne Schatten, die wie die Silhouette eines Mädchens aussahen, das noch nicht empfangen hatte. Er dachte an die Frauen im Dorf, die angstvoll auf die Türen starrten, durch die ihre Männer treten sollten.

Jetzt fangen sie an zu ahnen, daß ihre Männer nicht mehr zurückkommen werden. Aber sie bereiten trotzdem das Essen vor, decken den Tisch und stellen neben dem Teller das Glas und die Weinflasche hin. Er leckte seine Wunden, die salzig schmeckten. Er hatte keine Schüsse gehört, nur vereinzelte Schreie. Vielleicht fragen sie jeden einzeln aus, um auch die anderen noch zu kriegen, oder sie lassen sie wieder frei. Nein, das war unwahrscheinlich.

Er wollte sich aufrichten, um seine Beine auszustrek-ken, kroch aber statt dessen auf Händen und Füßen bis zum Hang, den er vorsichtig hinunterkletterte. Obwohl er ein gutes Ziel abgab, blieb er unten kurz stehen und blickte auf das Meer, das dunkel leuchtete. Dann rannte er zum Boot und legte sich unter die Netze.

Drei Jahre lang hatte er die Netze flicken müssen, be-vor man ihn hinausfahren ließ und er sie auch auswerfen und einholen durfte. Erst nach der ersten Nacht, die er al-leine draußen verbrachte, hatte er verstanden, wovon sie alle sprachen, wenn sie beim Alten saßen, und warum sie das Meer den Ursprung von allem nannten und die Grenze zum Jenseits.

Was hatte er nun davon. Nicht einmal ein eigenes Boot,

und die anderen, die ein Boot besaßen, was hatten sie nun davon. Er zog das Netz vom Gesicht, weil es ihn am Atmen hinderte, und fiel gegen seinen Willen in einen unruhigen Schlaf.

Erschrocken wachte er auf, weil er glaubte, das Auswerfen der Netze verpaßt zu haben, sah um sich, sah das schwarze Meer und den tiefen matten Himmel und erinnerte sich.

Sie hatten ihn vergessen. Der junge Soldat, der ihm gefolgt war, hatte ihn laufenlassen, und die anderen, die ihm aufgetragen hatten, den Flüchtenden zu fassen, sie hatten ihn vergessen. Sein Körper schmerzte. Der Soldat hatte ihn grundlos entkommen lassen, denn warum ihn und nicht einen anderen, den Kleinen, der drei Kinder hatte, oder seinen Bruder, der auch verheiratet war, oder Alex, der sich in einem Monat verloben sollte.

»Eins, zwei, drei, vier …«

Er fing an zu zählen. Nach dem zehnten Schuß gab er es auf. Ihr Schweine, dachte er, ihr verfluchten Mörder tötet alle Männer unsres gottverdammten Dorfes. Er rannte bis zum Hügel und versuchte, ihn mit einem Satz zu erklimmen, rutschte aber ab und hörte dem eigentümlichen Takt der Salven zu, die stoßweise kamen und dem aufgebrachten Herzschlag eines Fisches glichen, der sich im Netz wand.

»Ihr gottverfluchten, gottverfluchten …«

Er hob die Hand gegen den Hügel, der ihm als Kind so groß vorgekommen war, ließ sie wieder sinken. Dann drehte er sich um, ging zur Brandung und setzte sich in den feuchten Sand. Das Salzwasser war angenehm warm und brannte an der aufgeschürften Haut.

Das Meer, dachte er, das Meer ist gleichgültig. Es kommt und geht und kümmert sich nicht um das Leid der Menschen.

Irgendwann einmal hörten die Schüsse auf, und nachdem auch das Geräusch der ratternden Motoren sich in der Nacht verloren hatte, wurde es wieder still. Nur die

Brandung brach sich am Strand. Mit dem Ärmel wischte er sich die Tränen ab, schaute auf und sah den leuchtenden Stern des Stieres und die Kette des Skorpions, die wie unechte Steine matt am dunklen Hals des Firmaments flirrten.

Die Perlenkette

Nun sind schon zwei Wochen um, seit ich Euren Brief erhalten habe, und ich komme erst jetzt zum Schreiben.

Thomas, mein Junge, danke für die Zeichnung. Sie hängt bei mir über dem Bett und spendet mir viel Freude. Ich hoffe, Du paßt auf die Mutti und Deine Schwester auf. Du bist nun der Mann im Haus und mußt schön achtgeben.

Auch darfst Du der Mutti keine Schwierigkeiten machen. Sie hat mir geschrieben, was in der Schule vorgefallen ist. Das ist nicht gut. Du mußt, bevor Du etwas unternimmst, immer überlegen, ob es sich auch lohnt, sonst bist Du nie dein eigener Herr. Ich bin sehr stolz darauf, daß Du die Pimpfenprobe bestanden hast, und schicke Dir mit dem Brief ein kleines Geschenk mit.

Meine kleine Nette, zieht Dich der böse Junge an den Zöpfen? Mutti hat mir gesagt, daß Du sehr brav bist und schon eine richtige kleine Hausfrau. Das ist fein. Wenn ich zurückkomme, machst Du mir was zu essen, ganz alleine, und dann gehen wir radfahren. Den Jungen nehmen wir nur mit, wenn er Deine Zöpfe in Ruhe läßt. Hörst Du, Thomas? Gestern hab ich ein russisches Mädchen gesehen, das war so alt wie Du. Da hatte ich recht viel Sehnsucht nach meinen Kindern.

Ich hoffe, über Weihnachten nach Hause kommen zu können. Vielleicht bringe ich auch eine Weihnachtsgans mit. Bei uns im Hof schnattern zur Zeit dreihundert Gänse, darunter mit ein bißchen Glück auch unsere. Und wenn man mich nicht gehen lassen sollte, dann schick ich sie Euch mit einem Kameraden mit.

Mutti, nimm auch Pakete an, die nicht von mir gesandt

werden. Ich gebe nur solchen unsere Adresse, auf die hundert Prozent Verlaß ist. Ich habe Kameraden aus ganz Großdeutschland und schicke immer etwas mit, wenn einer auf Heimaturlaub geht. Wir sind, wie Ihr daraus schließen könnt, ein kunterbunter Haufen.

Nur, Nettchen, und auch Du, Thomas, Ihr dürft kein Aufsehen erregen und müßt schön still sein, wenn Ihr oder die Mutti ein Päckchen von mir erhaltet. In unserer Straße gibt es nämlich Schnattermäuler, ich denke da an Frau Eckstein, über die Du, Thomas, doch zu Recht gesagt hast, sie wäre eine Knatterkiste. Die würde sich, wenn sie etwas erfährt, nicht eher zur Ruhe begeben, als bis sie sich das Maul wund geredet hat. Also: Feind, soll heißen, Frau Eckstein, hört mit!

Auch Du, liebe Mutti, sei um Himmels willen still. Der Neid ist einfach zu groß, und nicht jeder Ehemann hat solch eine privilegierte Position wie Deiner und kommt immer an die schönen Sachen ran.

Gestern habe ich zehn kleine Kilopäckchen und zwei große Pakete abgeschickt, die Euch bald schon erreichen werden. Ihr habt da genug zu futtern und auch einige Leckereien. Ein besonderes Geschenk für die Mutti habe ich einem Kameraden gegeben, dem Dieter Walter, von dem ich Dir schon erzählt habe, mein einziger wirklicher Freund, der bei Dir persönlich vorsprechen wird. Es ist zu kostbar, um es einfach mit der Post zu schicken, und läßt daher etwas auf sich warten. Na Kinder, jetzt ist die Mutti bestimmt ganz gespannt. Es ist das Weihnachtsgeschenk und das Hochzeitstagsgeschenk in einem. Du siehst, ich vergesse nichts!

Behandle den Dieter gut. Er ist ein braver Kerl, und ich bin sicher, Ihr werdet ihn sofort liebgewinnen. Seine ehemalige Frau hatte etwas mit einem Juden. Der arme Teufel ist ganz verstört, wo er doch Ortsgruppenleiter war, bevor er eingezogen wurde. Jetzt macht er keine Karriere mehr. Ich hoffe, wir schnappen das jüdische Schwein einmal. Schneidet das Thema nicht an, denn es ist seine wunde Stelle, und Dieter mag nicht davon reden.

Dieter wird Euch auch Photos mitbringen, damit Ihr nicht vergeßt, wie Euer Vati aussieht, und wird Euer Bild von unserem Leben vervollständigen. Denn das ist doch was anderes, so einen aus Fleisch und Blut da zu haben, der erzählt, obwohl ich glaube, daß meine Briefe auch nicht ohne sind.

Ich habe ihn auch gebeten, in Reinickendorf bei den Eltern vorzusprechen, und ihm einige Päckchen Butter – insgesamt drei Kilo, was sie nicht braucht, kann sie ja verkaufen – für die Oma mitgegeben, die Euch dann mal wieder einen richtigen Streuselkuchen backen kann, mit dem schönen Obst, das sie im Sommer eingeweckt hat. Für den Opa hab ich einige Stangen Zigaretten und Tabak besorgt, obwohl die Oma das nicht mag. Männer müssen selber entscheiden, was sie sollen, dürfen und wollen, das gilt auch für Deinen Vater. Du siehst, obwohl ich nicht oft schreibe, denke ich doch auch an Deine Eltern.

Jetzt heißt es, sparsam sein. Thomas, ich rechne da mit Dir. Denn die Frauen sind von Natur aus verschwenderisch.

Mutti, Du mußt es auch den Eltern sagen. Der Winter klopft schon an die Tür, und da wird es mit den Paketen schwieriger. Aber ich werde Euch trotzdem immer was schicken. Das heißt, wenn ich kann. Also: den Zucker und das Mehl noch nicht anbrechen. Das hält sich nämlich.

Wir hatten hier eine Sauerei. Wir hatten zwei Fässer mit Honig füllen lassen, echtem Honig. Die Russen haben uns gesagt, daß sie die Fässer ordentlich desinfiziert und gewaschen haben. Es waren Petroleumfässer. Wir hatten nichts anderes vorrätig. Denkste. Wenn die Russen was machen, ist es sowieso schon verpfuscht, wie ihre Kriegsführung. Das ganze Zeug schmeckt jetzt nach Petroleum und ist natürlich ungenießbar. Dieter hat gemeint, daß das Sabotage war und daß man die Saboteure umlegen sollte. Ich glaube, es war wie üblich Pfuscherei. Wenn Ihr dieses Volk sehen könntet ...

Thomas hat mich gefragt, wie wir leben. Hier ist die Beschreibung. Dieter wird sie Euch bestätigen und ausführen.

Ich sehe gerade, daß ich schon einige Seiten vollgeschrieben habe, das ist ja unglaublich, ich habe es nicht einmal gemerkt. Aber wenn man an die Lieben schreibt, dann wird es einem so leicht ums Herz.

Also: um sechs Uhr steh ich auf. Ich wohne in einem Haus, das aussieht wie unseres, nur nicht so sauber und adrett und auch ohne Vorgarten, Hecke und ordentlich geschorenen Rasen. Weil wir hier keinen Thomas haben, der aufpaßt, daß das Unkraut draußen bleibt, ist alles verwildert. Ich wohne im ersten Stock, Dieter und ein anderer im zweiten.

Von dem anderen, einem von Soundso, hab ich Euch schon erzählt. Es ist der, der sich immer furchtbar betrinkt und mit dem es nun zum vierten Mal zu einem Krach gekommen ist, so daß Dieter und ich beschlossen haben, obwohl man die schmutzige Wäsche ja zu Hause waschen soll, uns beim Vorgesetzten zu beschweren und endlich dafür zu sorgen, daß er versetzt wird. Es ist zwar gegen unsere Prinzipien, aber er stört halt doch den Hausfrieden.

Zurück zu mir. Ich habe drei kleine Zimmer. Eins ist die Amtsstube. In einem schlafe ich, und das dritte, das ich mir mit den zwei anderen teile, ist die Küche.

In der Küche gibt es einen Ofen. Die anderen Zimmer sind ohne Heizung, was nachts ein schöner Spaß ist, vor allen Dingen, wenn man mal aufs Klo muß. Aber diese Abenteuer erzähl ich Euch lieber nicht. Dieter wird Euch von der Küche ein Photo zeigen.

Ich stehe also um sechs auf, wecke Dieter und von Soundso und gehe mich dann waschen. Wir haben eine Hilfe, die nicht so perfekt ist wie Nettchen. Die kommt mit dem Holz, das die Gefangenen kleinhacken, und dem Rest und macht uns Frühstück. Sie ist eine Politische, eine Polin, und spricht ein bißchen deutsch, wenn auch radebrechend.

Um sieben gibt's Kaffee. Da ist der Vati schon angezogen, rasiert, gewaschen und bereit, in den Tag hinauszuziehen.

Brot gibt's, soviel jeder will, Butter einen Klecks, zirka sechzig Gramm, manchmal Kunsthonig. Der richtige, gute wurde ja versaut. Ich esse jedesmal vier Stullen und trinke zwei Tassen Kaffee mit Milch und zwei Würfeln Zucker.

Dann arbeite ich in der Stube. Ich muß viele Akten durchlesen und kriege davon ganz müde Augen. Das ist keine Arbeit für einen Mann, aber es muß sein. Thomas, das ist so wie bei Dir in der Schule. Du siehst, auch Dein Vati sitzt auf dem Hosenboden und hält es aus. Die Flöhe mußt Du Dir abgewöhnen.

Um zwölf Uhr dreißig geht's in die Kantine, Mittagessen. Das ist immer gut. Viel Fleisch und Fett. Wir haben eigenes Vieh: Schweine, Hammel, Kälber und Kühe und nun auch Gänse. Ach, Mutti, ich sehe jetzt Deine Knödel, und mir läuft das Wasser im Mund zusammen. Weihnachten bin ich bei Euch!

Dazu kriegen wir Kartoffeln. Soviel wir wollen. Das ist hier kein Problem. Davon haben wir reichlich. Und, Ihr werdet es nicht glauben, eingelegte Gurken und Tomaten. Der Koch ist in der Heimat Feinkosthändler gewesen. Der Laden wird von seiner Frau weitergeführt. Er versteht sein Handwerk und macht uns immer Leckereien. Glück muß man haben.

In einer anderen Einheit war der Koch, bevor er an die Front kam, Klempner. Das hat uns unser Koch erzählt. Na, Ihr könnt Euch ja vorstellen, wie das bei denen schmecken muß. Ich frage mich, warum sie den genommen haben, normalerweise versucht man ja, qualifizierte Kräfte anzustellen. Wir haben deswegen schon einige gute Abende verbracht und ordentlich gelacht, als wir uns deren Speisekarte vorgestellt haben. Lötwassersuppe, Werk-

bankhachse, Hammerröllchen mit Schrauben und einge-
machtem Bohrer. Prost Mahlzeit, sag ich da nur.

Ich esse nach Lust und Laune bis zu drei Teller voll.
Wir haben da keine Einschränkung.

Dann wird wieder bis achtzehn Uhr gearbeitet. Zum
Abendbrot gibt es entweder etwas Warmes, wie zum Beispiel Bratkartoffeln in der Schüssel mit Fett und Rührei,
oder kalt, Brot und etwas Wurst. Die Russen haben eine
Wurst, die mit Knoblauch durchsetzt ist und fast so gut
schmeckt wie unser Aufschnitt, wenn auch etwas schär-
fer. Aber küssen muß ich ja hier keine, und darum ist es ja
egal, nicht, Mutti?

Ihr seht, für mein leibliches Wohl wird gesorgt, also beruhigt die Mutti, die immer denkt, ich würde mir hier
sonstwas holen.

Ich hab übrigens auch ein Photo von unserem Koch gemacht. Das schick ich Euch mit Dieter mit. Er ist ein
stämmiger, um nicht zu sagen fettleibiger Bursche, dem
der Krieg zu bekommen scheint.

Am Abend spielen wir entweder Skat oder saufen oder
gehen zum Chef. Ich kann mich da nicht drücken. Wenn
der Chef Kaffee oder Schnaps trinken will, müssen wir
hin, weil ein paar von uns halt dabeisein müssen. Ich
glaube, ich habe bis jetzt recht guten Eindruck gemacht
und kann, wenn alles klappt, vor Weihnachten noch mit
meiner Ernennung zum … rechnen. Na Thomas, sag's
ihnen, Du kennst Dich da ja als einziger aus. Dann könnt
Ihr alle stolz auf mich sein.

Ich komme dann mit meinem zusätzlichen Abzeichen
nach Hause und ziehe die Uniform am Weihnachtsmor-
gen an, und dann gehen wir alle zusammen spazieren, und die Nachbarn sollen schön glotzen und staunen, vor allen Dingen Frau …, jetzt hab ich doch glatt
ihren Namen vergessen, was aus Eurem Vati geworden
ist.

Ich würde natürlich viel lieber mit Dieter eine ruhige
Kugel schieben. Wir haben hier nämlich auch einen Ke-

gelclub, aber der Chef kegelt nicht gerne, und so muß ich es auch lassen.

Übrigens: Bier gibt's, soviel wir wollen, mittags und auch nach dem Abendessen. Beim Chef trinken wir aber Schnaps, weil er Bier nicht mag und es auch nicht gerne sieht, wenn seine Männer welches trinken, er ist der Ansicht, daß es dick macht und ein dicker Bauch in Uniform eine Beleidigung der SS sei.

Ich trinke dann halt immer ein Gläschen, wenn ich zurück in meine vier Wände komme, weil ich ja nicht in allem mit dem Chef einverstanden sein muß.

Er unterscheidet sich schon sehr vom früheren, was mir nach den ersten Monaten, die ich gebraucht habe, um mich an die neuen Manieren zu gewöhnen, gar nicht einmal so schlecht gefällt. Er ist härter, nicht so wehleidig wie der letzte. Und wir haben jetzt eine richtige eiserne Disziplin. Beklagen dürfen wir uns sowieso nicht. Und uns auch nicht drücken. Einer, der sich gedrückt hatte, er wollte nicht mehr schießen, mußte eine ganze Woche lang hin. Das war seine Strafe. Keine Sorge, Mutti, der Vati geht nicht oft in den Wald und schießt nur, wenn es wirklich sein muß.

Mutti, wenn Dir die Perlenkette, hubs, jetzt ist es mir rausgerutscht, na ja, nicht so schlimm, also, wenn Dir die Perlenkette nicht gefällt, kann ich Dir auch was anderes besorgen. Aber ich weiß, daß Du Dir so etwas immer gewünscht hast, und jetzt hat's Dir der Vati besorgt. War auch gar nicht teuer. Mußt Dir deswegen keine Sorgen machen. Wenn sie zu kurz ist, kann man sie verlängern. Dieter wird sie Dir mit einem Brief, der nur für Dich gedacht ist, feierlich überreichen.

So, meine Lieben. Nette, was ich Dir noch sagen wollte: Das Bett darfst Du nicht mehr naß machen und mußt auch artig sitzen, ohne den Ellenbogen aufzustützen. Wenn Du mal ein großes deutsches Mädel bist, wirst Du viel in der Welt rumkommen, dann mußt Du Dich anständig benehmen, weil alle auf Dich gucken werden.

Darfst uns dann also keine Schande machen und mußt heute anfangen, Dich im Zaum zu halten.

Nur wer sich selber in der Zucht hat, kann über andere urteilen und herrschen!

Das gilt auch für Dich, Thomas. Merkt Euch das. Das ist wichtig.

Jetzt muß die Mutti Eure Erziehung ganz alleine übernehmen, und da müßt Ihr ihr helfen, weil ich ja nicht aufpassen kann und Euch auch kein Beispiel sein kann, wo ich doch an der Front bin.

Also macht uns keine Schande, seid brav, bis ich zurückkomme, und dann wird wieder alles wie früher, nur noch schöner, weil dann wieder Frieden ist und wir wieder eine richtige Familie sein werden, die durch die Prüfung gestärkt wurde.

Wie geht es Heinz? Was macht mein Garten? Habt Ihr schon die Blumensamen ausgesucht? Ich bin mit den Bartnelken nicht einverstanden, auch nicht mit dem Tränenden Herz, obwohl der Mutti der Name gut gefällt. Kauft was Anständiges, was schön blüht und auch strapazierfähig ist. Den Gartenzwerg könnt Ihr ruhig dazunehmen. Der paßt dann auf Euch auf, bis ich wiederkomme. War natürlich ein Scherz, Thomas, Du paßt auf die Frauen auf, ist doch klar.

Übrigens solltest Du mal der Frau vom SS-Sturmbannführer ein Pfund Butter schenken mit Gruß von mir, damit er mich nicht vergißt. Muß nicht sofort sein, aber doch schon bald. Nicht, daß ich ihn jetzt brauche. Habe schon andere Bekanntschaften machen können, die uns in der Heimat, wenn ich zurückkomme, behilflich sein können, außerdem kann ich mich eines ausgezeichneten Rufs erfreuen. Die hatten vor mir nur Pflaumen und waren es gar nicht mehr gewohnt, einen richtigen Kerl zu bekommen.

Trotzdem bitte ich Dich, doch mal bei der Frau vorzusprechen, weil ihr Mann immer anständig zu mir gewesen ist.

Daß der Heinz nicht zu uns in den Osten kommt, ist schon richtig so. Er ist für diesen Ort zu weich. Er würde ja losflennen wie ein Mädel, wenn er mal abfertigen müßte. Das hat entweder etwas mit seiner Krankheit zu tun oder mit dem Juden, dem Kürschner, ich habe seinen Namen vergessen, bei dem er angestellt war. Er hat die richtige Einstellung nicht, hat sie nie besessen. Die Schuld liegt auch bei deiner Mutter, die für die Männer im Haus alles bestimmen will. Auch mit mir hat sie's ja versucht, aber da war Pustekuchen.

Gut, daß man ihn nach Frankreich schickt, da wird er es leicht haben, obwohl sich ja hier nach drei Wochen selbst der Weichste ändert. Ist eine Sache der Gewöhnung. Blut kann man dann schon bald sehen, nur Blutwurst ist unbeliebt.

Ich weiß, daß Du mit mir hinsichtlich des Urteils, das ich über Deinen Bruder gefällt habe, nicht übereinstimmst. Ich kann hierzu nur sagen, daß man in diesen schweren Zeiten Männer braucht, die hart im Nehmen sind und keine Muttersöhnchen, wie Heinzchen Schröder einer ist. Sonst würde nichts funktionieren.

So, meine Lieben, jetzt mach ich aber Schluß. Ich vermisse Euch alle anständig, vor allen Dingen sonntags. Wir kommen hier nicht oft aus dem Bau, und ich möchte wieder in Eurer Mitte weilen.

Ich werde alles Erdenkliche anstellen, um Weihnachten bei Euch zu sein. Ich werde heute schon versuchen, den Chef, der ja auch eine Familie und Kinder hat, weichzukriegen.

Thomas, ich übergebe Dir hiermit offiziell die Aufgabe, einen Weihnachtsbaum auszusuchen, der unserer Familie würdig ist. Einer, der nicht schon am Silvesterabend Haarausfall bekommt. Verstanden! Wie Du das prüfst, hab ich Dir ja beigebracht.

Die Schokolade, es ist französische, die besonders gut sein soll, ist für meine zwei Naschkätzchen, Thomas und Nette, nicht verkaufen.

So, jetzt mach ich aber wirklich Schluß, weil man mich gleich wieder einmal zu einer Aktion holt.

Für die Kinder Küßchen und einen ordentlichen Drücker.
Für die liebe Mutti einen innigen und langen Kuß.
Ihr seid mein Glück und mein Leben.

Euer Vati.

PS. Schreib mir, ob Dir die Perlenkette gefällt.

Der Photoapparat

1.

Nachts wachte sie manchmal ohne Grund auf. Sie blieb dann im Bett liegen und lauschte, bis sie anstelle ihres pochenden Herzens das leise Knirschen der Autoräder auf dem Asphalt hörte: es kam von weitem auf sie zu, schwoll unter ihrem Fenster zu einem Dröhnen an und ließ nach einem kurzen Moment wieder nach.

Noch im Dunkeln suchte sie mit der Hand den Nachttisch ab, damit sie, wenn der Scheinwerfer den Tisch traf, sofort die Brille fand, ohne die sie sich ausgeliefert vorkam. Statt auf den dünnen Lichtstrahl zu warten, hätte sie auch die Nachttischlampe anknipsen können, deren Schalter sie vor dem Schlafengehen so zurechtrückte, daß sie danach greifen konnte, ohne sich aufzurichten. Doch das, sie wußte es, hätte nicht gewirkt. Obwohl sie ein grünes Tuch über den Schirm gebreitet hatte, war die Lampe zu hell und blendete sie.

Wenn sie nicht sofort wieder einschlafen konnte, trank sie manchmal ein Glas Wasser, oder sie zündete sich eine Zigarette an. Sie saß in solchen angstvollen Momenten mit angewinkelten Beinen im Bett und verfolgte die Bewegung der herzförmigen Blätter des Baumes, dessen Krone sich vor ihrem Fenster im Wind wiegte, bis ihre Lider schwer wurden. Es war eine Linde. Sie hörte sich in den Rhythmus des Windes hinein und summte ein Lied, das ihr dazu einfiel. Nachts erfand sie Melodien, die sie tags darauf wieder vergaß.

Nach einer schlaflosen Nacht sah sie alles klarer. Sie war wie eine, die nach einem langen Rausch heimkommt, und war für alles dankbar, für die vertrockneten gelben Blätter an der Pflanze, die sie abends in den Flur stellte, den Ecktisch, auf dem ein Korb mit frischem Obst stand, die beigefarbene Decke unter dem Korb und selbst für den Staub, der sich zwischen den Häkellöchern in Blumenform festgesetzt hatte und den sie mit dem Finger wegwischte.

Am Morgen bürstete sie sich mit langen, schwingenden Bewegungen die Haare, bis sie seidig glänzten, und brauste sich kalt und warm ab. Danach war ihre Haut rot und prikkelte. Sie ging nackt in ihr Zimmer und betrachtete sich im Spiegel des Kleiderschrankes, bevor sie ihre Garderobe auswählte, die sie zuerst versuchsweise auf dem Bett ausbreitete. Manchmal aß sie auch nackt ihr Frühstück.

Während sie den Kaffee aufbrühte, zog sie eine Jacke über und blieb dicht an der Außenwand stehen, damit man durch das Küchenfenster nur ihren bekleideten Oberkörper sehen konnte. Wenn sie mit der Tasse an den Tisch ging, zog sie die Jacke wieder aus. Sie aß ohne Teller, so daß Brotkrumen in ihren Bauchnabel fielen.

Aß sie nackt, dann setzte sie sich so, daß beide Beine parallel zu den Tischbeinen standen. Es war eine Angewohnheit, auf die sie Wert legte. Aß sie angezogen, tat sie es schnell und fahrig im Stehen.

Wenn sie fertig gegessen hatte, rauchte sie noch eine Zigarette, was sie zwang, sich die Zähne wegen des Tabakgeruches noch einmal zu putzen, statt den Mund einfach auszuspülen.

Sie hatte schlechte Zähne. Schon seit ihrer Kindheit. Auch ihre Füße gefielen ihr nicht. Sie betrachtete sie morgens, während sie trank, schimpfte auf sie und nannte sie böse. Sie hatte die Füße ihres Vaters geerbt, der ihr, als sie ihm dies einmal zum Vorwurf machte, scherzhaft erwiderte, daß seine Ahnen auf großem Fuß zu leben gewohnt waren, genauso wie er und sie.

Morgens aß sie immer reichlich. Sie kaufte die Brötchen schon am Vorabend und ließ sie über Nacht unbedeckt auf dem Küchentisch liegen, damit die Kruste hart wurde. Andere störte das, sie nicht.

Sie mußte an die Hülse einer Frucht denken und riß den weißen, weichen Teig heraus, den sie mit der Zunge am Gaumen zerdrückte, bevor sie Butter auf das Brötchen strich.

Jeden zweiten Tag kochte sie sich ein weiches Ei, das sie, nachdem sie das Innere aufgegessen hatte, im Eierbecher umdrehte, um die Schale dann mit dem Löffel zu zersplittern. Sie kaufte Eier, dazu Käse, Milch, Gurken, Tomaten, Äpfel, Kraut und manchmal eine mit runden Fettinseln durchsetzte Wurst für die ganze Woche.

Sie saß lange selbstvergessen am Küchentisch. Wenn sich die feinen Nackenhaare zu sträuben begannen, stand sie auf, stellte das Geschirr in die Spüle und ging ins Schlafzimmer zurück. Das war das Zeichen.

Auch für das Anziehen hatte sie einfache Richtlinien festgesetzt, an die sie sich hielt, weil sie sich von keiner plötzlichen Regung überraschen lassen wollte. Sie schloß zuerst den Haken des Büstenhalters, rückte die Brust in den Körbchen zurecht, streifte das baumwollene Unterhemd über, setzte sich hin, schlüpfte in die Miederhose und zog die Strümpfe an, die sie an ihren sauber rasierten Beinen hochrollte und, nachdem sie abwechselnd beide Beine ausgestreckt hatte, an den hellgrauen Gummihaltern festmachte. Sie kaufte nur Seidenstrümpfe, die sie täglich sorgfältig in lauwarmem Seifenwasser wusch und über Nacht auf der Wäscheleine im Bad trocknen ließ.

Sie rasierte sich die Haare unter den Achseln und prüfte jeden Morgen, nachdem sie das Unterhemd übergestreift hatte, ob über Nacht in den Höhlen schwarze und nun vom fast täglichen Rasieren borstig gewordene Stoppeln aus der Haut getreten waren, so daß die Achselhöhlen nicht mehr glatt, sondern hügelig waren und wie mit schwarzen Kratern übersät.

Sie schminkte sich nicht, benutzte nicht einmal Wimperntusche, sondern zwickte sich nur in die Wangen, bevor sie die Wohnung verließ, um frisch auszusehen. Wenn sie einige Nächte nicht schlief, legte sie fleischfarbenen Puder auf die Wangen, die hohe Stirn und auf das Lid auf, durch dessen Haut die Adern bläulich schimmerten. Sonst nichts.

Sie war nicht prinzipiell gegen Schminke und benutzte deshalb keine, weil sie sich nur wohl fühlte, wenn sie gesichtslos war.

Einmal hatte sie sich einen dunkelroten Lippenstift gekauft, den sie versuchsweise vor dem Badezimmerspiegel über den Mund gestrichen hatte, um dann mit angemalten Lippen zu Abend zu essen. Auf dem Brot waren die roten Abdrücke ihres Mundes haftengeblieben. Sie hatte sich über den bitteren Geschmack des Lippenstiftes gewundert, der die Farbe von süßen Kirschen besaß.

Das erste Mal hatte sie der Mann an einem Mittwoch belästigt. Er war Bote und stand im Rang unter ihr. Sie hatte an diesem Tag wie gewohnt den Spielplatz des noch leeren Kinderhortes überquert und war zu früh angekommen.

Sie hatte ihren Mantel ausgeklopft, sein Futter wie das Fruchtfleisch einer aus ihrer Haut gedrückten Feige nach außen gestülpt und über den Stuhl gehängt und wollte sich gerade hinsetzen, als man sie bat, die Akten des letzten Monats, die den Zugang zu den neuen Verzeichnissen verstellten, nach unten zu bringen.

»Jetzt schon?« hatte sie gefragt und dann widerwillig ihren Stuhl beiseite geschoben.

Noch bevor sie seine Schritte hörte, spürte sie seinen Blick, hatte schon im Flur, als sie die schwere Holztür mit dem Fuß aufstieß, eine Vorahnung gehabt. Er stieg wie sie die Treppen hinunter, mit dem leichten und federnden Gang, der einen muskulösen Körper verriet. Er kam vom dritten Stock oder von noch höher. Als er direkt hinter ihr stand, verlangsamte er seinen Schritt. Sie wollte sich umdrehen und ihn vorbeilassen, hatte aber Angst, das Gleichgewicht zu verlieren. Wegen der Akten konnte sie sich nicht einmal mit einer Hand am Geländer festhalten.

Er bot nicht an, ihr zu helfen, ging auch nicht an ihr

vorbei, sondern stieg einfach im Gleichschritt mit ihr die Treppe hinunter. Sie wollte sich dafür entschuldigen, daß sie den ganzen engen Raum in Anspruch nahm, doch eine unüberwindliche Schwere befiel ihren Mund, ihre Lippen und die Zunge und hinderte sie am Atmen.

Sie spürte, wie sich sein Blick an ihrem Körper festsaugte und wie von der Mulde zwischen ihren Brüsten zum Rand des Büstenhalters Schweißperlen rannen, die dort hängenblieben.

Unten angekommen, ließ sie die Akten auf den Steinboden fallen und klammerte sich ans Geländer. Von draußen hörte sie den schrillen Schrei einer Säge, die Metall durchschnitt. Er kam langsam auf sie zu. Sie wollte die Tür aufstoßen und in das Lager fliehen, blieb aber stehen. Sie konnte die Akten, die mit dem Stempel der zweithöchsten Geheimhaltungsstufe versehen waren, nicht bei einem Mann zurücklassen, den sie nur vom Sehen kannte, weil er einmal ein Paket in ihr Büro gebracht hatte. Damals hatte sie ihn kaum beachtet.

Als der Mann so nahe an sie herangetreten war, daß sie seinen Atem roch und feststellen konnte, daß er getrunken hatte, stieß er die Zunge vor. Er machte dabei ein schmatzendes Geräusch.

Sie blickte auf seine Zunge, die ihr seltsam lang und dünn vorkam. Es ekelte sie. Es war, als wolle sie zu ihr hinüberkriechen. Der Mann drängte an ihr vorbei zur Tür und rieb mit einer schleifenden Bewegung seine Hüfte an ihrem Körper. Sie drehte den Kopf zur Seite und blickte auf die Wand, von der die rauchgraue Farbe abzubröckeln begann.

Als sie sich wieder gefaßt hatte, sammelte sie die Akten auf und strich sich über den Rock. Da, wo der Mann sie mit seinem Körper berührt hatte, spürte sie ihn noch. Sie fuhr sich durchs Haar. Dann betrat auch sie das Lager und gab die Akten ab.

2

Am Abend duschte sie lange und frottierte ihren Körper, bis er rot war, um den süßlichen, nach Fäulnis riechenden Schweiß des Mannes loszuwerden. Sie rieb sich mit kurzen, kreisenden Bewegungen ab, rieb besonders genau zwischen den Körpermulden und breitete, als sie sich trocken und sauber fühlte, das Handtuch wieder auf der Heizung aus. Sie mochte ihren Körpergeruch, der vom Stoff des Handtuchs aufgesogen wurde. Sie kam dann zu etwas Bekanntem zurück.

Sie stöpselte das Waschbecken zu, ließ kaltes Wasser hineinlaufen, tauchte den Kopf ein und hob das Gesicht erst aus dem Wasser, als sie glaubte, daß ihre Lungen gleich platzen müßten. Sie atmete einige Male tief durch und tauchte den Kopf ein zweites Mal ins Becken. Das Blut hämmerte in ihren Schläfen. Sie zog den schwarzen Gummistöpsel aus dem Abfluß und sah dem Wasser zu, das schlürfend ins dunkle Loch gesogen wurde. Auch ihre Haare wollten folgen. Sie griff nach dem Gästehandtuch und wickelte sie ein.

Am nächsten Morgen ging sie wie gewohnt zu Fuß zur Arbeit. Auf dem leeren Spielplatz des Kinderhortes hörte sie von weitem das Schreien eines Knaben, der von seiner Mutter zum Eingang gezogen wurde. Als sie an den beiden vorbeikam, sah sie einen dünnen Speichelfaden, der vom Mund des Jungen bis zu seinem Wollpullover reichte. Wie bei ihm, dachte sie, wußte aber nicht, was genau sie damit meinte.

Kurz nach der Mittagspause sah sie ihn wieder. Er lieferte Papier ab und hatte den Stapel unter die Achsel geklemmt. Als er an ihr vorbeiging, hob sie nicht den Kopf, sah aber den Hügel neben seinen Lenden, der von seiner in der Hosentasche zur Faust geballten Hand verursacht wurde. In der Mitte des Raumes blieb er stehen, bückte sich und legte den Packen auf einen Hocker. Papier, dachte sie, es ist ja nur Papier. Während er sich aufrichtete und streckte, sah sie durch das Leinen seines Hemdes seine Rückenmuskeln.

»Hier«, sagte er und tippte mit dem Zeige- und Mittelfinger auf die Stelle, unter die man die Unterschrift zu setzen hatte.

Er hatte eine hohe Stimme, die nicht zu seinem Körper paßte und die sie gegen ihren Willen an einen sonnigen Tag im Spätherbst denken ließ. Sie schüttelte den Kopf, um das Bild zu vertreiben und fing wütend an, ihre Maschine zu säubern. Sie konnte sich nicht konzentrieren und wollte daher nicht tippen.

Der Bote bedankte sich und drehte sich langsam um. Als er neben ihrem Tisch stand, steckte er spielerisch eine geradegebogene Büroklammer in den Mund und sog daran. Er hatte die gleiche blaue Arbeitshose an wie am Vortag und auch das gleiche kleinkarierte Hemd, auf dem sie unter den Achselhöhlen zwei Schweißränder sah, für die sie sich schämte.

Nachdem der Mann den Raum verlassen hatte, blieb sie noch lange gedankenverloren sitzen. Sie hatte seinen Namen gehört. Er hieß Oswald. Sie schrieb ihn mehrmals auf ein Löschblatt. Es war kein hübscher Name. Die Chefsekretärin kam an ihren Tisch. Sie zerknüllte verlegen das Blatt und tippte den Bericht zu Ende, der ihr zugeteilt worden war und über dem sie den ganzen Morgen gesessen hatte. Dann säuberte sie ihren Tisch und stülpte die Schutzhülle über die Maschine.

Als sie die Papiere abgeben wollte, bemerkte sie auf dem Schild des Belegordners, in den sie ihren Bericht geklemmt hatte, einen Blutfleck. Erschrocken griff sie sich an die Stirn, sah dann aber, daß sie sich, ohne es zu merken, mit dem spitzen Griffhebel die Haut des Ringfingers eingerissen hatte. Sie wischte mit einem Taschentuch den noch feuchten Fleck vom Ordner. Dann wickelte sie den blutenden Finger ins Tuch.

Eine Woche später begegnete sie Oswald auf dem Gang. Er stand neben der Tür des Arbeitsraumes und lehnte seinen Oberkörper an die Wand. Sie war dabei, ihren Mantel auszuziehen, und bemerkte ihn nicht sofort. Als er auf sie zuschlenderte, spürte sie, wie ihr Herz zu pochen begann. Oswald ließ seinen Blick über ihren Körper wandern. Lange betrachtete er ihre Brüste. Sie umklammerte die Tasche, ging einige Schritte vorwärts, drehte sich dann aber um und rannte in die Damentoilette.

Hinter der Tür blieb sie atemlos stehen. Sie wollte weinen, riß sich aber zusammen und horchte. Schleppend, so schien es ihr, kam der Mann an die Tür, hielt an und strich nach einem Augenblick mit den Nägeln über die Holzplatte, die sie trennte, als wolle er ihr mit dem kratzenden Geräusch andeuten, was sie verpaßte. Nach einer Weile hörte sie, wie er sich entfernte.

Im Spiegel betrachtete sie ihr gerötetes, von der Aufregung fleckig gewordenes Gesicht. Sie haßte sich. Sie drehte den gelben, klebrigen Seifenleib zwischen beiden Händen, bis er schäumte, und rieb sich das Gesicht ab. Es brannte. Sie ließ kaltes Wasser in ihre Handmuscheln laufen und wusch die Seife ab. Dann riß sie das Fenster auf und ließ ihre Haut vom Morgenwind trocknen.

Am Abend blieb sie lange, mit dem Nachthemd in der Hand, vor dem Spiegel stehen und betrachtete ihren nackten weißen Körper. Dann ging sie ins Bett, verschränkte einen Arm hinter dem Kopf, griff mit der anderen Hand in ihr Hemd und umfaßte die Brust, die warm war und schwer. Ihr Herz pochte dumpf wie eine Nachtmusik. Mit der Hand im Hemd fiel sie in den Schlaf.

Kurz vor Tagesanbruch wachte sie schweißgebadet auf. Sie hatte geträumt, langsam und qualvoll in einem dunkelgrün schimmernden Meer voller Algen zu ersticken, die sich um so fester um ihren nackten Körper schlangen, je wütender sie an ihnen riß. Als die Algen sie ganz bedeckt hatten und auf den sandigen und dunklen Grund des Meeres zogen, war sie hochgefahren und hatte gesehen, daß sie im Schlaf das Nachthemd über ihren Kopf gezogen hatte.

Sie zerrte das weiße Hemd vom Leib und warf es auf den Boden. Dann suchte sie die Zigaretten und die Streichhölzer. Sie zitterte, war aber zu müde, sich ein frisches Nachthemd aus dem Schrank zu holen. Sie hüllte sich in die Decke und ließ den roten Schwefelkopf im dunklen Zimmer aufflammen. Gierig sog sie an der Zigarette. Der Rauch tat ihren Lungen weh.

3.

Der Bus bog um die Straßenecke. Sie sah zuerst seine rechteckige Schnauze und dann durch die vordere Scheibe die Umrisse des Fahrers. Im Innern standen die Menschen dicht aneinandergedrängt. Aus der Ferne schienen sie ein einziger, sich windender Körper. Sie tastete nach dem Kleingeld. Sie hatte es abgezählt in die Manteltasche geworfen. Der Bus hielt an. Sie trat einen Schritt vor und stellte sich hinter einen Mann, der ein Kind am Arm festhielt. Es trug einen Ranzen auf dem Rücken, der zu groß für das Kind war. Mühsam zog es sich auf die Plattform. Der Vater folgte mit einem Sprung. Sie hob das Bein, um ebenfalls die Stufen hinaufzusteigen, erstarrte aber, von einer plötzlichen Teilnahmslosigkeit ergriffen.

Später schlenderte sie durch die Einkaufsstraße. Vor einem Modegeschäft blieb sie stehen und betrachtete die Auslage. Ein rotes Samtkleid hing auf einer Schneiderpuppe. Ein Ärmel des Kleides – die Dekorateurin hatte ihn mit Seidenpapier ausgestopft, das durch das Knopfloch hervorlugte – war mit einigen Nadeln an die mit kariertem Stoff ausgelegte Seitenwand des Schaufensters gesteckt worden, so daß es ihr schien, als wolle das Kleid sie grüßen oder mit einem unausgesprochenen Versprechen in das Geschäft locken. Ein Straßenkehrer fegte Prospekte in den Rinnstein. Er hatte eine grüne Binde am rechten Arm. Viele Läden waren noch geschlossen. Einige hatten Stahlgitter vor den Eingangstüren. Auch der Markt war fast leer.

Sie wollte etwas kaufen, wußte aber nicht, was. Als sie einen Mann sah, der die Tür eines Photogeschäftes aufschloß, trat sie hinter ihm in den noch dunklen, nach abgestandenem Tabak und männlichem Schweiß riechenden Laden. Nach einigen Minuten kam sie mit einem Photoapparat heraus, der auf einer Drehscheibe im Schaufenster gestanden hatte. Er war das Angebot der Woche.

Dann ging sie in eine Konditorei und kaufte sich eine Schachtel Likörpralinen. Noch in der Tür hatte sie die rote Schleife und das Geschenkpapier abgenommen, es zerknüllt und verlegen in ihre Manteltasche gestopft. Suchend blickte sie um sich und fand eine Bank neben dem Fußgängerüberweg. Sie raffte den Mantel, setzte sich, riß die Schutzhülle auf, schlug das weiße Pergamentpapier zurück und aß eine Praline nach der anderen auf.

Die Stadt begann sich zu füllen. Sie gehörte nun den Frauen, die mit Einkaufstaschen die Läden betraten oder vor den Schaufenstern stehenblieben. Sie nahm die leere Pralinenschachtel und ging zum Abfallkorb. Die Öffnung war zu klein. Sie versuchte die Schachtel auseinanderzureißen, mußte aber innehalten und Luft holen, weil ihr durch die brüske Bewegung schlecht geworden war, und ließ davon ab, als sie die Blicke zweier Frauen bemerkte, die aus der Bäckerei kamen. Ihr war schwindlig. Sie setzte sich wieder auf die Bank und öffnete ihren Mantel. Die kalte Luft beruhigte ihren Magen. Wolkenfetzen zogen wie zerkochte Haferflocken an ihr vorbei. Bald würde es regnen. Sie atmete einige Male tief durch, knöpfte den Mantel zu, nahm den Photoapparat und ging nach Hause.

4.

Die Chefsekretärin machte keine Probleme, nickte nur verständnisvoll, denn auch sie hatte öfter Migräne, und reichte ihr einen Bericht, den sie abzutippen hatte. Sie versprach, den Bericht vor der Mittagszeit abzugeben, ging an den Tisch und rückte ihr Sitzkissen auf dem Stuhl zurecht. Sie brauchte das Kissen nicht, benötigte aber, um die Arbeit beginnen zu können, einige einleitende Handgriffe. Das Ausschütteln des Kissens, das Spitzen sämtlicher Bleistifte gehörten dazu.

Sie arbeitete konzentriert bis zum Mittag. Blickte vom eingespannten Bogen auf den Ordner und wieder auf das weiße Papier, das sich allmählich mit schwarzen Buchstaben und Zahlen füllte, und legte im Rhythmus von einigen Minuten Blatt um Blatt in den roten Ordner, wo die fertig getippten und korrigierten Berichte untergebracht wurden.

In den ersten Monaten hatte sie gelesen, was sie schrieb, aber bald hatte sie davon abgelassen, weil sie – vom Lesen abgelenkt – nicht schnell genug geschrieben hatte und nicht mehr nachgekommen war. Sie hatte Tippfehler gemacht, so daß sie die einzige gewesen war, deren Maschine nicht melodisch im Takt hämmerte. Dann hatte sie sich mit all ihrer Willenskraft gezwungen, keine Sätze zu sehen, sondern nur noch Worte.

Am Anfang hatte sie morgens die Schutzhülle nur widerwillig von der Maschine gehoben, weil die ständige Berührung der Tasten die Fingerkuppen wundrieb; sie hatte die Hülle umständlich zusammengefaltet, um den Augenblick, in dem sie das erste Wort tippen und der Schmerz wie eine blankgeschliffene Pfeilspitze von den Fingerkuppen direkt in den Kopf schießen würde, so lange wie möglich hinauszuzögern. Dann hatte sie gelernt, sich dem Schmerz hinzugeben, sich in ihm aufzulösen, so daß sie, während die anderen Teile ihres Körpers langsam verstummten, nur noch den stechenden Schmerz spürte, der sich wie eine feine, schimmernde Hornhaut auf ihre Fingertrauben legte. Im Büro nannte man ihn ironisch Novizinnenschmerz. Nach einer kurzen Weile sollte sie ihn vermissen, da sich auch ihre Hände an die kalten und glatten Schreibtasten gewöhnt hatten.

In der Mittagspause rieb sie sich etwas Eukalyptusöl in

den Nacken, aß ein belegtes Brot, trank ein Glas Milch, wusch sich in der Damentoilette die Hände und das Gesicht und machte sich, nachdem sie schnell noch eine Zigarette geraucht hatte, die sie in die Klosettmuschel warf, wieder an die Arbeit.

5.

Es hatte geregnet. Sie blieb am Tor stehen und hüllte sich fester in ihren Mantel. Der Asphalt glänzte. An den Bordsteinkanten hatten sich kleine Wasserlachen gebildet, auf denen Papier und Blätter schwammen. Vorsichtig überquerte sie die Straße und achtete darauf, nicht in die Pfützen zu treten, da sie die Schuhe mit der dicken Kreppsohle noch nicht aus dem Koffer geholt hatte, in dem sie die Wintersachen aufbewahrte. Neben ihr eilten Menschen nach Hause, alle in derselben gebückten Haltung. Bald werden die Straßenlaternen angezündet, dachte sie und ging zur Haltestelle, denn ihr war kalt.

Als der Fahrer schon die Türen schließen wollte, sprang er im letzten Augenblick auf. Sie hatte auf einer Doppelbank in der hintersten Reihe Platz genommen und erkannte ihn sofort. Er schlängelte sich bis zu ihr durch und blieb vor ihr stehen. Lächelnd strich er mit der Hand über seinen prallen Schenkel. Auf und ab, auf und ab. Sie konnte das leise, knisternde Geräusch nicht ertragen, drehte den Kopf zur Seite und blickte aus dem Fenster.

»Marianne. Marianne Flinker.«

Sie zuckte zusammen. Woher kannte er ihren Namen? Erschrocken blickte sie ihn an. Er lächelte und tippte sich an die Stirn, so als wolle er sie grüßen. Sie wollte aufstehen, hätte aber an ihm vorbeigemußt. Sie sackte in sich zusammen und betrachtete ihre Hände, die zitterten. Eine Schweißperle glitt ihren Nacken hinunter. Sie atmete einige Male tief ein und beschloß, sich ihm zu stellen. Sie richtete sich auf.

»Was fällt ...«

Sie suchte den überfüllten Innenraum ab. Er war gegangen.

Mit im Schoß verschränkten Händen blieb sie sitzen und ließ sich vom allgemeinen Gerede einlullen. Nur manchmal kamen Wortfetzen zu ihr herüber, klangen wie eine vielstimmige Musik und überfluteten allmählich den Innenraum des durch die blutrote Dämmerung fahrenden Busses.

6.

Sie blickte in das schwarze Auge, in dem sie sich widerspiegelte, nahm ihre Brille ab, klappte das Gestell zusammen und legte sie, die Gläser gegen die Zimmerdecke gerichtet, auf den Küchentisch. Dann führte sie die Kamera an ihr Gesicht.

Vorsichtig drückte sie mit dem Zeigefinger den kleinen Hebel nach unten. Mit einem Sprung gab die Rückwand nach und öffnete sich weit.

Sie blickte in das Innere der Kamera, das ihr schwarz entgegenschimmerte. Ein großes dunkles Loch, dachte sie, und sonst nichts, und drehte an dem Rädchen, das schnurrte wie eine zufriedene Katze.

Sie schob den Hebel zur Seite, der einrastete und zurückschnellte, und drückte auf den Auslöseknopf. Für einen Augenblick leuchtete die Mitte der Linse kometengleich auf. Sie wiederholte den Vorgang, bis sie seiner überdrüssig wurde. Dann zog sie die Küchentischschublade auf, griff hinter das Besteck und holte einen Film heraus, den sie noch vor dem Kauf der Kamera angeschafft hatte, und ging, da sie einmal gehört hatte, daß Belichtung den Film ruiniere, sicherheitshalber ins Bad.

Nur aus der Ritze zwischen Fußboden und Tür drang etwas Licht. Sie setzte sich auf die Klobrille. Ein Nachbar ließ Wasser in die Wanne laufen und sprach mit jemandem. Seine Stimme war dumpf. Mit den Fingern zog sie die Form der Kamera nach. An dem Hügel, wo die Linse verankert war, verweilten ihre Hände für einen Moment, glitten dann bis zum Öffnungshebel weiter. Mit einem dumpfen Geräusch sprang die Feder auf. Sie nahm den Film, den sie zwischen die Lippen geklemmt hatte, und riß das Schutzpapier auf. Nachdem sie den Rock mit einer Hand hochgeschoben und die Beine gespreizt hatte, ließ sie das Papier in die Muschel fallen.

Sie betastete die längliche Kassette. Aus einem dünnen Schlitz, der mit einem flauschigen Stoffstreifen bezogen war, trat die Filmlasche hervor, in die an einer Seite kleine, gleichmäßige Rillenmuster eingestanzt waren. Behutsam drückte sie die Kassette in die für sie vorgesehene Öffnung im Inneren der Kamera, hielt an, als sie merkte, daß der obere Teil sich nicht einbetten ließ, befühlte von neuem die Kammer, entdeckte das Hindernis: einen Zahn, der zurückschnappte, als sie ihn berührte, stieß ihn mit dem Zeigefinger nach oben, so daß sie nun die Filmkassette widerstandslos einführen konnte.

Bewegungslos saß sie mit der Kamera im Schoß da. Der Nachbar hatte den Wasserhahn zugedreht. Für eine Weile war alles still, dann hörte sie, wie er seine Frau rief.

»Maria, Maria«, hallte es verzerrt bis zu ihr herauf.

Sie ging in die Küche und holte den Kirschlikör aus dem Schrank. Sie füllte ein Glas und trank es in kleinen Schlucken aus.

Nach dem zweiten Glas, das sie nur zur Hälfte leerte, hatte der Gaumen sich an die Süße gewöhnt. Langsam schritt sie mit dem Glas in der Hand in das Zimmer und setzte sich auf einen Stuhl, den sie neben die Kommode gerückt hatte. Sie stellte das Glas ab, achtete dabei darauf, daß der Likör nicht auf das Holz schwappte, nahm die Kamera und betrachtete durch die Linse das Zimmer.

Tisch, Stuhl, Fenster, Kommode, Bett, Schrank, Lampe. Ihr Blick wanderte über die Möbelstücke. Nachdem sie auch die Decke und den Boden betrachtet hatte, stand sie auf und ging zurück ins Bad.

Langsam glitt der Rock auf den Boden. Sie knöpfte die

Bluse auf, dann die Strumpfhalter, öffnete den Haken ihres Büstenhalters und legte die Kleidungsstücke, nachdem sie die Seidenstrümpfe von den Beinen gerollt hatte und aus der Unterhose geschlüpft war, auf den Toilettendeckel. Sie schaltete die Lampe über dem Spiegel an. Im grellen Licht sah ihre Haut grau aus. Sie drehte am gezähnten Ring, der sich um die Linse schloß, bis sie scharf sah, und fixierte ihre Brust. Die Brust eines alten Mädchens, dachte sie und rieb, während sie sich die spitze Zunge des Boten vorstellte, mit Mittel- und Zeigefinger an der hart werdende Warze.

7.

Morgen würde sie den Bericht zurückbringen. Warum hatte sie ihn bloß mitgenommen? Sie zog das Nachthemd an und ging ins Schlafzimmer. Erst vor der Haltestelle, als sie gedankenverloren nach der Geldbörse langte und mit der Hand die zusammengerollten Blätter berührte, hatte sie begriffen, was sie gemacht hatte, und war erschrokken. Sie setzte sich aufs Bett und zog die Papiere aus der Handtasche. Gleich morgen würde sie das Dokument zurücklegen. Sie würde früher als gewohnt kommen und es in den Ordner schieben, während die anderen vorm offenen Fenster schnell noch eine Zigarette rauchten. Dann würde sie sich plaudernd zu ihnen gesellen und alles vergessen. Auch den Kontakt zu dem Boten würde sie abbrechen müssen.

»Oswald, Oswald, Oswald.« Leise flüsterte sie seinen Namen.

Es mußte sein. Sie wußte es nur zu gut. Es lohnte sich nicht. Warum hatte sie nur auf ihn gehört? War er solch ein Risiko überhaupt wert? Was gab er ihr schon? Sie faltete den Bericht auf und strich darüber. Es war die Liste vom 30. Juni, in der die beschlagnahmten jüdischen Vermögenswerte verzeichnet worden waren. Gegen ihren Willen begann sie zu lesen:

39.917 kg	Broschen
7.495 kg	Füllfederhalter
18.020 kg	Silberringe
1 Koffer	Uhrenteile
5 Reisekörbe loser Briefmarken	
44.655 kg	Bruchgold
482.900 kg	Silberbestecke
98 Stück	Ferngläser
20.952 kg	goldene Eheringe
28.200 kg	Puderdosen – Silber oder Metall
11.730 kg	Zahngold
35 Waggons	Pelze
2.892 kg	Taschenuhren – Gold
3.133 kg	Taschenuhren – Silber
1.256 kg	Armbanduhren – Gold
3.425 kg	Armbanduhren – Silber
1 Koffer	Feuerzeuge
97.581 kg	Goldmünzen
25.580 kg	Kupfermünzen
53.190 kg	Nickelmünzen
167.740 kg	Silbermünzen
20.050 kg	Messingmünzen
1 Koffer	Taschenmesser
6.640 kg	Halsketten – Gold
7 komplette Briefmarkensammlungen	
100.550 kg	unechte Steine
22.740 kg	Perlen
68 Stück	Fotoapparate
82.600 kg	Halsketten – Silber
20.880 kg	Ringe – Gold mit Steinen
4.030 kg	Korallen
343.100 kg	Zigarettendosen – Silber und Metall …

Sie dachte an den Boten, faltete die Blätter zusammen und schlüpfte ins Bett. Morgen, spätestens übermorgen würde sie die Bestandsaufnahme wieder zurückbringen. Warum nur, warum hatte sie auf ihn gehört? Sie konnte doch nicht alles aufs Spiel setzen. Das durfte man doch nicht von ihr verlangen. Sie griff nach den Zigaretten, schüttete, weil ihre Hände zu sehr zitterten, um ein Streichholz aus der Schachtel zu klauben, den gesamten Inhalt auf ihren Nachttisch und zündete sich mühselig eine Zigarette an. Hastig zog sie den Rauch ein und mußte husten.

Morgen, spätestens übermorgen würde sie den Bericht wieder in den Ordner legen. Sie würde sich nicht verleiten lassen. Nein, das würde sie nicht. Und alles wegen eines Boten. Warum nur hatte sie sich da hineinziehen lassen? Warum nur? Warum ausgerechnet sie? Vergessen mußte sie ihn und den ganzen Rest auch.

Bald waren Ferien. Nur noch drei Wochen. Nur noch einundzwanzig Tage. Was war das schon? Sie knipste die Lampe aus.

»Oswald. Oswald. Oswald.«

Sie öffnete das Nachthemd, umfaßte die Brust und spürte das Herz. Es pochte wild gegen ihre Hand.

Die Laus

Die Laus ist ein kleines, flügelloses Insekt, das den Menschen befällt und Blut saugt. Sie ist ein Schmarotzer und muß aus diesem Grund ausgerottet werden.

Ein Schmarotzer ist jemand, der sich in, auf oder bei einem anderen aufhält und sich von ihm ernährt. Dieser andere ist das Heim und die Nahrung des Schmarotzers und ist ihm darum teuer.

Tötet man das Tier oder den Menschen, auf dem die Laus es sich gemütlich gemacht hat, stirbt die Laus noch lange nicht, sondern läßt sich, mit der Geschwindigkeit, für die sie bekannt ist, auf einen anderen Wirt fallen, um sich dort ein neues Heim zu schaffen. Die Laus kennt keine Treue, sie kennt nur die harten Gesetze des Überlebens.

Will man eine Laus liquidieren, muß man sie erst einmal fangen und sollte, weil sie klein ist und sich zu verstecken weiß, den Kopf vom Westen bis zum Osten gründlich nach ihr durchkämmen; dabei sollte man auch den weißen Scheitel nicht auslassen. Hat man sie dann, kann man sie entweder zwischen den Fingernägeln zerdrücken, so daß sie als letzten Aufseufzer ein knackendes Geräusch von sich gibt. Oder man kann sie anzünden. Dies erfordert einige Kunstfertigkeit, wird aber durch den Anblick einer brennenden Laus belohnt, die tanzt.

Die Laus geht nicht, sondern sie kriecht, sie vermehrt sich wie alle Schädlinge rasch und hat viele Kinder. Die Kinder mögen die Wärme und nisten sich in Falten und dunklen Plätzen ein: sie heißen Nissen und sind kleine, potentielle Läuse, was man nie vergessen sollte. Hat man daher eine Laus vernichtet, muß man sich mit der gleichen Sorgfalt an ihre Kinder heranmachen, bevor diese Läuse werden.

Die Laus ruht nie. Sie ist listig und gibt sich ein friedliches Aussehen. Ihren Stechsaugrüssel, der sich an der Kopfunterseite befindet, hält sie in einer Scheide verborgen und holt ihn nur hervor, wenn sie sich ungesehen weiß, um mit ihm das Blut ihres Wirts auszusaugen.

Das ist die Laus: man sieht sie nicht, man hört sie nicht, und während sie mit ihrem Stachel ihr Unheil treibt, spürt man sie auch nicht. Erst hinterher hat man ein Jukken und Kribbeln, das unangenehm ist und das man nach einiger Überlegung auf die Laus zurückführt, die dann nicht mehr lange ihr Unwesen treibt.

Manchmal wähnt sich die Laus, weil sie Zangen hat, ein Hummer oder Krebs zu sein. Aber sie endet nie auf einem Teller, und ihre Beine werden auch nicht zu feierlichen Anlässen mit etwas Mayonnaise ausgelutscht.

Solch ein schönes Ende ist der Laus verwehrt. Sie ist zu klein und auch nicht schön anzusehen. Sie ist eben eine Laus und wird daher im stillen abgemurkst, und hinterher redet man nicht davon.

Doch obwohl kein Hummer, ist Laus nicht gleich Laus. Man muß auch hier verschiedene Arten unterscheiden, die entstanden sind, weil die Laus sich an ihr Heim anzupassen weiß.

Lebt sie in den Kleidern, nennt man sie Kleiderlaus. Diese Laus frißt sich in den Stoff ein. Sie liebt vor allen Dingen das rauhe Tuch der Männerhosen und Pullover aus reiner Schurwolle.

Hält sie sich in der Schambehaarung und im Achselhaar des Menschen auf, ist sie dunkel und heißt Filzlaus.

Hat sie sich im Kopfhaar eingenistet, heißt sie Kopflaus oder pediculus capitis. Eine Kopflaus ist grau, was ihr bei alten, schwachen und grauen Menschen besonders hilfreich ist. Ja, die Laus ist immer anpassungsfähig und bereit, sich zu assimilieren.

Die Menschenlaus hat keinen Stechrüssel, dafür aber

einen Winkel in verschiedenen Farben, der an der linken Jackenseite und am rechten Hosenbein und – bei der weiblichen Menschenlaus – am Rock aufgenäht ist.

Ein Winkel ist ein Stoffdreieck mit drei gleich langen Schenkeln, das aus einer Gardine, einem Tischtuch, einem Hemd oder sonstigem Stoff ausgeschnitten wurde. Die Farbe zeigt jedem: dem Wärter, dem Kommandanten und den anderen männlichen und weiblichen Menschenläusen, aus welchem Grund die Menschenlaus eingeliefert worden ist, was sich dann Einweisungsgrund nennt. Das ist praktischer als lange Erklärungen und macht den Läusen das Lügen unmöglich.

Hat die Menschenlaus einen blauen Winkel, ist sie ein Emigrant. Ein Emigrant ist ein Gegner, der versucht hat zu fliehen und dabei erwischt worden ist. Kommt er dann in Begleitung zweier oder mehrerer Polizisten zurück, wird er an einen für blaue und andersfarbige Menschenläuse geschaffenen Ort gebracht.

Der Ort heißt KZ oder Schutzhaftlager, weil die Menschenläuse dort vor sich selbst in Schutz genommen werden, was sie meist nicht zu schätzen wissen.

Hat die Menschenlaus einen roten Winkel, ist sie ein politischer Schutzhäftling.

Ist der Winkel rosa, handelt es sich um einen Homosexuellen. Ein Homosexueller ist eine Menschenlaus, die eine andere Menschenlaus ihres Geschlechts liebt.

Hat sie einen schwarzen Winkel, so ist die Menschenlaus, die sich dahinter verbirgt, außer Menschenlaus zu sein, auch noch asozial, also: arbeitsscheu, also Landstreicher, also Zigeuner.

Trägt die Menschenlaus gleich zwei ineinandergeschobene gelbe Winkel, dann ist sie ein Jude. Wer Jude ist, entscheiden die Blutschutzgesetze.

Ist der Winkel lila, dann handelt es sich um eine bibelforschende Menschenlaus.

Hat sie einen grünen Winkel, so ist sie ein Straftäter. Von einer solchen Laus soll nun die Rede sein.

Kleine Soziologie des Verbrechens

(Das silberne Amulett)

1.

Karl Streng trat in die Welt des Verbrechens ein wie ein zu grell geschminkter Luzifer in ein billig inszeniertes Stück. Auf einem Versenktisch stehend, wurde er mit etwas künstlichem Rauch und einigen Knallern, die das asthmatische Keuchen der altersschwachen Drucksäulen nicht übertönen konnten, mitten in die Szene des Verbrechens hinaufgekurbelt, um dort, wenn schon nicht als Hauptdarsteller, so doch auch nicht als Statist, jene Rolle auszufüllen, die das Schicksal und seine familiären Verhältnisse ihm vorgegeben hatten. Er war damals achtzehn und seit zwei Wochen aus einer Anstalt entlassen, deren Gebäude am Anfang des Jahrhunderts von einer reichen und wohltätigen Familie gestiftet worden war.

Streng hatte drei Jahre in der Anstalt Sonnenfeld verbracht, wo er nach wiederholtem Taschendiebstahl als besserungsfähiges Subjekt eingeliefert worden war. Seine fehlende Körperbeherrschung – er war innerhalb von zwei Monaten, die als seine Lehrzeit angesehen werden müssen, zehnmal auf frischer Tat ertappt worden – hatte bewiesen, daß es sich bei ihm um einen ungeübten Gelegenheitsverbrecher handelte.

Strengs Karriere als Taschendieb wurde somit, noch bevor er seine Gesellenprüfung ablegen konnte, beendet.

So war er also nach Sonnenfeld gekommen und wurde, nach Abbüßung der Strafe mit einigen guten Worten und den Kleidern, aus denen er mittlerweile herausgewachsen war, wieder in die Freiheit gesetzt.

Er machte sich keine Illusionen. Obwohl er innerhalb kurzer Zeit der wendigste Korbflechter Sonnenfelds geworden war und außer den üblichen Körben, die zusammen mit Holzschnitzereien und Tontöpfen die Zellen der Jugendlichen schmückten, in mühevoller Kleinstarbeit sogar einen Stuhl für den Direktor der Anstalt geflochten hatte, wußte er doch, daß er sich damit nicht seinen Lebensunterhalt verdienen konnte. Und auch die bei der Flechtarbeit erlernte Fingerfertigkeit, die er auf illegale Weise anzuwenden versuchte, half ihm nicht, seinen knurrenden Magen zu füllen. Die Taschen seiner Mitbürger waren wegen einer momentanen ökonomischen Krise so leer wie seine eigenen. An anderes mußte gedacht werden. Streng überlegte.

Mit einem Freund, der ihn beherbergte und der später von der Bildfläche verschwinden sollte, erwog er mehrere Möglichkeiten.

Er war schon am Verzweifeln, als ihn der Name einer Flechtart auf eine glänzende Idee brachte. Es handelte sich um eine Flechtart, für die Streng in Sonnenfeld besondere Begabung gezeigt hatte, weil er den Einschlag sehr geschickt um die Stake führen konnte. Sie wurde wegen des engen Aufeinanderliegens der Weidenruten Körpergeflecht genannt.

Streng beschloß, sich selbständig zu machen und sein Glück mit der gewerbsmäßigen Unzucht zu versuchen.

Noch im selben Monat heuerte er zwei Mädchen an, die er am Bahnhof aufgelesen hatte und die für eine Tasse Kaffee und für ein asymmetrisches Lächeln mitgingen – er hatte in einem Kampf einen Eckzahn verloren.

Um die Spesen zu reduzieren, die durch das stündliche Mieten von Hotelzimmern unnötig in die Höhe getrieben wurden, bezog die kleine Dreiergruppe eine Mietwohnung. Streng besaß alle Qualitäten eines guten Verwalters. Behandelte die Mädchen schonend, zwang sie nie, Überstunden zu machen, und schenkte ihnen fast alles, was sie wollten.

Er war mit dem bescheidenen Leben in den drei Zimmern, die eins der Mädchen häuslich einzurichten gewußt hatte, und mit den einfachen, ländlichen Speisen, die ihm das Völlegefühl gaben, das er in seinen Jugendjahren bitter vermißt hatte, rundherum zufrieden. Und er sagte sich – nicht etwa, weil er ohne Ambitionen, sondern weil er alles in allem ein umsichtiger, klarer Kopf war, der das, was er besaß, zu schätzen wußte –, daß es, wenn es an ihm läge, von nun an immer so weitergehen könne.

Doch es kam anders. Durch die verhältnismäßig hohe Anzahl von Männern beunruhigt, die seit Einzug der neuen Mieter in ihrem Treppenhaus ein und aus gingen, alarmierte eine Nachbarin die Sittenpolizei, die der Dreiergruppe noch in derselben Woche eine Falle stellte.

Streng und die zwei jungen Frauen, denen durch die grobe Behandlung der Polizisten plötzlich mit erschrekkender Klarheit bewußt wurde, was sie innerhalb nur weniger Monate geworden waren, wurden aufs Revier gebracht. Da gegen die Frauen seit der Aufhebung der Reglementierung nichts unternommen werden konnte und man sie wieder auf freien Fuß setzen mußte, wurde Streng, an dem man sich schadlos halten wollte, wegen Ausbeutung zweier Lohndirnen festgenommen.

Nach so kurzer Zeit wieder rückfällig, wurde er trotz seiner Jugend – er war noch nicht einmal zwanzig – zu zwei Jahren Haft ohne Bewährung verurteilt, die er noch im selben Monat abzusitzen begann. Das Gefängnis befand sich in einem kleinen Vorort, der gänzlich von dem imposanten, von jedem Winkel des Ortes aus sichtbaren Bau der Strafanstalt und von den Geschichten beherrscht wurde, die über die einzelnen Gefangenen und vor allen Dingen über die Mörder in Umlauf waren.

War ihm die Erziehungsanstalt noch vor wenigen Monaten hart und grausam vorgekommen, so sah er sie nun, aus der Perspektive seines jetzigen Lebensraumes – einer fünf Quadratmeter großen Zelle mit Stahlbett, Tisch und einem vergitterten Fenster, durch das er, wenn er sich auf das Bett stellte, die roten Ziegel der Mauer und den Wipfel eines Baumes sehen konnte –, mit anderen Augen.

Wie sehr sehnte er sich im stillen nach der zweiten Ration Haferschleim, die er in Sonnenfeld im Tausch für einen von ihm geflochtenen Korb in seinen Blechnapf geschüttet bekommen hatte; wie sehr nach einem guten Wort. Streng betrachtete die rechteckigen Fliesen des Fußbodens und wurde schwermütig. Es gab keine Hoffnung auf Besserung.

Im fünften Monat seiner Haft befahl man Streng an einem Wintermorgen, seine Decke, die Kleidung und den Napf zusammenzusuchen. Dann wurde er in eine Gemeinschaftszelle geführt.

Durch die Einsamkeit scheu geworden, die sich in der Einzelhaft wie ein grauer Schleier über sein Dasein gelegt hatte, konnte der auch sonst keineswegs gesellige junge Mann den Mitinsassen, die ihn nach seinem Namen und Inhaftierungsgrund fragten, nicht in die Augen blicken. Auch nachdem er sich an die anderen Männer und den Ton seiner eigenen Stimme gewöhnt hatte, blieb er wortkarg und zurückhaltend, so daß er sich den Ruf eines verschrobenen Kauzes erwarb, der ihm über die nächsten vier Monate half – ihm blieben die Prügel erspart, die sich die anderen Häftlinge aus Langeweile und wegen des zu engen Beisammenseins lieferten.

Strengs Leben veränderte sich in der ersten Woche seines zehnten Haftmonats, als er von zwei älteren Gefangenen festgehalten und von einem dritten im Beisein einer Gruppe, die sich um ihn stellte, in den Duschen vergewaltigt wurde.

Er versuchte sich danach das Leben zu nehmen, indem er sich mit einem in der Mitte entzweigerissenen Blechnapf die Pulsadern aufschnitt, wurde aber, bewußtlos in seinem Blut liegend, von einem Wärter entdeckt und gerettet.

Er kam in den Krankenbau und wurde nach zwei Wochen wieder in die Gemeinschaftszelle gebracht. Dort klärte ihn ein um zehn Jahre älterer Mitinsasse, der seine dritte Freiheitsstrafe absaß und einiges Ansehen genoß, kurz und klar über die Verhältnisse im Gefängnis auf und nahm ihn, nachdem er sich überzeugt hatte, daß Streng auch alles begriffen hatte, wegen seiner Jugend und seiner zarten Haut in Schutz.

Von nun an wurde Streng nicht mehr belästigt und auch nachdem sein Freund enlassen worden war – er hatte seine Strafe sechs Monate vor ihm abgebüßt – mit Respekt behandelt. Grund hierfür war die heilige Mutter Maria, ein Silberamulett, das der Ältere dem Jüngeren am Tag seiner Entlassung geschenkt hatte und das an Strengs spärlich behaarter Brust als sichtbares Zeichen ihrer Verbundenheit hing.

Kurz nach seinem zweiundzwanzigsten Geburtstag trat Streng wieder auf den Boden der Freiheit, der an diesem Tag von einer klaren schimmernden Frostschicht bedeckt war. Nachdem er in einem Lokal ein helles Bier getrunken und eine Zigarette geraucht hatte, die ihm von einem zu dieser Tageszeit anwesenden Gewohnheitstrinker ehrfürchtig angezündet wurde, der an den Gebärden, an seiner Art zu trinken und vor allem an der gebückten, wie zum Sprung bereiten Haltung den ehemaligen Häftling erkannt hatte, tauchte Streng unter.

Danach sah man ihn lange nicht und sollte erst vier Jahre später wieder von ihm hören, als die Kriminalpolizei einem Zeugen das Verbrecheralbum vorlegte und dieser Streng als einen derjenigen aussortieren ließ, den er auf dem Hinterhof eines Lokals gesehen zu haben glaubte. Streng wurde des Mordes an einer Dirne verdächtigt. Nach einer kurzen und unkomplizierten Fahndung – er wurde im Bett eines Hotels in männlicher Begleitung festgenommen – kam er wieder in Haft.

Da die Last des Beweismaterials niederdrückend war, wurde Streng, der sich mittlerweile aus professionellen Gründen Tony nannte, wegen Mord zu einer zehnjährigen Freiheitsstrafe verurteilt. Drei Wochen später kam er in ein auch für Berufsverbrecher bestimmtes Lager, das sich ironischerweise neben der Geburtsstadt seines Vaters befand, jener Stadt, von der der Vater ausgezogen war, um sein Glück zu suchen.

Hunger: Streng lernte dieses nagende, alle anderen körperlichen Sensationen eindämmende Gefühl kennen, das
nun sein Dasein bestimmte. Obwohl er als Grüner, als
auf die schiefe Bahn geratener Deutschstämmiger, besser
behandelt wurde als die anderen Häftlinge, konnte er seinen Magen mit der Suppe und dem Brot, die ihm zustanden, nicht richtig füllen, so daß ihn das Knurren seines
Darmkanals und seiner Magensäfte wie eine penetrante
Hintergrundmusik zur Arbeit und in die Latrinen und an
den Stacheldraht begleitete. Mit Wehmut dachte er an die
Strafanstalt zurück, wo ihm die Mutter Maria die Töpfe
der Zuchthausküche geöffnet hatte.

Streng wurde dünner und dünner, er begann gewisse Anzeichen des Verhungerns aufzuweisen, und er wäre wohl
gestorben, ohne größeres Aufsehen zu erregen, hätte nicht
ein zentraler Befehl aus Berlin sein Leben drastisch geändert.

Wegen seiner einstmals erworbenen Erfahrungen wurde
der mittlerweile nicht einmal mehr auf seinen Namen hö-
rende Streng in den Krankenbau gebracht, geduscht, ernährt und gepflegt. Nach einer Woche, in der er sich nach
Lust und Laune vollfressen durfte, begannen sich seine
Lebensgeister zu regen. Streng wurde zum Kommandanten geführt, der ihn angeekelt in Augenschein nahm und
ihn dann beauftragte, eine Stätte zur Bekämpfung der
Homosexualität zu errichten, die trotz aller Vorsichts-
maßnahmen auch die Arier befallen hatte wie eine um
sich greifende Epidemie.

Streng hatte verstanden. Mit dem Lagerarzt, der auf die
hygienischen Aspekte achtete, und dem Kommandanten,
der die ästhetischen in Angriff nahm, wählte er im Frauenlager zwanzig Mädchen aus, die nun ihrerseits geduscht,
ernährt und Streng zur Unterweisung überlassen wurden.

Schon bald hatte Streng in einem von der Lagerführung
zur Verfügung gestellten und aus Sicherheitsgründen mit

Stacheldraht abgesperrten Block ein Bordell errichtet, das selbst in Berlin als nachahmenswertes Muster gepriesen wurde.

Streng ließ sich von seinen Frauen, denen er reichlich zu essen gab, Papi nennen und führte sie einmal täglich zur Mittagszeit um den Block, damit sie die wenn auch nicht frisch riechende, so doch mit Sauerstoff angereicherte Luft schnappen konnten, die sie rosig und bei Gesundheit halten sollte. Er fing wieder an, Gefallen am Leben zu finden, und es hätte sich, mit einiger Verspätung und nach zahlreichen Eskapaden, doch noch alles aufs beste für ihn gefügt, hätte er sich nicht, da die ersten leiblichen Triebe nun befriedigt waren, verliebt.

Das erstemal sah Streng die Ursache seines Niederganges an einem Frühlingsabend. Wie mit einer Schere aus dunkelblauem Kreppapier ausgeschnitten, stand die Mondsichel am sternenlosen Himmel. Streng langweilte sich und beschloß, seinen Gehilfen abzulösen, einen einfältigen und ambitionslosen Politischen, der eingewiesen worden war, weil er im Rausch ein paar schlecht placierte Witze an den Mann gebracht hatte.

Nachdem er etwa zwanzig Prämienscheine in Empfang genommen hatte, die den Kapos und manchen Politischen für gut vollbrachte Arbeit zustanden und die sie gegen Papierfetzen mit Zimmernummern eintauschten, mit denen sie in den ersten Stock eilten, um keine der ihnen zur Verfügung stehenden zwanzig Minuten unnötig zu vergeuden, trat ein junger Mann in den Flur, der Streng als Empfangszimmer diente, und forderte, von keiner anderen als der beliebten und nur von höheren Besuchern benutzten Spezialdirne bedient zu werden, die auch im Reich schon ihre Dienste angeboten hatte.

Ein Pole, dachte Streng, der den jungen Mann sofort als Politischen identifiziert hatte, schüttelte über dessen jugendliche Sturheit den Kopf, gab ihm einen Fetzen Papier, auf den er eine gerade zur Verfügung stehende Zimmernummer geschrieben hatte, und brachte den jungen Mann in das nächste Zimmer, wo eine aus reinem deutschen Fett bestehende Vorbestrafte namens Erna einige vornehmlich hygienische Handgriffe an ihm vornahm. Von einer unerklärlichen Neugierde getrieben, trat Streng zu dem sich empört umwendenden jungen Mann, schaute ihm in die tiefen grünen Augen und verlor sich darin.

Streng verbrachte glückliche Wochen, in denen er seinen Schützling mit Leckereien verwöhnte und ihm sogar, außer frischen Kleidern und Rasierutensilien, eine Silberkette mit einem vergoldeten Amulett besorgte, auf dem er seine Anfangsbuchstaben eingravieren ließ und das ihn an die mit seinem Freund verbrachte Zeit im Gefängnis erinnerte.

Obwohl er als Führer des Lagerbordells eine privilegierte Stellung einnahm und sich mit den Diensten seiner Frauen oder mit eingetauschter Margarine das Schweigen der Mitwisser erkaufen konnte, wurde das Verhältnis Strengs mit dem von allen nur Pipel genannten jungen Mann bald bekannt. Noch im Bett liegend, wurden beide an einem Morgen überführt und in Bunkerhaft gebracht.

Eine Sehnsucht ergriff ihn nach den Prügeln seines betrunkenen Vaters, den Prügeln in der Erziehungsanstalt Sonnenfeld, den Prügeln im Gefängnis und dem Hunger im Lager, der ihm damals als das schwerste und unerträglichste Los erschienen war. Streng hatte Angst. Er konnte dem jungen Mann nicht helfen, dessen flehende Bitten über den Gang hallten. Verzeih mir, dachte er und hielt sich die Ohren zu.

Nach einer Woche wurde sein Pipel aus dem Bunker geholt und an der schwarzen Wand erschossen. Streng hörte die Schreie des Jungen, als man ihn an seiner Zellentür vorbei ins Freie führte. Zwei Tage später wurde er zum Kommandanten gebracht, wo er ein Papier unterschrieb, in dem er sich mit der Sterilisierung einverstanden erklärte.

Noch am selben Tag nahm ein Arzt den Eingriff vor. Streng spürte nichts und sah alles wie durch einen Schleier.

Als der Arzt ihm sagte, daß nun alles vorbei sei, fiel er in Ohnmacht und wachte, vor Erschöpfung zitternd, im Krankenbau auf, wo er darauf wartete, zur Vernichtung abgeführt zu werden.

Besonders nachts glaubte er die Schritte seines Todesengels zu hören. Doch da er sich an seinem Posten bewährt hatte und sein Platz noch nicht vergeben war, durfte Streng zurückkehren.

Langsam kam alles wieder in den gewohnten Gang. Streng nahm die Bezugsscheine entgegen, kontrollierte die Zimmer, bestellte Spirituosen und führte täglich die Dirnen aus, die ihn hinter seinem Rücken den Eunuchen nannten. Er hatte von seinem neuen Namen gehört, stieß sich aber nicht daran.

Von einem gerngesehenen Kunden, einem Wächter, erfuhr er, daß sein Freund während der Erschießung geweint und daß er mit dem blutigen Finger, den er sich in der Nacht vor der Erschießung aufgebissen haben mußte, die Wand beschriftet hatte.

Noch oft, wenn er alleine im Vorzimmer saß, während die Frauen über ihm arbeiteten, sollte Streng sich an den Wortlaut des Satzes erinnern, den sein Freund ihm als Testament hinterlassen hatte: »Peter Baslewicz ist achtzehn Jahre alt geworden.« Der Wächter hatte ihn noch am selben Tag mit einem Schwamm und einer nach Chlor und Kernseife riechenden Lauge weggewischt.

Die Rampe

Porträts dreier gewöhnlicher Menschen

Fräulein Gigerlette
Lud mich ein zum Tee.
Ihre Toilette
War gestimmt auf Schnee;
Ganz wie Pierrette
War Sie angetan.
Selbst ein Mönch, ich wette,
Sähe Gigerlette
Wohlgefällig an.

1.

Als Johann Paul Kremer am 2. September zu seiner ersten Sonderaktion herangezogen wurde, notierte er in sein Tagebuch: »Im Vergleich hierzu erscheint mir das Dantesche Inferno fast wie eine Komödie.«

Er war neunundfünfzig Jahre alt. Sein Haar lichtete sich, und auch die täglichen Leibesübungen konnten das Werk, das die Zeit an ihm vollbrachte, nicht aufhalten.

Während der Semesterferien nahm er an vierzehn Selektionen an der Rampe und den anschließenden Vergasungen teil. Danach fuhr er wieder zurück nach Münster, wo er seit 1935 lehrte. Kremer war außerordentlicher Professor für Anatomie und hatte schon viele Leichen gesehen.

»Leichen«, sagte er in der einleitenden Vorlesung im ersten Semester und versetzte damit die neuangekommenen Studenten in heitere Verlegenheit, »Leichen sind unser Arbeitsgebiet.«

Kremer war nicht glücklich, daß er nach Auschwitz abkommandiert worden war. Er hatte schon in Münster davon gehört. Nichts Gutes. Er hatte gehofft, nach Frankreich oder in ein warmes Land geschickt zu werden, zum Beispiel nach Griechenland, wo er gerne die Akropolis besichtigt hätte.

In seinem Tagebuch beklagte er sich über sein Los. Es war nicht schön, bot ihm aber auch bislang unvorstellbare Möglichkeiten.

In der Tat konnte er seine Forschungen nicht nur fortführen, sondern auch um einige erhebliche Punkte erweitern. Bis jetzt hatte Kremer nur an Zellen von Kaltblütern experimentieren können, nun sollte er – wie er später zu Protokoll gegeben hat – als einer der ersten, wenn nicht als erster Arzt der humanen Geschichte, an Menschen testen, ob die Hypothesen stimmten, zu denen er ja lediglich durch theoretische Ableitung gekommen war. Ungewöhnliche, wahrhaft außerordentliche Perspektiven eröffneten sich ihm.

Vor allem für das Muskelgewebe interessierte sich Kremer und für die Veränderung, die der Hunger an ihm bewirkte. Nach Kriegsende sagte er in polnischer Haft über diese Periode seines Lebens folgendes aus:

»Wenn mich einer wegen eines weit fortgeschrittenen Aushungerungsprozesses interessierte, dann gab ich dem Sanitäter den Auftrag, den Kranken für mich zu reservieren und mich von dem Termin zu verständigen, zu welchem er mit der Injektion getötet werden sollte. Zu diesem Zeitpunkt wurden dann die von mir auserwählten Kranken auf den Block geführt und noch zu Lebzeiten auf den Seziertisch gelegt. Ich trat zum Tisch und befragte den Kranken über Einzelheiten, die für meine Untersuchung von Interesse waren. Ich fragte ihn nach dem Gewicht vor der Verhaftung, nach dem Gewichtsverlust in der Haft, ob er in der letzten Zeit Medikamente eingenommen hatte, was er täglich aß und ähnliches. Nachdem ich die mich interessierenden Informationen erhalten hatte, trat der Sanitäter heran und tötete den Patienten mittels einer Injektion in die Herzgegend. Ich selbst habe nie tödliche Injektionen gegeben.«

Kremer fügte hinzu, daß er die Patienten sofort nach Eintritt des Todes seziert habe.

»Ich entnahm Teile aus der Leber und der Bauchspeicheldrüse, die ich in Tiegel legte, in denen sich eine Konservierungsflüssigkeit befand und die ich zur Fortführung der Recherche mit nach Hause nahm.«

Fünf dieser Tiegel konnten nach dem Krieg im Keller seines Hauses sichergestellt werden. Nachdem Kremer sie als sein Eigentum identifiziert und die diesbezüglich von ihm angefertigten Dokumente übergeben hatte – er händigte das Material freiwillig und ohne Zögern aus –, dienten sie als belastendes Material.

In seinem Tagebuch steht in diesem Zusammenhang:

»Heute lebensfrisches Material von menschlicher Leber und Milz sowie von Pankreas fixiert.«

Ähnliche Eintragungen wiederholen sich mehrmals. Über Kremers Charakter ist nur wenig bekannt. Von seinen Arbeitskollegen wurde er als Eigenbrötler beschrieben. Einer der befragten Studenten hob hervor, daß er nie richtungweisend gewesen sei und sich auch sonst im Hintergrund gehalten habe. Kremer war ein unauffälliger, freundlicher Mensch, der nicht allzu großen Wert auf Gesellschaft legte. Er habe immer eine Möglichkeit offenlassen wollen, sagte ein Wärter aus.

»Mehr aus Prinzip als aus Sicherheitsgründen.«

Kremer gehörte zu den wenigen Ärzten, die die Patienten mit »Sie« anredeten. In seinem Prozeß sagten ehemalige Gefangene aus, daß er zu ihnen höflich gewesen sei, von einer distanzierten Arroganz, und daß sie aus der Art, wie er sie behandelte, entnehmen konnten, daß er mit all dem so wenig wie möglich zu tun haben wollte.

»Er war nicht roh wie mancher andere, aber auch nicht mitfühlend. Er hat sein Herz vor unserem Leid verschlossen. Ein Herz, das war für ihn ein Muskel, und wir eine Masse Körper.«

Während seines relativ kurzen Aufenthaltes im Lager konnte Kremer, außer den menschlichen Organen, erhebliche Güter sicherstellen, die er in Postpaketen oder mit einem bestechlichen Wärter, der Heimaturlaub hatte, nach Münster schickte.

Das Ausmaß des Diebstahls am Besitz der Menschen, die später von ihm zur Selektion bestimmt wurden, ist bis ins Detail bekannt. Kremer trug die geraubten Waren gewissenhaft ins Tagebuch ein, bevor er sie einer Bekannten anvertraute, einer gewissen Frau König, damit sie sie bis zu seiner Rückkehr aufbewahrte. Für ihren Dienst wurde sie von Kremer mit Parfüm und Alkohol entlohnt; später gab sie wiederholt an, nicht gewußt zu haben, wo und wie Kremer all die Dinge erworben habe.

Zu diesem Punkt vor Gericht befragt, sagte Kremer: »Die Häftlinge haben mir die Taschen vollgesteckt, ich konnte mich nicht erwehren.« Bekannt ist, daß Neuangekommene vereinzelt versuchten, mit Wertgegenständen ihr Leben oder das der Ihren freizukaufen. Ein Versuch, der meistens nicht glückte. Kremer ließ sich Dinge bedenkenlos geben – er wurde hierbei von mehreren Krankenpflegern gesehen –, selektierte danach aber so, wie er es vom medizinischen Standpunkt aus für richtig hielt, und machte selten Ausnahmen.

»Mir ist nicht bekannt«, gab der Krankenpfleger an, »daß Kremer jemals jemanden am Leben ließ, weil er von ihm etwas bekam. Er hat es zwar genommen, aber das war auch alles. Er hat es wohl als Geschenk angesehen, so verrückt das klingen mag.«

Es ist anzunehmen, daß diese abwegig scheinende Äußerung zutrifft und daß Kremer wirklich annahm, daß ihm die Dinge von Rechts wegen zustünden.

Als ihm in der Internierungshaft mitgeteilt wurde, daß man seine Tagebücher in der Wohnung gefunden und den Richtern zur Lektüre übergeben habe, antwortete er, daß man sich nun endlich von seiner Unschuld überzeugen könne, da aus den Aufzeichnungen eindeutig hervorgehe, wie sehr er unter dem Regime gelitten habe.

Erst im Herbst 1943, während der Bombardierung Münsters, notierte Kremer in seinem Tagebuch die Frage, ob es einen Herrgott gäbe. Der Massenmord, an dem er beteiligt war, löste in ihm keine derartigen Überlegungen aus.

Kremer ist intelligent und besitzt eine umfassende Bildung, die sich nicht nur auf sein Fachgebiet beschränkt. Die pathologisch zu nennende Verdrängung, seine Denk- und Gedächtnisstörungen, erklärt sein Verhalten vor den Richtern und sein mangelndes Schuldbewußtsein.

Nach Verbüßung seiner Haft wurde der einundachtzigjährige Kremer noch einmal vor Gericht zitiert; diesmal als Zeuge. Die Anklage forderte von ihm, zu einer Tagebucheintragung vom Oktober 1942 Stellung zu nehmen, in der er angab, viele SS-Männer hätten sich freiwillig zu den Sonderaktionen gemeldet, weil sie dafür zusätzliche Rationen erhielten. Kremer antwortete hierauf: »Das ist menschlich doch ganz verständlich. Es war ja Krieg, und Zigaretten und Schnaps waren knapp.«

Johann Paul Kremer war nach Kriegsende von einem polnischen Gericht begnadigt worden. Einige Jahre später wurde er, diesmal in Deutschland, noch einmal angeklagt und zu zehn Jahren Zuchthaus verurteilt. Zur Begründung dieser Strafe sagte der Vorsitzende:

»Kremer wäre auch heute noch frei von Schuld, wenn er nicht durch Umstände, die letztlich außerhalb seiner Person lagen, in jene Situation hineingestellt worden wäre, aus der heraus diese Straftaten sich schließlich entwickelten.«

2.

Dr. Hans Delmotte, der im Hygiene-Institut der Waffen-SS tätig war, stammte aus einer reichen Industriellenfamilie. Einige seiner näheren Verwandten bekleideten hohe Posten in der Partei.

Delmotte wurde direkt von der Junkerschule nach Auschwitz versetzt. In der Schule war er mehrmals unangenehm aufgefallen. Unter anderem wurde er von einem Mitschüler beobachtet, als er einen Roman von Thomas Mann las.

Von der Direktion zur Rede gestellt, behauptete Delmotte (und bekräftigte seine Einstellung mehrmals), daß es sich bei Thomas Mann um einen guten Schriftsteller handle, er das Verbot also nicht verstehe. Delmotte machte auch danach durch eine spektakuläre Tat von sich reden: er betrat den alljährlichen Faschingsball in Frauenkleidern und wurde daher als Strafe nach Auschwitz geschickt.

Wie alle SS-Ärzte mußte auch er an der Rampe selektieren. Von seinem Kollegen Münch, mit dem er das Haus teilte, weiß man, daß er nach der ersten Sonderaktion, die unter seiner Leitung vollzogen wurde, von einem SS-Mann in sein Zimmer getragen werden mußte, wo er sich geräuschvoll übergab. Danach ließ er sich mehrere Tage krank schreiben.

Delmotte weigerte sich nach dieser ersten Sonderaktion, an den Selektionen teilzunehmen, und forderte von dem Kommandanten, der ihn an den Standortarzt verwies, an die Front geschickt zu werden.

Delmotte äußerte wiederholt, daß der Mord an wehrlosen Kindern und Frauen unter seiner männlichen Würde sei. Er war gewillt, dem Reich zu dienen, sogar bereit, Volksfeinde im Kampf zu töten, allein diese hinterhältige Tötungsart sagte ihm nicht zu.

Als Reaktion auf seine Bedenken wurde Delmotte Dr. Mengele unterstellt, der die Aufgabe übernahm, ihn von der Notwendigkeit der Vernichtung des Weltjudentums zu überzeugen.

Es ist unbekannt, ob Mengele dies gelang. Bekannt ist jedoch, daß Delmotte nach der kurzen Zeit, die er in Gegenwart Mengeles verbrachte, wie jeder andere SS-Arzt selektierte: mit Ekel, wie eine überlebende Lagerinsassin Jahre später hervorhob.

Er habe die Opfer schonend behandelt, fügte sie hinzu. Gepeitscht wurde bei ihm nicht. Vor allem der Anblick der Kinder, die er bis zuletzt in der Illusion zu wiegen versuchte, daß sie wirklich geduscht würden, versetzte ihn in Erregung. Er habe all dies freilich nicht aus Gnade getan, sagte die Frau, sondern für sein Gewissen.

»Er wollte sich halt sagen können, daß er anders ist. Aber selektiert hat er doch.«

Nach Angaben zweier Ärzte, die ihm am nächsten standen, und seiner Verlobten, der er wöchentlich schrieb, hat sich sein Wesen danach für immer verändert. Erst als die Selektionen eingestellt wurden, im Herbst 1944, schien er gelöster.

Delmotte beging nach Kriegsende Selbstmord. Münch behauptete, daß er dies aus Furcht vor einer Verhaftung getan habe.

»Er war ein Feigling«, sagte Münch, »er wollte den Kuchen behalten und gleichzeitig essen. Das geht aber nicht.«

Seine Verlobte gab in den späten Vierzigern in einem Interview an, es sei ein Verzweiflungsakt gewesen.

»Er ist mit seinem Leben nicht zu Rande gekommen. Er war halt anders. Schon als Kind.«

Delmotte hinterließ keinen Abschiedsbrief. Über seine Beweggründe können daher nur Spekulationen angestellt werden.

3.

Im Prozeß gegen Dr. Johann Marburg, der sich mit anderen SS-Ärzten, die in Auschwitz praktiziert hatten, vor dem amerikanischen Militärgericht zu verantworten hatte, sagten drei Zeugen aus. Der ehemalige Häftling Tadeusz Lebowic, der Lagerältester war und fast alle Ärzte kennengelernt hatte, trat zuerst in den Zeugenstand. Er gab an, daß Marburg oft angetrunken in den Krankenbau gekommen und in solchen Momenten sentimental und menschlich zugänglich gewesen sei.

»Ich habe ihm in diesem Zustand die gewagtesten Papiere vorlegen können, die er anstandslos unterzeichnete, ohne den Text noch einmal durchzulesen«, sagte Lebowic und fügte hinzu, daß er auf diese Weise einige Menschen habe retten können, zwischen fünfzig und sechzig, ohne daß Marburg etwas dagegen unternommen habe. Auf die Frage, ob man dieses Verhalten Marburgs als eine Art passiven Widerstands interpretieren könne, antwortete Tadeusz Lebowic: »Es war ihm egal.«

Marburg, so Lebowic, habe zwar manchmal aufgrund sachlicher Erwägungen Menschen, die schon zur Selektion bestimmt gewesen seien, zurückstellen lassen – vor allen Dingen junge Männer, die er noch für arbeitsfähig hielt – und so weniger Häftlinge für den Tod bestimmt, als ihm von dem Sanitäter Klehr vorgeschlagen wurden, der, so Lebowic, ein Judenfresser gewesen sei und alle Häftlinge mit dem gelben Winkel gequält habe, vor allem Frauen, die zu schwach waren, sich zu wehren. Marburg habe aber auch einmal eine ganze Abteilung Kinder in die Gaskammern geschickt, weil er Fleckfieber vermutete.

»Er hatte keinen Beweis, nur einen Verdacht«, sagte Lebowic, der sich noch genau an die Szene erinnerte, weil sie ihm selbst damals besonders zynisch vorgekommen war.

Marburg habe einem Jungen, der nicht gehen wollte und sich an einem Bettgestell festklammerte, Schokolade gegeben und ihn unter Versprechungen und Streicheln selbst zum Wagen getragen.

»Der Junge, er muß so an die sechs gewesen sein, hat ihn am Ende angelächelt. Dieses Lächeln«, sagte Lebowic, »hat sich in mein Gedächtnis eingebrannt.«

Auf die Frage, warum Marburg so übereifrig gehandelt habe, antwortete Lebowic: »Er hatte Angst vor Mengele, der sein direkter Vorgesetzter war.«

Als zweiter trat der ehemalige politische Häftling Willi Gleitze in den Zeugenstand. Gleitzes Familie war wie die Marburgs in Luckenwalde ansässig. Marburg war darum oft in die Schreibstube gekommen, wo Gleitze arbeitete. Gleitze stand ihm unter den Häftlingen am nächsten.

»Ich habe Marburg in Luckenwalde nicht gekannt. Wir verkehrten in anderen Kreisen. Er ist ja auch acht Jahre älter als ich. Wenn man jung ist, zählt das. Wie kann ich Ihnen sein Wesen beschreiben? Ich glaube am einfachsten durch einen kleinen und unerheblichen Vorfall.

Er kam einmal, es muß nach einer Selektion gewesen sein, die ihn sehr erschüttert hatte, zu mir in die Schreibstube und sagte mir, daß dies nun bald zu Ende sein würde. Wir werden dann wie zwei alte Freunde bei einem guten Glas Wein beisammensitzen, sagte er und klopfte mir auf die Schulter, nachdem er mich aufgefordert hatte, Mut zu schöpfen.

Er hat nicht erfaßt, was damals geschah, oder hat's nicht erfassen wollen. Das war Anfang 1944, und er hatte es immer noch nicht begriffen.

Ich glaube nicht, daß es ihm Spaß gemacht hat. Er hat dann aber doch seine Arbeit verrichtet. Ich habe ihn einmal gefragt, warum er der SS beigetreten ist, habe darauf aber keine klare Antwort erhalten.«

»Marburg«, sagte Gleitze, »ist ein Wirrkopf. Ich habe seine Beweggründe nicht verstehen können. Er hat sie selbst nicht verstanden.«

Die dritte und wichtigste Aussage, die Licht auf Marburgs Wesen warf, wurde von der ehemaligen Gefangenen Bettina Feigenbaum gemacht, die ihm als Schreiberin unterstand.

»Am zugänglichsten war er den Bitten von Frauen. Er hat dann auch jedesmal, wenn er im Frauenlager selektieren mußte, viel von dem Branntwein getrunken, den die Verwaltung den Ärzten zur Verfügung stellte, um ihnen die Arbeit zu erleichtern.

Einmal hat er ein junges, fünfzehnjähriges Mädchen zur Seite stellen lassen. Sie hatte Typhus und hätte eigentlich sofort in die Gaskammer gebracht werden müssen. Als ich ihn fragte, was ich aufschreiben solle, sagte er nur, daß sie so schönes blondes Haar habe. Er hat sie in den Krankenbau bringen lassen. Ich glaube, daß sie trotzdem vergast wurde, weil dies in Auschwitz die übliche Methode war, die Seuche zu bekämpfen.

Ich habe ihn auch weinen sehen, obwohl er versucht hat, das vor mir zu verbergen. Das war nach einer Selektion an der Rampe. Er hat da jemanden gesehen, eine Frau, die er zu kennen schien.

Er hat mir später gesagt, daß sie die Frau seines Studienfreundes Fuchs gewesen sei, und hat nicht aufgehört zu wiederholen, daß dies ein Verbrechen sei – ich glaube, daß er das Wort Sauerei benutzt hat –, weil die Frau eine Arierin war. Deutschstämmig, wie er es nannte. Er hat versucht, sich vor mir zu rechtfertigen. Ich weiß auch nicht, warum.«

Sie stieg mit einem Jungen aus dem Zug. Marburg sah sie schon, als sie noch ganz hinten in der Reihe stand. Er war sehr erregt, stand sofort auf und verlangte eine Pause. Er ging dann auf sie zu und holte sie aus der Reihe heraus zum Tisch. Er versprach ihr, daß er sich um sie kümmern würde.

Er hat dann lange telefoniert und ist extra in die Stube gegangen. Als er zurückkam, war er verwirrt. Das sah man ihm immer an.

Er hat ihr dann gesagt, daß er nur sie retten könne. Nicht das Kind. Die Frau hat ihm einen Ring mit einem Saphir geben wollen, den sie vom Finger streifte. Sie wußte schon, wo es links hingeht und was Desinfizieren bedeutet.

Marburg hat ihr gesagt, daß auch der Ring nicht helfen könne und daß es nicht in seiner Macht stehe. Er hat die Frau beiseite genommen und leise auf sie eingeredet. Ich habe nur das Wort Mischling mitbekommen, konnte mir aber denken, wovon die Rede war. Die Frau hat den Kopf geschüttelt und ihren Jungen, den sie David nannte, zu sich gerufen.

Marburg hat versucht, sie festzuhalten. Die Frau hat ihm ins Gesicht gespuckt und ist mit ihrem Kind nach links gegangen.

Marburg hat sich danach furchtbar betrunken und hat, während er die anderen abfertigte, ein Lied gesungen, in dem von einem Mönch die Rede war. Der Standortarzt kam dann und sagte ihm, daß er sich doch zusammenreißen solle. Den Ring hat er seitdem immer bei sich getragen. Er wurde seine »Maskotte des Unglücks«.

Der Arbeitsjude

in memoriam

Am 10. Juni 1943 fuhr ein frischer Transport, bestehend aus zehn geschlossenen Viehwaggons, im Konzentrations- und Vernichtungslager Auschwitz-Birkenau ein. Der Transport, der auf der Deportationsliste des Judenreferats unter »Konvoi Nummer 17« geführt wurde, galt als besondere Erfolgsleistung der Gestapo in Frankreich.

Alle Deportierten, mit Ausnahme von zwei Häftlingen, waren deutschstämmige Juden, die angenommen hatten, sie könnten der Verfolgung durch die Flucht in ein Nachbarland entgehen. Ein Plan, der durch die minutiös ausgeführte Suchaktion der Gestapo und durch die Kooperation der französischen Behörden vereitelt wurde, so daß die geflüchteten Juden mit einiger Verspätung doch noch erhielten, was sie ja alleine schon durch ihre Flucht verdient hatten.

Der Transport kam aus Drancy, einer Kleinstadt bei Paris, in der ein Sammellager errichtet worden war.

Die Juden wurden dort für die Zeitspanne interniert, die nötig war, ihre Überführung in den Osten zu regeln, um sie in KZ wie jenem, in das sie nun langsam einrollten, mit der breiten Spanne der im Osten zur Verfügung stehenden Möglichkeiten ein für allemal unschädlich zu machen. Die Sammellager hatten solche Möglichkeiten nicht, sie sollten lediglich sammeln, was später in den Vernichtungslagern vernichtet werden sollte.

Der Zug, der längere Zeit an der neuen deutsch-französischen Grenze haltgemacht hatte, um zwei Güterwagen mit Kriegsmaterialien an die Viehwaggons anzukoppeln, kam trotz einer fast einstündigen Verzögerung planmäßig an.

Grund der Verzögerung war die Seitenwand der Waggons, die – bevor sie dazu verwendet wurden, Juden sicher an ihr Endziel zu befördern – Tiere transportiert hatten, also Hammel, Ziegen, Lämmer, Rinder und andere Vierbeiner, die wie die Juden am Ende im Tod landeten, deren Fleisch aber mehr einbrachte als Judenfleisch und auf die daher im Gegensatz zu den Juden achtgegeben wurde, weil Beulen, Risse und Schrammen den Ertrag reduzierten.

Grund der Verzögerung war die Seitenwand, weil sie, zur besseren Luftdurchlässigkeit, aus aneinandergenagelten Latten bestand, durch deren feine Ritzen die dumpfen Schreie einer zusammengepferchten Masse Juden nach draußen drangen, die den Wagenmeister, obwohl er das Schreien von zu Hause gewöhnt war, so bestürzten, daß er seinen Radprüfhammer zweimal fallen ließ. Auch zwei junge Gehilfen, die mit dem Ankoppeln beauftragt worden waren, verrichteten ihre Arbeit nicht mit der ihnen sonst eigenen Geschwindigkeit.

Doch obwohl die Juden selbst die Ritzen zwischen Latte und Latte zu ihren Gunsten auszunutzen wußten und den Transport mit ihren Stimmbändern zu sabotieren versuchten, kam der Zug, der sich eine Stunde später als geplant wieder in Bewegung setzte, dank der Eigeninitiative des polnischen Lokführers – er holte den Zeitverlust ein, indem er die Geschwindigkeit auf vertrautem Heimatboden erhöhte – doch noch zur festgesetzten Uhrzeit an, so daß ein erheblicher Teil der Insassen der Viehwaggons nach Erfassung ihrer Effekten und Prüfung ihres gesundheitlichen Zustandes ohne Verspätung vernichtet werden konnte.

Was aber drang von außen nach innen? Von außen nach innen drang etwas anderes, nämlich die für diese Jahreszeit relativ kühle Morgenluft, die nach Linde und Kamille roch, was keinen der Juden in den Waggons beruhigte – weil nur die orale Einnahme dieser Heilkräuter eine lindernde Wirkung auf den aufgebrachten Organismus hat –,

sie aber daran hinderte, vor ihrer Entfernung, sprich Ausrottung, einfach zu ersticken.

Diese Morgenluft, die unvoreingenommen auch in die
jüdischen Nasenlöcher drang, ließ in den Juden, deren
Münder und Nasen an die Latten gepreßt waren, eine
Sehnsucht nach etwas aufkommen, das ihnen auf dem
Weg verlorengegangen war.

Die Luft kannte die Nürnberger Rassengesetze nicht,
die jegliche Vermischung von Jüdischem und Nichtjüdi-
schem verbot. Die Freiheit hingegen, die kannte sie.

Da durch die Eigeninitiative des Lokführers das Trans-
portproblem nun keine wichtige Rolle mehr spielte, das
heißt: fast gänzlich gelöst war (der Weg von den Bahn-
gleisen ins Lager konnte zu Fuß und im Laufschritt zu-
rückgelegt werden; man benutzte zum Antreiben die
Peitsche, was günstiger und pflegeleichter war als das Gewehr), wurde der Transport Nummer 17, bestehend aus
1006 jüdischen Männern, Frauen und Kindern, planmäßig um vier Uhr morgens in Empfang genommen.

Das Empfangskomitee bestand aus einigen Kapos,
mehreren SS-Männern, ein paar mit gestreiften Anzügen
bekleideten KZlern, drei Hunden, darunter Hasso, den
man mit Herr Mensch anzureden hatte, einigen gewich-
sten Lederstiefeln, fünfzehn Peitschen und zwanzig Ge-
wehren, von denen nur fünfmal Gebrauch gemacht wurde.
Musik spielte keine. Eine Rede wurde, trotz der Vorliebe
des an diesem Tag selektierenden SS-Arztes für einleitende und abschließende Worte, nicht gehalten. Dafür
wurde geschrien.

Hierzu wurden die Stimmbänder der Kapos benutzt,
die im Gegensatz zu denen der SS-Männer austauschbar
waren, wenn auch nicht so überflüssig wie die der KZler.

Mit einem »Schneller, schneller, dalli« oder »Ruckzuck«
werden die Häftlinge hinausgetrieben und in Fünfergruppen aufgestellt. Ei, wie hurtig geht das voran.

Wem es bis jetzt noch nicht klar ist, nun weiß er es, daß
er an der Endstation seines Lebens angelangt ist. Und

auch was der süßliche Rauch bedeutet, wird er bald verstehen lernen, wenn er selbst oder seine Mutter oder sein Vater oder sein kleiner Bruder, der unter vierzehn ist – ob vier oder zehn spielt hier nicht einmal für die Statistik eine Rolle –, durch den Kamin wandern.

Was nicht mehr als vollwertiger Arbeitsjude verwendet werden kann, wird von den Lagerlisten abgesetzt. Wer nicht mehr rentabel ist, wird verbrannt. Denn der Lagerkommandant hat einen Befehl aus Berlin bekommen. Dort hat er gelesen:

Eine Gewinnmaximierung ist das Ziel jedes Unternehmens. Die Wertminderung oder der Abgang von Juden sind nicht als Verlust zu berechnen, sondern als Erfolg. Hat man doch einen großen Vorrat an diesem Rohstoff anlegen können. Weiß man doch nicht wohin damit.

Soll er also seine Juden antreiben, daß sie arbeiten und sich in der Arbeit verbrauchen. Soll er sie bis zum moralischen und physischen Verschleiß benutzen, und dann weg damit.

Denn die Wartung und Pflege der Juden ist zu teuer. In diesen schweren Zeiten sind selbst Brot und Brennesselsuppe teure Nahrungsmittel, und nichts darf verschwendet werden, und schon gar nicht an einen schadhaften, will heißen: zu jungen oder zu alten, Arbeitsjuden.

Und wenn er nicht mehr kann? Einfach nicht mehr aufstehn kann? Dann geht er duschen und schluckt Gas, um mit den Engelein, die in Auschwitz schwarz sind wegen des Rußes oder grau wegen der Menschenasche, Halleluja zu singen.

Die regelmäßigen Kontrollen dienen lediglich der Auslese. Nur die Besten dürfen am Aufbau des tausendjährigen Reiches und seiner Bereicherung mitwirken. Das ist ein schönes Privileg. Eine Belohnung, die alle Qualen wiedergutmacht.

Die Juden werden in Fünfergruppen aufgestellt und selektiert. Ein SS-Mann geht vorbei und befiehlt den alten Juden, denen man das Alter ansieht, und den jungen, denen man die Jugend ansieht, im Wagen Platz zu nehmen, da man sie im Sitzen und nicht zu Fuß ins Jenseits befördern wird. In Auschwitz hat man Manieren.

»Nicht aufsteigen«, flüstert ein gestreifter KZler einem Neuankömmling ins Ohr und macht dazu eine Bewegung mit der Hand, die das Gurgeldurchschneiden und damit den Tod ausdrücken soll: eine Geste, die der grüne Kapo sieht, der den KZler sogleich peitscht, weil er die geheime Reichssache an den Neuankömmling verrät, die jener ja möglichst bald und selbst herausbekommen soll, die der Neuankömmling aber gar nicht wahrnimmt, weil er alles durch einen Schleier sieht und nichts von dem versteht, was er sieht.

Denn der Neuankömmling steht unter dem Konfrontationsschock, der von der Lagerführung noch verstärkt wird, indem man auch einmal ganz grundlos auf die Masse einschlagen läßt oder einen Hund loshetzt, damit er was Feines fängt, weil eingeschüchterte Zugänge ganz besonders apathisch sind und daher leicht abzufertigen.

»Danke, danke«, sagt der Herr über Sechzig, der einmal ein Herr Professor gewesen ist, und setzt sich, seiner Tochter zuwinkend, die er ja gleich wiedersehen wird, nachdem die Formalitäten geregelt sind, neben seine schon breitbeinig dahockende Gattin, die durch den Konfrontationsschock ihre Manieren verloren hat; ganz im Gegensatz zu dem SS-Mann, der einer Mutter mit einem Säugling im Arm hinaufhilft, weil die Frau von der Geburt doch noch schwach sein muß.

An dem Brett, das als Schreibtisch dient, diktiert ein Mann seinen Namen: K wie Karl, A wie Adalbert, H wie Holger, N wie Norbert. Kahn also, Richard Kahn, von der Richard Kahn GmbH. Nicht Kohn. Herr Kahn ist ein deutschstämmiger Jude, wie das A beweist. Zwar ist er aus der Bukowina, hat aber in Berlin gelebt. Kennt diese schöne Stadt und hat sogar einmal die ehemalige Kunstgewerbeschule verwaltet, heute Gestapo-Hauptquartier – wie das Leben so spielt.

Familie Kahn wurde ganz erfaßt, soll heißen Frau Kahn, Herr Kahn und die zwei Kahnknaben, die schon sitzen. Ein hundertprozentiger Erfolg für die Gestapo.

Ein hundertprozentiger Gewinn für die Hotelbesitzerin, deren Familienpension so klein und kuschelig war, selbst das Frühstück – bestehend aus Baguette, Milchkaffee und Marmelade – war im Übernachtungspreis inbegriffen, und die für ihre Informationsdienste die Koffer behalten durfte und die silberne Armbanduhr, die Vater Kahn auf dem Nachttisch vergessen hatte.

Er sei ein dummer Hund, antwortet ihm der Schreiber und notiert neben dem Namen die Nummer, die der Häftling nun tragen wird. Eine schöne Nummer, nicht zu niedrig und nicht zu hoch. Ein Mittelklasse-KZler, der nach rechts abgeht.

Seinen zwei Knaben, Dani und Benjamin, hat man die Nummer mit Tinte schon auf die Brust geschrieben, weil das Tätowieren hier keinen Sinn hat. Sie sind mit der ersten Fuhre mitgefahren und haben die Ehre, als erste in die Bade- und Inhalierräume zu treten, vor denen sie nun nackt stehen, weil man ja bekanntlich nicht mit Kleidern desinfiziert werden kann.

Nur wissen sie nicht, daß sie die Läuse sind, die vernichtet werden sollen.

Nur wissen sie nicht, daß aus den Duschköpfen des fünfundzwanzig Quadratmeter großen Raumes, der zwischen sieben- und achthundert Juden fassen kann, kein Wasser und auch kein Seifenwasser und auch kein Rosenwasser, sondern reinstes und teures Zyklon B strömen wird, an dem sie langsam ersticken werden, wofür ihre Eltern bezahlen, mit ihrer Arbeit und den erfaßten Wertgegenständen, die die Hotelbesitzerin übersehen hat, weil man hier in Auschwitz für alles bezahlt, und vor allen Dingen für den Tod der Kinder.

Nur wissen die Eltern nicht, daß sie einander nicht wiedersehen werden und daß sie die Kinder nicht wiedersehen werden, weil diese mittlerweile langsam ersticken, was zwischen fünf und fünfzehn Minuten dauern kann, bei Kindern aber – weil sie kleiner sind als Erwachsene und daher näher am Boden und näher am Tod, da das Gas so schwer ist, daß es sinkt – doch eher fünf Minuten, was für Auschwitz ein recht schneller Tod ist.

Freut euch, Kinder Kahn. Ihr hattet es mit den dreißig anderen Kindern leichter als die 736 anderen Häftlinge, die Männer und Frauen, die mit dem Transport 17 um vier Uhr in der Früh ankamen und um fünf Uhr fünfzig mit euch vergast wurden. Sie mußten fünf Minuten länger würgen. Sie streckten und reckten sich, um das letzte bißchen Luft zu schnappen, das noch frisch war da oben an der abgebröckelten Decke.

Denn am Wannsee hatte man die endgültige Lösung des Judenproblems gefunden. Hatte man sich, nach einigem Überlegen, für die endgültige Ausrottung der Juden entschlossen. Denn der Jude war das Unglück. Denn der Jude war der Grund allen Übels. Starb die Mutter, war der Jude schuld. Verließ einen die Freundin, hatten die Kinder Windpocken, war der Kuchen angebrannt, hatte man die Gehaltserhöhung nicht bekommen, war einem der Nagel eingerissen: alles die Schuld des Juden. Denn der Jude bildete im Ghetto eingepfercht als Seuchenträger und frei in der Stadt herumlaufend als Exponent des Schleichhandels und in seinem Hause unter seinesgleichen als Komplottierender und in Berührung mit anderen als Verführer eine Gefahr, so daß mit ihm Schluß gemacht werden mußte, ein für allemal Schluß gemacht werden mußte. Und nachher gab's Bier und Tanz, und geprostet wurde auch und geschunkelt, weil's gemütlich wurde, und selbst gesungen wurde am Wannsee, aber nicht das Heideröslein, sondern Derberes, obwohl der große Goethe neben dem großen Schiller zur deutschen Kultur gehört, wie die Peitsche in die deutsche Herrenhand.

Freut euch, Kinder Kahn. Eure Eltern hatten es nicht so gut wie ihr. Eure Mutter, Arbeitsjude Nummer 468752, mußte sich ausziehen und mit den anderen 99 weiblichen Arbeitstieren des Transportes 17 nackt durch die Schleuse rennen und wurde, weil sie sich zierte und sich nicht vor den paar Wachposten, den Kapos und dem Schutzhaftlagerführer, dem Blockführer und einigen Angehörigen der politschen Abteilung ausziehen wollte, die sich dort aufstellt hatten, um die frische Zufuhr zu begutachten, in den Friseursalon gepeitscht, wo man ihr den Kopf kahlschor, so daß ihre braunen Locken zu Boden fielen, wo sie nicht lange blieben, da man sie in der Heimat verwenden konnte.

»Meine Kinder, Herr Friseur, meine Kinder sind bestimmt schon bei Ihnen vorbeigekommen.«

»Wie alt sind sie denn?«

»Acht der Große und fünf der Kleine. Sie ähneln sich sehr. Sie haben beide blaue Hosen an und helle Hemden. Und haben so lockiges Haar wie ich. So schöne Wellen können Sie doch nicht vergessen.«

»Die nächste, schnell, schnell.«

»Herr Friseur, Sie haben sie doch gesehen?«

Die Baracke ist dunkel. Licht gibt es nicht. Man muß sparen, wo man kann. Die Nummer 468752 hat eine Koje, einen Strohsack mit Holzwolle und eine Decke. Das ist ihr Eigentum. Darauf muß sie gut achtgeben, weil man ohne Decke im Winter erfrieren kann.

Würde sie die Baracke mit einem Metermaß abschreiten, wüßte sie, daß sie fünfundzwanzig Meter lang und zehn Meter breit ist. Aber dazu hat Nummer 468752 keine Zeit, weil sie sich gerade ihre verbliebenen Haarstoppeln vom Kopf reißt.

Nicht einmal das Blut sieht sie, das ihr aufs Gesicht und in den Nacken rinnt und am Hemd verkrustet, während sich Nummer 468752 den Kopf an den Brettern der Koje wund schlägt, weil eine Mitinsassin sie über das Schicksal ihrer Kinder aufgeklärt hat.

Exit Kahnkinder. Die sind schon krepiert, Asche unter

Asche im Krematoriumsofen, denn wie schon Gott sagte: Staub bist du, und Staub bleibst du.

Willkommen in Auschwitz, Nummer 468752, wenn du nicht bald mit dem Unfug aufhörst, überlebst du die erste Woche nicht.

Wie viele Frauen passen in eine Baracke, die fünfundzwanzig Meter lang und zehn Meter breit und drei Meter hoch ist?

Wenn man, statt einen Boden einzulegen – der Unterbeton und der Zementglattstrich nehmen zwanzig Zentimeter zuviel Platz weg, für die Backsteinflachschicht braucht man ja auch ein Sandbett, also zehn Zentimeter zuviel, an einen Riemenboden mit Zwischendecken, Leichtbauplatte, Podestbalken und Deckenputz ist erst gar nicht zu denken, weil da leicht fünfundzwanzig kostbare Zentimeter draufgehen –, wenn man also den Erdboden festtritt, statt einen Boden einzulegen, und mit Ziegeln belegt, vom Getrampel der Frauen bleibt der auch fest, und wenn man, um oben auch Platz zu sparen, die Decke wegfallen läßt und einfach ein Dach draufknallt, kann man leicht drei Etagen errichten.

Dann hat man die Fläche nur noch der Länge und der Breite nach mit Holzbalken in Kojen zu unterteilen, von denen jede jeweils zwei Meter breit und zwei Meter tief ist: und das dann auf drei Etagen. Das ist fein konstruiert und gut durchdacht, weil es so raumsparend ist.

Da müssen nun acht Frauen schlafen.

Passen denn sieben bis acht, also sagen wir siebeneinhalb Frauen, in eine zwei Meter breite und zwei Meter tiefe Koje?

Sollen sie einander doch ein bißchen drücken, die werden sowieso von Tag zu Tag dünner und benötigen dann weniger Platz.

Denn in eine Baracke müssen tausend Frauen hinein und wieder hinaus, wenn's zur Arbeit oder zur Selektion geht. Selbst in der Gaskammer drückt man sich an seinen Nachbarn, nur am Galgen ist man richtig schön alleine.

Arbeitsjude 468752 benötigt noch etwas mehr Platz, weil sie eine frische Zufuhr ist und deshalb runder als die Alteingesessenen, die mit dem Tod schon per du sind und wie Spürhunde wittern, daß 468752 eine derjenigen ist, die bald auch durch den Kamin wandert, eine, deren Nummer sich gut macht auf den Todeslisten, weil nun etwas defekt ist an ihr.

Etwas ist in ihr zerbrochen, so daß sie nicht voll auslastbar ist und darum nach den harten Regeln der Marktwirtschaft unrentabel: eine weibliche Arbeitsmaschine, die nicht auf Volltouren läuft, ist unverzüglich von der Lagerbelegschaft abzusetzen und wird deshalb in die Nieren gestoßen.

Soll sie doch nicht glauben, daß sie fünf Zentimeter mehr Raum zugeteilt bekommen kann, um sich von einer Seite auf die andere zu wälzen, weil sie momentan seelisch belastet ist. Weil ihre zwei Kinder, der kleine Dani, der ab und zu und in letzter Zeit ganz oft Pipi ins Bett macht, und Benilein, der so schöne Bilder malt, mit einer Sonne und einem Haus und einem Baum, Bilder, die sie der Oma geschenkt haben, die sich den Baum mit den roten Äpfeln eingerahmt ins Wohnzimmer gehängt hat – in dem nun eine andere sitzt. Weil Benilein, ihr Ältester, und Dani, der kleine Dani mit dem lockigen Haar, nun Asche sind im Krematoriumsofen. Weil die Kinder, die sie unter Schmerzen zur Welt gebracht und die sie großgezogen und an deren Betten sie so viele Abende gesessen hat, um ihnen Lieder zu singen und Geschichten zu erzählen oder einfach nur zu warten, bis die Hexe auf ihrem Besen davonfliegt und die Stirn sich glättet, weil die Kinder, denen sie das Laufen beigebracht hat und das Alphabet und das Addieren, weil die Kinder, die ihre Freude waren und ihr Leid, als Beni so hohes Fieber hatte und Dani den Arm gebrochen, nicht mehr da sind.

Weil sie vor ihr gestorben sind, weil sie ihre Buben überlebt hat, weil ihre Kinder erstickt sind, weil sie tot sind, weil sie einfach nicht mehr leben. Und sie konnte nichts machen, und sie war nicht dabei, um ihnen die Hand zu halten und ihre Schreie mit einem letzten Kuß aufzufangen und sie an sich zu drücken und ihnen das Sterben zu erleichtern, und sie war nicht dabei, ja, sie war nicht dabei.

Ach, Frau Kahn, Frau Kahn, wenn dich dein Mann so sehen könnte, ausgebildete Fachkraft, Immobilienmakler, unterbezahlter Klempner auf der Flucht, nun Nummer 547811, die Durst hat, weil sie seit drei Tagen nichts getrunken hat und seit drei Stunden Kohlensäcke schleppt – weil sie ja nicht nur den Tod der Kinder und den der (darin sind sich alle einig) schon in Kürze krepierenden Frau, sondern auch den des Herrn Kahn abzahlen muß: wenn er dich so sehen könnte, was würde er dir wohl sagen?

Die Korallenkette

Eine der Frauen, die Streng für kurze Zeit in Obhut nahm, war die deutsche Jüdin Vera Lipmann, die, als sie eingeliefert wurde, gerade ihr einundzwanzigstes Lebensjahr vollendet hatte und der einige Tage nach ihrem Eintreffen im Lager bei einer Selektion befohlen wurde, weder nach links noch nach rechts zu gehen, sondern als in Frage kommendes und weiterleitungswürdiges Objekt geradeaus auf die Schornsteine zuzuschreiten, aus denen Tag und Nacht der dichte graue Rauch quoll, dessen süßlicher Geruch sich über den Köpfen der Häftlinge und Wärter ausbreitete und in ihren Kleidern festsetzte.

Vera war dem Arzt, der schon mehrmals seine Liebe für feingearbeitete Kunstgegenstände bewiesen und aus diesem Grund mancher Frau eine Woche oder gar einen Monat geschenkt hatte, aufgefallen, als sie in einer Verschnaufpause mit einem schon abgefertigten Häftling und einer Korallenkette auf ihn zukam, die im Gegensatz zu den nur aus dem Riff gehauenen Kalkgerüsten von tiefroter Farbe und von einer vollkommenen Form war.

»Wo haben Sie denn die her?« fragte der Arzt, der den Wert des Gegenstandes sofort erkannte, und wunderte sich über ihre Fachkenntnis, als Vera antwortete, es handle sich um ein italienisches Stück aus dem letzten Jahrhundert, das nach der ersten Trägerin die schöne Beatrice heiße.

»Es gehörte meiner Großmutter väterlicherseits«, sagte Vera.

Durch das Interesse des Arztes ermutigt, brachte sie ihre Bitte vor. Sie hatte gleich bei der Ankunft in den Baracken eine zehn Jahre ältere Cousine entdeckt, die getötet werden sollte, da sie zu schwach geworden war, um zu arbeiten, und die sie mit dem ins Lager geschmuggelten Familienerbstück freizukaufen gedachte.

»Sie ist schon von den Lagerlisten abgeschrieben«, sagte der Arzt, steckte die Kette in die Hosentasche, zeigte auf Else Kahn, die das Gespräch stumm mitverfolgte, »aber dich will ich retten.«

Vera brach weinend zusammen und wurde, nachdem man sie von der Cousine getrennt hatte, mit einer anderen Frau, einer Ungarin mit hohen Backenknochen und rötlich in der Morgensonne schimmerndem Haar, ins Bordell überwiesen. Dort angekommen, erhielt sie eine Mahlzeit, bestehend aus Suppe, zwei Kartoffeln und Brot, und wurde, nachdem sie sich so gesättigt hatte, zur Tätowierung gebracht. Danach sah sie Karl Streng.

Da er den Wert der jungen Frau trotz der schmutzigen Kleidung sofort erkannte – sie hatte zarte, fast kindliche Körperformen, die einige Kunden besonders schätzten –, trug er Vera in das kartonierte Heft ein, in dem er seinen Bestand verzeichnete, ließ sie aber dennoch in Ruhe, weil Neuzufuhren von ihm schonend behandelt wurden.

Als sich Vera nach der ersten Woche immer noch nicht bereit erklärte anzufangen, verlor Streng, der es sich zur Regel gemacht hatte, keine seiner Frauen mit Gewalt zur Ausübung ihres Berufes zu zwingen, die Geduld und tippte, nachdem er die Neue zu sich geholt hatte, energisch auf die noch unbeschriebene Spalte seines Buches, in die er neben dem Namen, dem Alter und der Nummer seiner Zöglinge ihre wöchentlichen Einnahmen eintrug.

»Ja, ja«, sagte Vera, »ich weiß schon, was Sie wollen«, und begann zu weinen.

»Es hat doch keinen Sinn«, erwiderte Streng, der mehr Lebens- und Lagererfahrung hatte als das junge Fräulein, »du mußt es ja doch«, klopfte ihr beschwichtigend auf die Schulter, bat sie, Mut zu fassen, und leitete, nachdem er eine Frau gebeten hatte, Vera vorzubereiten, das erste Stelldichein in die Wege.

Schon am selben Nachmittag fand Streng einen geeigneten Freier, der schön gewesen wäre, hätten seine harten, wie rohe Smaragde aus dem ausgemergelten Gesicht funkelnden Augen ihm nicht etwas Unheimliches verliehen.

Es mußte sein. Streng nahm dem Mann den Bezugsschein ab und führte ihn in den ersten Stock. Dort lag Vera, mit einer halben Flasche polnischen Wodkas fast bis zur Besinnungslosigkeit in Stimmung gebracht, und wartete im Morgenrock auf ihren Freier.

Drei Wochen später bemerkte Streng, als er durch den Spion nach dem Rechten sah, auf dem weißen Rücken seiner Dirne die ersten roten Flecken. Als er sie zu sich rief und ihr befahl, sich auszuziehen, brach Vera weinend vor seinen Füßen zusammen und flehte ihn an, sie zu behalten; eine Überweisung ins Krankenlager bedeutete den Tod.

Streng sah die Frau an, die er nicht anfassen wollte und die nun – wie sie es sich vor nur wenigen Wochen gewünscht hatte – von keinem Mann mehr angefaßt werden würde, und hatte Mitleid.

»Mein armes Kind«, sagte er, »mein armes, kleines Kind«, wickelte den zitternden Körper in eine Decke und schickte Vera nach oben. Dann meldete er die an Typhus erkrankte Dirne und unterschrieb somit ihr Urteil.

Obwohl er den Tod nicht mehr fürchtete und auch seinen Damen gegenüber zwar nicht hart, so doch gefühllos geworden war und ihren Beschwerden, was brutale Freier und ungenügende Nahrung anging, nur selten Gehör schenkte, nahm Streng die Überführung Veras sehr mit.

»Sie ist so niedlich«, sagte er und mußte an seinen Freund denken, der auch so jung und hübsch gewesen war. All die Jahre, die Vera und Peter noch hätten leben können. Es war ein Jammer. Er schüttelte den Kopf und fand nur Trost in dem Gedanken, daß das, was sie und er und alle Lagerinsassen vom Leben hatten, nicht unbedingt lebenswert zu nennen war.

Vera wurde in Block 25 gebracht. Schnell veränderte sich ihr Aussehen. Ihr Gesicht wurde schmal. Die Jochbeine traten hervor, die Augen lagen tief in den Höhlen. Noch wehrte sie sich und kaute lange an der Schnitte Brot, die sie mit beiden Händen festhielt, damit sie ihr nicht von einem Stärkeren weggerissen werden konnte, und trank die Suppe, um ihr Hungergefühl einzudämmen, in kleinen, schlürfenden Schlucken.

Oft dachte Vera an ihre Mutter, an ihr tiefes Lachen, an die Ferien in den Bergen, an den würzigen Geruch der Erde und an die schweren Hände des Vaters, der ihr vor dem Einschlafen über den Kopf gestrichen hatte. Diese Erinnerungen beruhigten sie. Als sie nach einer Woche bei der Selektion verschont blieb, glaubte sie, daß doch noch alles gut werden würde. Dies war der Anfang ihres schnellen und schmerzhaften Niedergangs.

Als nunmehr überflüssig gewordenes Menschenmaterial, dessen Leben auch ohne weiteres Zutun in Kürze erlöschen würde, wurde Vera für den Hungertod bestimmt und bekam nur noch einen kleinen Teil der Ration ausgehändigt, die für die Häftlinge bestimmt war.

Sie weinte. Da sie nach ein paar Tagen jedoch keine Kraft mehr besaß, ließen auch die Tränen nach. Innerhalb von nur zwei Wochen verlor sie wegen ständigen Durchfalls ein Drittel ihres Gewichts. Auf Augenlidern, Füßen, Oberschenkeln, dem Gesäß und den Armen breiteten sich Blasen aus, die nachgaben, wenn die Pfleger auf sie drückten. Obwohl erst einundzwanzigjährig, bekam sie das faltige Aussehen einer alten Frau.

»Bitte«, flehte sie, sobald sich jemand ihrem Bett näherte, »bitte, etwas Brot«, bekam aber weiterhin nur die für den Hungertod bestimmte Ration.

Seltsame Visionen stellten sich ein. Die Gesichter der Pfleger und Ärzte, die sich kritisch über sie beugten und ihren Zustand mit Interesse verfolgten, nahm sie von einem roten Lichtkranz umgeben wahr.

Vera versuchte, die stetige Entleerung ihres Körpers aufzuhalten, indem sie trank, konnte aber nichts im Magen behalten und zitterte vor Kälte. Im Halbschlaf hatte sie trostspendende Träume.

An einem Samstag, Vera war nun fast drei Wochen im Krankenbau, versuchte sie aufzustehen und brach neben der Pritsche zusammen. Ein Pfleger brachte sie wieder ins Bett. Von ihm erfuhr sie, daß am folgenden Morgen selektiert werden sollte.

In der Nacht schlief Vera nicht. Mit Hilfe einer Neuangekommenen, die noch bei Kräften war, gelangte sie zum Fenster und setzte sich, da sie nicht mehr stehen konnte, auf den Ofen. Dort blieb sie, bis es dämmerte, und schaute auf den sternenlosen Himmel, der ihr keine Antwort gab.

Am Morgen wurde sie im Zuge einer Selektion vom selben Arzt zur Vernichtung bestimmt, der sie noch vor wenigen Wochen ins Bordell geschickt hatte, nun aber nicht mehr erkannte.

Vera schaute aus dem Fenster. Ein feiner Morgendunst lag über den Baracken. Noch war alles still. Nur ein Wächter stand rauchend im Freien. Sie hörte, wie der Arzt mit dem Pfleger die technischen Einzelheiten ihres Todes besprach. Sie drehte sich um. Über dem Tisch hatte man das Licht angezündet. Der Arzt legte die Spritze und die Skalpelle auf dem Verbandtisch zurecht, dann trat er in den Schatten. Vera zitterte am ganzen Körper und sah den Pfleger auf sich zukommen. Sie wurde hochgehoben und spürte einen leichten Druck an den Hüften.

Vera dachte an ihren Vater, der sie als Kind ins Bett getragen hatte, wenn die Müdigkeit sie übermannte. Leise hatte er ihr Lieder vorgesummt und sie in den Schlaf gewiegt. Sie spürte die kalte Platte des Tisches. Das Licht war gleißend. Vera drehte den Kopf zur Seite und schaute den Arzt an, der in einer Ecke stand und wartete. Dann schloß sie die Augen.

Schlußrechnung

Was aber taten die anderen an diesem Tag?

Fräulein Barbara Dahl streckte sich, drehte sich zur Seite, griff nach einem Vollkornkäseschnittchen mit Radieschen, das ihr die Freundin zubereitet hatte, bevor sie mit den Kindern zur Familie gefahren war, und das nun neben einem Glas kalter Milch auf ihrem Nachttisch stand, zog die Decke hoch, nahm die Zeitschrift, die ihr den ersten Preis im Nähwettbewerb verliehen hatte – sie hatte sich die Zeitschrift für das Wochenende aufgehoben –, und las, nachdem sie die Fortsetzung der »Braunen Scholle« (vierter Teil) übersprungen hatte, die Rubrik, die der Schönheit gewidmet war.

Otto Wagner schlief.

Seine Schwester deckte den Frühstückstisch und ging, nachdem sie auch das Kaffeewasser aufgesetzt hatte, in den Keller, aus dem sie nach wenigen Minuten mit einem Glas Pflaumenmus zurückkehrte.

Die geschiedene Frau Wagner zog die schweren Übergardinen auf, öffnete das Fenster und blickte auf die im Licht des anbrechenden Tages schillernde Wiese, die sich bis zum angrenzenden Föhrenwald erstreckte, atmete die noch nach Regen und frischem Gras und feuchter, satter Erde riechende Landluft ein und überlegte, was sie für das Fest anziehen sollte, das ihr der Immobilienmakler Paul Raeder gab.

Ihr ehemaliger Bettkumpan, der Dramaturg Johannes Schellenberg, träumte von Italien.

Paul Raeder stand mit einer Stoppuhr vor dem Lieferanteneingang seines neuerworbenen Kaufhauses, das nun nicht mehr OB, sondern Kaufhalle Raeder hieß, und kontrollierte, wieviel Zeit die Lehrlinge zum Ausladen der Waren benötigten.

Die Turnerin Gerta Berg half Harald Hartmund, das Zelt abzubauen. Er war vor ihr aufgestanden, als es noch nicht einmal dämmerte. Nun hielt sie, während er mit einem Ruck den letzten Pflock aus dem Boden zog, die Spannleine fest und gähnte herzhaft und lange, weil sie bis spät in die Nacht hinein den fünfzigsten Geburtstag des Clowns gefeiert hatten.

Der ehemalige Numismatiker Blumenfeld stand mit seinem Cousin Alfred vor der australischen Botschaft, weil es an der französischen Riviera nicht mehr sicher war. Er wollte auswandern, mit Pierrette, der Haushälterin, seinem Cousin Alfred, dessen Frau Eva und Evas kleiner Nichte Andrea, die nachts immer weinte, weil Papi und Mami Feigenbaum im KZ gelandet waren.

Da er sich noch lange würde gedulden müssen, packte er die mit Thunfisch, Tomate, Salz und Ei belegten Roggenbrötchen aus, auf die Pierrette, mit der er seit einem Jahr das Bett teilte, wie sie es gewohnt war und wie sie es sich nicht abgewöhnen lassen wollte, Olivenöl geträufelt hatte.

Nachdem er auch dem Cousin ein Brötchen gereicht hatte, zog er ein Schachbrett hervor.

Währenddessen stellte Pierrette einen frischen Strauß Anemonen auf den Wohnzimmertisch und weckte das Kind auf.

Blumenfelds Bekannter, der Numismatiker Dr. Heillein, der einen stattlichen Teil der Sammlung Blumenfelds erstanden hatte, ist Propagandaleiter seines Bezirks geworden. Er liegt mit einem zusätzlichen Kissen hinter dem Rücken im Bett und bereitet den Vortrag vor, den er morgen in einer Grundschule halten wird. »Blutende Grenzen, Versklavung Deutschlands: der Jude zieht aus der deutschen Not seinen Nutzen«, das soll das Stoffgebiet sein, das er eine Woche später mit »Adolf Hitler und die deutsche Erhebung« fortsetzen wird.

Oswald Blatt, der Sohn des Dorfschullehrers, hat sich kurz vor dem Abitur davongemacht. Er wollte sich nicht mehr aus pädagogischen Gründen schlagen lassen und ist nun Bote in einem Ministerium und noch einiges anderes geworden, was er aber verschweigt.

Frau Pfeifer fluchte. Die Söhne hatten das dreckige Geschirr nicht einmal in die Spüle gelegt, so daß sich ihr, als sie, noch verschlafen und im Morgenrock, in die Küche trat, ein schöner Anblick bot.

Ihr ältester Sohn war im Krieg für das Vaterland und den Endsieg gefallen.

Auch ihr zweitältester Sohn war durch ein tragisches Geschick ums Leben gekommen: Er war bei einer Übung vom Panzer gestürzt und hatte sich das Genick gebrochen. Kein Heldentod also, der die Familienangehörigen mit stolzer Trauer hätte erfüllen können.

Ihr Zweitjüngster lag noch im Bett und hatte einen feuchten Traum. Keiner verübelte es ihm. Das Karlchen sollte auch bald eingezogen werden.

Der Jüngste wartete darauf, daß es sich im Bett neben ihm beruhigte, denn er wollte nicht stören, obwohl er dringend mußte.

Werner Eckstein las einen Roman. »Held in tiefster Nacht«. Schade, dachte er, denn der Wehrmachtssoldat hatte die Frau noch rechtzeitig aus den Klauen des jüdischen Wüstlings reißen können, so daß sie beruhigt in Ohnmacht fiel und doch nicht vergewaltigt wurde.

Werners ehemaliger Klassenkamerad Uhland hatte zu viele Witze erzählt und war ins KZ gekommen, wo er gerade einen silbernen Füllfederhalter gegen eine fünf Zentimeter dicke Scheibe Wurst eintauschte.

Werners Mutter kochte Kohl.

Sein Vater trank ein Bier. Zu früh, werden manche sagen. Zu früh, Herr Eckstein.

Der ehemalige Bäcker Uhland schlief seinen Rausch im Polizeirevier aus. Seine arme Mutter war kurz nach seiner Zwangssterilisierung gestorben. Nun hatte er keinen mehr, der ihm das Trinken verbot. Daß man ihn noch nicht weggeschafft hatte, konnte keiner verstehen.

Herr Mehler, der wegen homosexueller Umtriebe verhaftet worden war, arbeitete in Buchenwald in der Schusterwerkstatt und weitete den Stiefel des Lagerkommandanten. Er dachte nicht mehr an seine Frau, dafür aber oft an seine Kinder.

Der Gewerkschaftsführer Ulrich Tilling saß wieder in Haft. Hochverrat. Diesmal vier Jahre.

Sein Bruder Volker versuchte die Mutter zu trösten und bereitete die Stullen vor. Sie wollten aufs Land, damit die Mutter mal auf andere Gedanken käme.

Polizeiwachtmeister Erich Hagel lag noch im Bett. Die Uniform hing an der Tür. Er war so klug gewesen, nach seiner Freilassung nicht zur SA, sondern gleich zur SS zu gehen. Nun war er Oberscharführer und würde es bis zum nächsten Jahr bestimmt zum Hauptscharführer gebracht haben – die Eliminierung der kommunistischen Judenhure Ella Feigenbaum hatte ihm viele Türen geöffnet.

Ernst Fuchs stand stramm und hoffte, daß der SS-Mann auch diesmal an ihm vorbeigehen würde, ohne ihn anzublicken. Er hatte Hunger und Angst.

Auch Peter hatte Hunger und stellte sein neues Modellflugzeug auf das Regal, obwohl er es noch nicht angemalt hatte. Dann ging er in die Küche und ließ sich von seiner Mutter, der Hauskatze, den noch warmen Ersatzkaffee in die Tasse gießen.

Sein Vater war noch im Bad. Nach der Geschichte mit der blödsinnigen Anna hatte er aufgehört zu rauchen und war auch sonst nicht mehr so gesprächig wie früher.

Herr Rößner schluckte drei Monate nachdem ihm zum Verlust seiner Tochter das herzliche Beileid der Ärzte und des Personals der Anstalt ausgesprochen worden war und man ihn gebeten hatte, in dem Gedanken Trost zu finden, daß dieser Tod seine Tochter von ihrem schweren und unheilbaren Leiden erlöst habe – der Tod war durch eine direkt ins Herz verabreichte Phenol-Injektion eingetreten –, zwei Röhrchen Schlaftabletten. Denn er hatte keinen Trost gefunden und mußte fortwährend an seine kleine Anna denken und war also zu dem Zeitpunkt, mit dem nun abgeschlossen werden soll, bereits tot.

Ebenfalls tot waren:

Klara Fuchs und ihr Sohn David.

Käthe Simon, ehemalige Fuchs, und Ernst Simon, ihr Mann.

Otta Fuchs und ihre Mutter.

Reinhard, Dora und Hermann Lipmann, zuletzt in Buchenwald ansässig.

Reinhards Tante Helene und ihr Mann Leo, der die deutschen Staatsbürger christlichen Glaubens, trotz der zahlreichen Broschüren, die er in seiner Freizeit verfaßt hatte, nicht hatte überzeugen können, daß es sich bei ihm und seinen Glaubensgenossen um deutsche Staatsbürger jüdischen Glaubens handelte und nicht um auszurottende Untermenschen.

Sein Bruder Ernst – er war trotz des Eisernen Kreuzes erster Klasse und seiner Flucht in ein Nachbarland dort gelandet, wo er landen mußte.

Richard Kahn von der Richard Kahn GmbH, ausgebildete Fachkraft, Immobilienmakler, Klempner auf der Flucht, zuletzt Nummer 547811, und seine Frau Else. (Während Herr Kahn den Tod seiner Söhne Dani und Benjamin um einige Monate überlebt hatte, wurde Frau Kahn schon kurz danach von den Lagerlisten abgesetzt.)

Der Opernsänger Werner Kurzig – er starb eines natürlichen Todes in einer kleinen Pension in der Schweiz.

766 Männer, Frauen und Kinder des Transportes Nummer 17 aus Drancy – sie kamen um vier Uhr an und wurden um fünf Uhr fünfzig fachgerecht ausgeschaltet.

Herr Dr. habil. Justus Bernstein, Redaktionsleiter eines Kulturmagazins – er hatte die Synagogen brennen sehen –, seine Frau und deren Tochter Cilly.

Karl Schneider, ehemaliger Inhaber des ehemaligen Kaufhauses OB.

Max, Felice und Leo Lewinter. Adieu.

Fünfunddreißig der vierzig männlichen Einwohner des Fischerdorfes.

Herr Bernhard und weitere zwanzig Männer, die in der Aktion erfaßt wurden, die dazu beitragen sollte, der Homosexualität in Deutschland ein Ende zu setzen.

Alle Männer, Frauen und Kinder des Transportes aus Wilna – sie wurden, noch bevor der Abend einbrach, vor der Grube erschossen. Man hatte sich beeilt, weil keine Scheinwerfer zur Hand waren.

Das Ehepaar Recktenwald. Sie weigerten sich, den »deutschen Gruß« zu erwidern, kamen nach Dachau und wurden dann, weil Herr und Frau Recktenwald den Zeugen Jehovas nahestanden, in den Osten verfrachtet.

Der junge Pole Peter Baslewicz. Do widzenia.

Der Kommunist Karl Kowalsky. Salut!

Der kleine Löwy, sein Vater, seine Mutter und die Schwester.

Die blödsinnige Anna.

Karl Streng schimpft mit einer Dirne, die ihr Zimmer nicht reinhalten will.

Die Dirne hört teilnahmslos zu, betrachtet ihre Schuhe, die mit einem Transport aus Griechenland ins Lager gekommen sind, der schon desinfiziert worden ist, und denkt: Der olle Eunuch.

Unteroffizier Zink saß mit Vogt am Eßtisch. Er hatte sich, nachdem er gesehen hatte, wie der Transport aus Wilna abgeschossen worden war, krank schreiben lassen und war nun, nach zwei Wochen mit der Berti in der Scheune, gestärkt und frischen Mutes an die Front zurückgekehrt.

»Man muß gezielt eingreifen«, sagte Vogt, der für seine Ansichten bekannt ist, »und schnell zuschlagen. Eine Sonderaktion will vorbereitet sein und gut durchdacht werden. Die Juden sind eine gerissene Rasse.«

»Ja«, antwortete der Rechnungsführer, den alle nur

Rechnungsführer nannten, weil sein Name so slawisch klang, und schaute auf den Teller Zinks, der sich sein zweites Brötchen dick mit Butter bestrich, »das werden unsere Jungs schon meistern.«

Die Kellnerin Berti hat die Milch überlaufen lassen und wird ins Gesicht geschlagen, weil man in diesen Zeiten nichts anbrennen lassen darf. Sie nimmt es, ohne aufzumucken, hin. Sie will den Wirtssohn, den Zinkerl, heiraten und läßt sich so leicht nicht abschütteln. Beim nächsten Heimaturlaub wird sie versuchen, sich von ihm schwängern zu lassen.

Marianne Brackmann kotzte. Sie war schwanger. Dritter Monat. Nachdem im Interesse des gesunden Volkskörpers festgestellt worden war, daß Marianne ehetauglich ist – Vater Brackmann ist zwar Judenfreund und Musikliebhaber, was aber, Gott sei Dank, nicht vererblich ist –, hat sie endlich geheiratet. Auch ein Ehestandsdarlehen hat sie bekommen, weil sie ja jetzt als zukünftige Hausfrau und Mutter nicht arbeiten soll.

Da freut sich jeder. Marianne, der die Sekretärinnenarbeit nicht zusagt. Vater und Mutter Brackmann. Und selbst die Erna freute sich, obwohl der Ecki sie nicht heiraten wollte und sie alle Gründe hatte, eifersüchtig zu sein, wo sie doch nichts besaß und die Marianne so viel.

Auch der Ortsgruppenleiter Dieter Walter hatte noch einmal geheiratet. Diesmal aber ein ordentliches Mädchen, eine braune Schwester, die schon in der Küche steht, während er noch schläft.

Seine geschiedene Frau Vicki ist nach der Geschichte mit der Puderdose auf die schiefe Bahn geraten. Sie hatte etwas mit dem Juden Blumenfeld und mit einem Franzosen. Nun sitzt sie auf der Pritsche in einem Lager und kratzt sich den Kopf. Sie hat sich mit ihren Liebesgeschichten schuldig gemacht.

Kriminalbeamter Reinhold Mehring hat seinen freien Tag und wirft mit einem ungeduldigen Ruck den Stock weg, damit ihn der Hund zurückbringt. Er hat die Gehaltserhöhung nicht bekommen und ärgert sich. Von nun an wird er seinen Dienst nicht mehr so gewissenhaft verrichten.

Frau Liselotte Schneider, ehemalige Oppenheimer, schimpft auf ihre Hausangestellte Fatima, die sie des Diebstahls beschuldigt.

Ihre beiden Söhne sitzen schwitzend auf der Veranda und spielen Skat.

Der Sozialdemokrat Neumann wurde gehängt. Er wurde mit Ulrich Tilling geschnappt, wurde aber, im Gegensatz zu Tilling, sofort abgefertigt.

Der Verleger Siegfried Scholem ist nach Palästina ausgewandert und versucht sich erfolglos an einer Übersetzung von »Kabale und Liebe«.

Herr Neunzlinger sitzt in der guten Stube. Er ist gerade angekommen und furchtbar müde, will aber, bevor er ins Bett geht, etwas zu essen haben. Mutti steht schon stolz mit der Perlenkette am Herd. Heimaturlaub, Heimaturlaub, hat sie von der Treppe aus hochgeschrien, weil ihr wegen der Gefühlsaufwallung nichts Besseres eingefallen ist, und hat so das Nettchen und Thomas geweckt, die freudig zum Vater rennen, weil er ihnen bestimmt etwas Feines aus dem Osten mitgebracht hat.

Sein Schwager, der Kürschner Heinz Schröder, trinkt ein Glas französisches Leitungswasser. Er ist nun in der Wehrmacht. Nachdem man das Geschäft seines Arbeitgebers Alfred Blumenfeld zertrümmert hatte, fand er keine Stelle mehr. Da kam seine Einberufung ganz gelegen.

Die Sekretärin Marianne Flinker besteigt den Bus. Oswald ist mit der Bestandsaufnahme spurlos verschwunden. Marianne ist wütend. Sie hat beschlossen, Oswald zu vergessen. Dennoch muß sie nachts an ihn denken.

Dr. Johann Marburg schläft. Der Ring, seine Maskotte des Unglücks, liegt neben ihm auf dem Nachttisch. Er hat heute keinen Dienst und muß nicht im Krankenbau selektieren.

Sein Kollege Delmotte schnarcht. Auch er hat heute keinen Frühdienst.

Der Lagerälteste Tadeusz Lebowic stiehlt eine Scheibe Brot. Gleich wird er den Befehl bekommen, unter anderem auch Veras Nummer mit einem Lineal durchzustreichen. Er verschlingt das Brot auf dem Weg zum Krankenbau. Der KZ-Wächter hat heute seinen guten Tag und schaut weg.

Bettina Feigenbaum steht stramm. Auch sie ist heute Schreiberin. Obwohl Jüdin, spricht sie so schön Hochdeutsch, da mag sie der Arzt und läßt sie die Todeslisten führen. Nun weint sie, steht stramm und weint. Wie es wohl ihrer Tochter Andrea geht?

Und Dr. Johann Paul Kremer schreibt, nachdem er Muskelgewebe, Milz und Leber entnommen hat: »Heute lebensfrisches Material von menschlicher Leber und Milz sowie von Pankreas fixiert.«

Denn jeder tat etwas an diesem Tag, an dem die Welt sich ins hinterste Loch der schmutzigmilchigen Straße verkroch, weil Gott Verstecken spielte mit Mars, Jupiter, Luna und Erde. Und Gott fand Mars, Jupiter und Luna, aber nicht die kleine Erde, die so weit hinausgerannt war und die den Atem anhielt in freudiger Erregung und darauf wartete, entdeckt zu werden, während Gott sie ganz einfach vergaß und Krieg spielte mit Mars, sie vergaß und nicht sah, was man seinem auserwählten Volk antat, dem Volk Abrahams, Isaaks, Jakobs und Saras, die von Gott heimgesucht wurde, als Abraham hundert war, und ihm das Lachen gebar.

Epilog

Nachdem man die Eltern abgeholt hatte, ging Erika sofort in die Wohnung zurück und packte die Koffer. Sie hatten keine Zeit zu verlieren. Spätestens bei der Prüfung der Papiere würden sie merken, daß sie ein Familienmitglied vergessen hatten, und zurückkommen. Aber sie würde nicht auf sie warten. Sie würde ihnen das Kind nicht auf einem Silbertablett liefern. Wenn sie auch das Kind haben wollten, mußten sie es suchen.

Sie fuhren aufs Land zu ihrem Bruder. Wohin sonst hätte sie gehen sollen? Zuerst wollte er sie nicht aufnehmen. Er hatte auch ohne sie genug Sorgen am Hals. Er sollte eingezogen werden, obwohl er der einzige Mann auf dem Hof war.

Sie nannten sie Käthe. Es dauerte einige Tage, bis das Kind begriff, daß es den Namen ändern mußte. Es war sich der Gefahr nicht bewußt, in der es schwebte und in die es alle hätte bringen können, wenn es seinen wahren Namen genannt hätte. Sie blieben sechs Jahre dort, obwohl ausgemacht war, daß sie den Hof nach einigen Wochen wieder verlassen würden. Sechs Jahre Angst. Vor allen Dingen in der Nacht.

Nach dem Krieg stellte Erika Erkundigungen an. Max, Felice und Leo waren unbekannt verzogen. Über das Rote Kreuz erfuhr sie, daß der unbekannte Wohnort der Familie Lewinter am Ende Buchenwald gewesen war und daß Herr Lewinter seine Frau und seinen Sohn, die sofort ermordet worden waren, um ein Jahr überlebt hatte. Sie erzählte es Lea erst, als sie volljährig geworden war.

Sie zogen nach Zürich. Die jüdische Weltorganisation

bezahlte Lea nach einigem Zögern, weil sie, Erika, keine Jüdin war, die Ausbildung.

Sie hatte um das Sorgerecht für das Mädchen gekämpft. Es war nicht leicht. Sie war Deutsche, man hatte Bedenken. Aber am Ende hatte sie gesiegt. Sie adoptierte Lea, als sie vierzehn wurde, zwei Jahr nach der Bat-Mitzwa.

Die Wiedergutmachungssumme – Leas Vater war, bevor er wegen seiner Abstammung in Ungnade fiel, ein angesehener Soziologe gewesen – legte sie für sie in einer Schweizer Bank an.

Sie hätte dem Beamten, der ihr damals ausrechnete, wieviel Lea monatlich ausgezahlt bekommen würde, wieviel die Haut eines Juden wert war, am liebsten ins Gesicht gespuckt. Sie hatte es dann nicht getan, hatte sich nicht einmal beschwert, weil sie dachte, daß sie das Kind nicht um das wenige Kapital bringen dürfe, das man gewillt war, ihr zurückzugeben.

1957 heiratete Lea einen amerikanischen Juden, der sich geschäftlich in Zürich aufhielt, und zog mit ihm nach New York. Erika ging auf Drängen Leas und ihres Mannes mit. Sie zog in eine Wohnung, die nur einen Block vom Haus der Friedmans entfernt ist, und erfüllte sich einen alten Traum. Sie lernte Stenographie.

Leas Kinder sprechen kein Deutsch. Samuel, heute dreiunddreißig, ist wie sein Großvater Soziologe geworden. Er lehrt an der Universität und hat einen dreijährigen Sohn.

Roberta, die zwei Jahre jünger ist, arbeitet in einer Bank. Letztes Jahr ist sie mit ihrem Freund, den sie im Frühling heiraten wird, wieder nach Europa gereist, nach Italien und in die Schweiz, wo sie Ski fuhren. Deutschen Boden hat sie noch nie betreten.

Lea hat lange nicht über die Kriegsjahre sprechen können, auch nicht mit Erika. Vor ungefähr fünf Jahren traf sie auf einem Seminar Ernst Fuchs, einen Mann, der wie sie seine gesamte Familie verloren hatte. Mit seiner Hilfe lernte sie, sich mit ihrer Vergangenheit auseinanderzusetzen.

Sie begriff als fast sechzigjährige Frau, daß sie ihren Eltern noch nicht verziehen hatte, sie verlassen zu haben, und daß ihr Leben von dieser Angst, noch einmal alleingelassen zu werden, bestimmt war. Sie begriff, daß sie sich schuldig fühlte, weil sie als einzige überlebt hatte, und daß es nicht ihre Schuld war, daß sie lebte.

Lea denkt oft an ihre Familie, an ihren Vater und die Mutter, die in ihrer Erinnerung eine junge Frau ist – viel jünger, als sie heute –, weil sie mit achtundzwanzig erschossen worden ist.

Aus dem Elternhaus ist ihr das Hochzeitsbild ihrer Eltern und ein silbernes Zigarettenetui mit den Initialen des Vaters geblieben, das Erika damals eingepackt hatte, weil es auf der Kommode im Flur lag.

Lea schenkte es ihrem Sohn zum achtzehnten Geburtstag, denn sie dachte, daß es wichtig für ihn wäre, etwas von der Familie zu besitzen – als eine Art Beweis. Er verlor das Etui nach einer Woche.

Zuerst war Lea deprimiert, aber dann spürte sie, wie sich eine unerklärliche und befreiende Leichtigkeit in ihr breitmachte, so als hätte sie nach all den Jahren auf stürmischer See endlich den Ballast aus dem schwankenden Boot geworfen, um sich vorm Ertrinken zu retten.